O MELHOR DE
MAX LUCADO

O MELHOR DE MAX LUCADO

Três livros em um

DERRUBANDO GOLIAS 3:16 DIAS MELHORES VIRÃO

Tradução de
Valéria Lamim Delgado Fernandes

THOMAS NELSON BRASIL

Rio de Janeiro
2009

Título original
Facing Your Giants: A David and Golias Story for Every People.
For These Tough Times.
3:16: The Numbers of Hope

Editor responsável	*Julio Silveira*
Supervisão Editorial	*Clarisse de Athayde Costa Cintra*
Produtora Editorial	*Fernanda Silveira*
Capa	*Valter Botosso Jr.*
Tradução	*Valéria Lamim Delgado Fernandes*
Revisão	*Margarida Seltmann*
	Magda de Oliveira Carlos Cascardo
	Carmen Lucia Borges de Abreu
Projeto gráfico e diagramação	*Julio Fado*

CIP-BRASIL. CATALOGAÇÃO NA FONTE
SINDICATO NACIONAL DOS EDITORES DE LIVROS, RJ

L965m

Lucado, Max, 1955-
O melhor de Max Lucado: 3 livros em 1 – Derrubando Golias, Dias melhores virão e 3:16 / tradução de Valéria Lamim Delgado Fernandes. - Rio de Janeiro: Thomas Nelson Brasil, 2009.

Tradução de: Facing your giants: a David and Golias story for every people. For these tough times. 3:16: the numbers of hope
Conteúdo: Derrubando Golias - Dias melhores virão - 3: 16
ISBN 978-85-7860-069-3

1. David, Rei de Israel. 2. Golias (Personagem bíblico). 3. Vida cristã. 4. Espiritualidade. 5. Consolação. 6. Vida espiritual - Cristianismo. 7. Oração - Cristianismo. 8. Bíblia. N.T. João - Crítica, interpretação, etc. 9. Salvação (Teologia). 10. Deus - Amor. 11. Adolescentes - Vida religiosa. I. Título. II. Título: Derrubando Golias. III. Título: Dias melhores virão. IV. Título: 3: 16.

09-5255. CDD: 222.4
CDU: 27-243.32/.35

Rua Nova Jerusalém, 345 – Bonsucesso
Rio de Janeiro – RJ – CEP 21402-325
Tel.: (21) 3882-8200 Fax: (21) 3882-8212 / 3882-8313
www.thomasnelson.com.br

SUMÁRIO

Derrubando Golias 7

Dias melhores virão 169

3:16 263

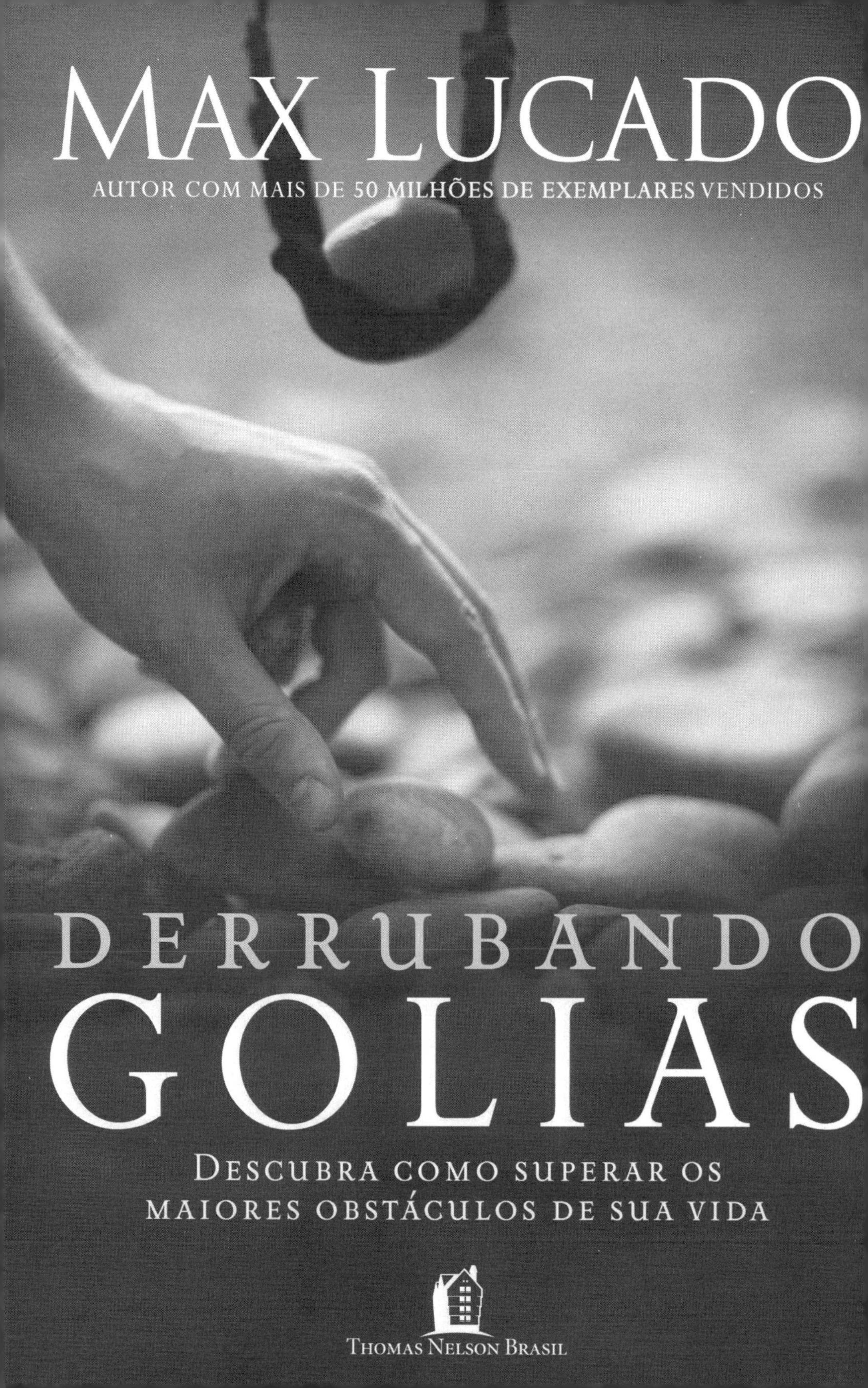

MAX LUCADO

AUTOR COM MAIS DE 50 MILHÕES DE EXEMPLARES VENDIDOS

DERRUBANDO GOLIAS

DESCUBRA COMO SUPERAR OS MAIORES OBSTÁCULOS DE SUA VIDA

THOMAS NELSON BRASIL

É com prazer que Denalyn
e eu dedicamos este livro
a Rod e Tina Chisholm –
servos fiéis, de confiança e alegres.
Agradecemos a Deus
por duas décadas de amizade.

Sumário

Agradecimentos 13
1. Derrubando Golias 15
2. Telefones mudos 23
3. Sauls furiosos 31
4. Dias de desespero 39
5. Estações secas 47
6. Doadores de sofrimento 55
7. Comportamento bárbaro 63
8. Revólveres superdestrutivos 71
9. A última gota 79
10. Sofrimento inexprimível 85
11. Cruzamentos cegos 93
12. Fortalezas 103
13. Deus distante 111
14. Duras promessas 119
15. O máximo em arrogância 129
16. Quedas gigantescas 135
17. Questões de família 141
18. Esperanças frustradas 149
19. Derrube o Golias! 155
Epílogo: O que começou em Belém 163

AGRADECIMENTOS

A lista de pessoas que ajudaram a fazer deste livro uma realidade é longa. Cada uma merece ser aplaudida em pé e aposentar-se cedo.

As editoras Liz Heaney e Karen Hill. Em se tratando de estimular autores teimosos, vocês escreveram o livro.

Steve e Cheryl Green. Se o país tivesse administradores como vocês, todos nós dormiríamos melhor. Obrigado por seus mil e um atos de préstimo.

David Moberg e a equipe da W. O mais alto padrão em publicação.

Susan Ligon. Sua dedicação aos detalhes só é superada por sua dedicação a Cristo. Sou grato.

Sam Moore, Mike Hyatt e a família Thomas Nelson. Se existe uma equipe melhor, eu nunca vi.

Ministros, equipe e presbíteros da Oak Hills. Que vocês continuem a ser um lar para todo coração.

A família UpWords de Becky, Margaret e Tina. Que talentos vocês têm e que talentos vocês são!

Eugene Peterson. Cada leitura de seus livros me toca. *Transpondo Muralhas* transformou minha vida. Nos trechos em que minhas palavras soarem muito como as suas, me perdoe. O mérito é seu.

Carol Bartley. A Scotland Yard (polícia federal britânica) deveria ter esta detetive. Tenho uma grande admiração por suas habilidades editoriais.

David Treat. Suas orações levaram sobre as asas estas palavras.

Minhas três filhas, Jenna, Andrea e Sara. A cada dia, mais bonitas. A cada dia, mais tementes a Deus.

E Denalyn. Se existisse uma lei que limitasse o amor de um marido por sua esposa, você teria de visitar-me na prisão. Depois de vinte e cinco anos, ainda sou fascinado por você.

Capítulo 1

Derrubando Golias

O menino esbelto e imberbe ajoelha-se à beira do riacho. A lama umedece seus joelhos. A água borbulhante refresca sua mão. Se quisesse, ele poderia examinar seus belos traços na água. Seu cabelo tem a cor do cobre. Ele tem a pele bronzeada, cor-de-sangue, e os olhos que roubam o fôlego das moças hebréias. Entretanto, ele não procura pelo seu reflexo, mas por seixos. Pedras. Pedras lisas. O tipo de pedra que fica bem acomodado no alforje de um pastor; que se ajeita bem na funda de couro de um pastor. Pedras achatadas que pesam na palma da mão e são, com a força de um cometa, lançadas contra a cabeça de um leão, de um urso ou, neste caso, de um gigante.

Da encosta da montanha, Golias olha lá para baixo. Ele só não ri porque não acredita no que vê. Ele e seu bando de filisteus transformaram metade do vale em uma floresta de lanças; uma gangue rosnenta e sedenta de sangue formada por rufiões ostentando trapos, mau cheiro e tatuagens feitas com arame farpado. Golias está acima de todos eles: com quase 3 metros de altura, sem sandálias, usando cerca de 55 quilos de armadura e rosnando como se fosse o principal competidor na noite do campeonato da Federação Mundial de Luta Livre. Ele usa gola tamanho 48, um elmo GG e um cinto com cerca de 1,40 metro de comprimento. Seus bíceps sobressaem, os músculos das coxas formam ondas e os elogios que faz a si mesmo ecoam pelo desfiladeiro. "Eu desafio hoje as tropas de Israel! Mandem-me um homem para lutar sozinho comigo" (1 Samuel 17:10). *Quem lutará mano a mano comigo? Que venha o melhor atirador que vocês têm.*

Nenhum hebreu se apresentou. Até hoje. Até Davi.

Davi só apareceu nesta manhã. Ele deixou de apascentar o rebanho para levar pão e queijo para seus irmãos na frente de batalha. É ali que Davi ouve Golias desafiando Deus, é esse o momento em que Davi toma a sua decisão. "Em seguida pegou seu cajado, escolheu no riacho cinco pedras lisas, colocou-as na sua sacola de pastor, em uma bolsa que tinha, e, com sua atiradeira na mão, aproximou-se do filisteu" (17:40).[1]

Golias zomba do rapaz e o apelida de Palito. "Por acaso sou um cão, para que você venha contra mim com pedaços de pau?" (17:43). Davi era magricelo, esquelético. Golias era corpulento, bruto. O palito de dente contra o tornado. A motoca indo de encontro ao caminhão de dezoito rodas. O *poodle* enfrentando o *rottweiler*. Na sua opinião, quais são as chances de Davi vencer seu gigante?

Talvez ele tenha mais chances do que as que você se dá para vencer os seus próprios gigantes.

O seu Golias não carrega uma espada ou um escudo; ele ostenta as espadas do desemprego, do abandono, do abuso sexual ou da depressão. O seu gigante não desfila para cima e para baixo pelas montanhas de Elá; ele se ergue no seu escritório, no seu quarto, na sua sala de aula. Ele traz contas que você não pode pagar, notas que você não pode tirar, pessoas a quem você não pode agradar, o uísque que você não consegue resistir, a pornografia que você não consegue rejeitar, uma carreira da qual você não consegue escapar, um passado em que você não pode mexer e um futuro que você não consegue encarar.

Você conhece muito bem o rugido de Golias.

Davi enfrentou um que buzinava seus desafios de dia e de noite. "Durante quarenta dias o filisteu aproximou-se, de manhã e de tarde, e tomou posição" (17:16). O seu faz a mesma coisa.

O primeiro pensamento da manhã, a última preocupação da noite — o seu Golias domina o seu dia e se infiltra na sua alegria.

Há quanto tempo ele o persegue? Os familiares de Golias eram inimigos antigos dos israelitas. Josué os expulsou da terra prometida trezentos anos antes. Ele destruiu todos, menos os que moravam em três cidades: Gaza, Gate e Asdode. Gate gerava gigantes assim como as sequóias no parque nacional de Yosemite. Adivinhe onde Golias foi criado. Você vê a letra G em sua jaqueta? Colégio de Gate. Seus antepassados eram para os hebreus o que os piratas eram para a marinha de Sua Majestade.

Os soldados de Saul viram Golias e murmuraram: "De novo, não. Meu pai lutou contra o pai dele. Meu avô lutou contra o avô dele".

Você já resmungou coisas semelhantes: "Estou ficando viciado em trabalho como meu pai."; "O divórcio atravessa nossa árvore genealógica como um perene galho de carvalho."; "Minha mãe também não consegue manter uma amizade. Será que isso nunca vai parar?"

Golias: o valentão de longa data do vale, mais duro do que carne de segunda, rosna mais do que dois *dobermanns*. Ele está à sua espera pela manhã e vem atormentá-lo à noite. Ele perseguiu seus antepassados e agora surge diante de você; impede a passagem do sol e o deixa na sombra da dúvida. "Ao ouvirem as palavras do filisteu, Saul e todos os israelitas ficaram atônitos e apavorados" (17:11).

Mas o que estou dizendo para você? Você conhece Golias. Você reconhece o andar dele e recua diante de suas palavras.

Você já viu o seu Godzilla. A pergunta é:
ele é tudo o que você vê?

Você conhece a voz dele — mas é ela tudo o que você ouve? Davi viu e ouviu mais. Leia as primeiras palavras que ele pronunciou, não só na batalha, mas na Bíblia: "Davi perguntou aos soldados que estavam ao seu lado: 'O que receberá o homem que matar esse filisteu e salvar a honra de Israel? Quem é esse filisteu incircunciso para desafiar os exércitos do Deus vivo?'" (17:26).

Davi aparece falando sobre Deus. Os soldados nada mencionaram sobre ele, os irmãos nunca falaram seu nome, mas Davi entra em cena e levanta a questão do Deus vivo. Ele faz o mesmo com o rei Saul: não joga conversa fora falando sobre a batalha ou fazendo perguntas sobre as chances de vitória. Ele traz somente um recado de Deus: "O SENHOR que me livrou das garras do leão e das garras do urso me livrará das mãos desse filisteu" (17:37).

Ele continua o assunto com Golias. Em resposta ao escárnio do gigante, o jovem pastor diz:

> Você vem contra mim com espada, lança e dardos, mas eu vou contra você em nome do SENHOR dos Exércitos, o Deus dos exércitos de Israel, a quem você desafiou. Hoje mesmo o SENHOR o entregará nas minhas mãos, eu o matarei e cortarei a sua cabeça. Hoje mesmo darei os cadáveres do exército filisteu às aves do céu e aos animais selvagens, e toda a terra saberá que há Deus em Israel. Todos os que estão aqui saberão que não é por espada ou por lança que o SENHOR concede vitória; pois a batalha é do SENHOR, e ele entregará todos vocês em nossas mãos (17:45-47).

Ninguém mais fala sobre Deus. Davi não fala sobre outra coisa senão em Deus.

Um enredo secundário surge na história. Mais do que "Davi *versus* Golias", esse enredo passa a ser "o foco em Deus *versus* o foco no gigante".

Davi vê o que os outros não vêem e se recusa a ver o que os outros vêem. Todos os olhos, exceto os de Davi, voltam-se para o brutal grandalhão que irradia ódio. Todas as bússolas, menos a de Davi, estão fixadas na estrela polar do filisteu. Todos os jornais, menos o de Davi, descrevem, dia após dia, a terra daquele homem pré-histórico. As pessoas sabem de seus insultos, de suas exigências, de seu tamanho e de seu andar altivo. Todos eram especializados em Golias.

Davi é especialista em Deus. Como você pode imaginar, ele vê o gigante; mas ele vê Deus com nitidez ainda maior. Observe com atenção o grito de guerra de Davi: "Você vem contra mim com espada, lança e dardos, mas eu vou contra você em nome do SENHOR dos Exércitos, o Deus dos exércitos de Israel" (17:45).

Observe o substantivo no plural — *exércitos* de Israel. Exércitos? O observador comum vê apenas um exército de Israel. Mas Davi não. Ele vê os Aliados no Dia D: pelotões de anjos e infantarias de santos, as armas do vento e as forças da terra. Deus poderia fazer bolinhas do inimigo como fez com o granizo para Moisés, fazer muralhas ruírem como fez para Josué, trovejar com estrondo como fez para Samuel.[2]

Davi vê os exércitos de Deus. E por causa disso "saiu correndo em direção ao exército para enfrentar o filisteu" (17.48).[3]

Os irmãos de Davi cobrem os olhos, com medo e vergonha. Saul suspira enquanto o jovem hebreu corre para a morte certa. Golias joga a cabeça para trás numa gargalhada, o suficiente para mover seu elmo de lugar e expor um pedacinho da testa. Davi percebe o alvo e aproveita o momento. O som da funda esticando é a única coisa que se ouve no vale. Estiiiiiiica. Estiiiiiiica. Estiiiiiiica. A pedra segue seu vôo pelo ar e em seguida torpedeia a cabeça do gigante; os olhos de Golias entortam e as pernas se dobram. Ele cai ao chão e morre. Davi corre e desembainha a espada de Golias, fere o filisteu e corta-lhe a cabeça.

Você talvez diga que Davi soube arrancar *a cabeça* de seu gigante.

Quando foi a última vez em que você fez a mesma coisa? Quanto tempo faz desde o dia em que você enfrentou seu desafio? Temos a tendência de recuar, de nos metermos debaixo da mesa do trabalho ou de nos arrastarmos para uma boate em busca de distração ou para uma cama à procura do amor proibido. Por um instante, um dia ou um ano, sentimo-nos seguros, isolados, anestesiados, mas o trabalho acaba, a bebida desaparece ou o amante nos deixa — e ouvimos o Golias de novo: estrondoso, bombástico.

Experimente uma tática diferente.

Faça seu gigante correr ao se deparar
com uma alma cheia de Deus.

Faça Deus aumentar e o Golias diminuir. Receba alguma solução irrevogável do céu. *Gigante do divórcio, você não vai entrar na minha casa! Gigante da depressão? Você pode levar uma vida inteira, mas não me vencerá. Gigante do álcool, do fanatismo, do abuso infantil, da insegurança... você vai cair por terra.* Quanto tempo faz desde que você pegou o seu estilingue e acertou o seu gigante?

Você disse que faz muito tempo? Então Davi é o exemplo que você tem a seguir. Deus o chamou de "homem segundo o meu coração" (Atos 13:22). Ele não deu esse título a nenhum outro. Nem a Abraão ou Moisés ou José. Ele chamou Paulo de apóstolo, João de seu amado, mas nenhum deles foi identificado como um homem segundo o coração de Deus.

Alguém talvez leia a história de Davi e se pergunte o que Deus viu nele. O camarada caía toda vez que se levantava, tropeçava toda vez que vencia. Ele perturbou Golias com o olhar, mas cobiçou Bate-Seba com os olhos; desafiou os escarnecedores de Deus no vale, mas se juntou a eles no deserto. Em um dia, era um escoteiro condecorado e, no outro, fazia amizade com mafiosos. Pôde liderar exércitos, mas não pôde administrar uma família. Davi se irritava. Davi lamentava. Tinha sede de sangue. Tinha fome de Deus. Tinha oito esposas. Tinha um Deus.

Um homem segundo o coração de Deus? O fato de Deus vê-lo do modo como ele é enche-nos de esperança. A vida de Davi tem pouca coisa a oferecer ao santo imaculado. Os de alma reta acham a história de Davi decepcionante. Para o restante de nós, ela é reconfortante. Estamos na mesma montanha-russa. Alternamos entre bons mergulhos e barrigadas contra a água, suflês e torradas queimadas.

Nos bons momentos de Davi, ninguém foi melhor. Em seus maus momentos, alguém poderia ser pior? O coração que Deus amava era um coração cheio de altos e baixos.

Precisamos da história de Davi. Os gigantes andam à espreita em nossa vizinhança. Rejeição. Fracasso. Vingança. Remorso. Nossos conflitos parecem o programa de um pugilista profissional:

- "No evento principal, temos o Cara Decente contra o *Clube dos Cafajestes*."
- "Pesando 50 quilos, Elizabeth, A Garota do Caixa, lutará com unhas e dentes contra os Idiotas que Pegarem e Partirem seu Coração."
- "Deste lado, o frágil casamento de Jason e Patrícia. Do lado oposto, o rival que vem do estado da confusão, o destruidor de lares chamado Desconfiança."

Gigantes. Temos de encará-los. Contudo, não precisamos enfrentá-los sozinhos. Concentre-se primeiro, e, na maior parte do tempo, em Deus. As vezes em que Davi fez isso, os gigantes caíram. Os dias em que não fez, foi Davi que caiu.

Teste essa teoria com a Bíblia aberta. Leia 1 Samuel 17 e faça uma lista com as observações que Davi fez com relação a Golias.

Achei apenas duas: uma afirmação para Saul sobre Golias (v. 36) e uma diante de Golias — "Quem é esse filisteu incircunciso para desafiar os exércitos do Deus vivo?" (v. 26).

É isso. Dois comentários relacionados a Golias (e, falando nisso, comentários insignificantes) e nenhuma pergunta. Nenhuma pergunta sobre a habilidade, a idade, a posição social ou o QI de Golias.

Gigantes. Temos de encará-los. Contudo, não precisamos enfrentá-los sozinhos.

Davi não pergunta nada sobre o peso da lança, o peso do escudo ou o significado da caveira com as duas tíbias cruzadas que estavam tatuadas nos bíceps do gigante. Davi não pensa no diplódoco na montanha. Ele é um zero à esquerda.

Contudo, ele pensa muito em Deus. Leia as palavras de Davi novamente, desta vez sublinhando as referências que ele faz ao Senhor.

"Os exércitos do *Deus vivo*" (v. 26).

"Os exércitos do *Deus vivo*" (v. 36).

"O SENHOR dos Exércitos, o Deus dos exércitos de Israel" (v. 45).

"O SENHOR o entregará nas minhas mãos [...] e toda a terra saberá que *há Deus* em Israel" (v. 46).

Você está quatro vezes mais propenso a descrever a força de Deus do que a descrever as exigências de seu dia?

"Não é por espada ou por lança que *o SENHOR* concede vitória; pois *a batalha é do SENHOR*, e *ele entregará todos vocês em nossas mãos*" (v. 47).[4]

Contei nove referências. São nove pensamentos acerca de Deus comparados a dois pensamentos acerca de Golias. De que forma essa proporção se compara com a sua? Você pensa quatro vezes mais na graça de Deus do que na sua culpa? Sua lista de bênçãos é quatro vezes mais longa do que sua lista de reclamações? Seu arquivo mental de esperança é quatro vezes mais denso que seu arquivo mental de medo? Você está quatro vezes mais propenso a descrever a força de Deus do que a descrever as exigências de seu dia?

Não? Então Davi é o homem certo para você.

Alguns notam a ausência de milagres na história dele. O Mar Vermelho não se abre, não há carruagens de fogo nem Lázaros mortos que saem andando. Nenhum milagre.

Mas há um. Davi é um milagre. Uma maravilha ambulante de Deus que, embora tosca, ilumina em cores vívidas esta verdade:

> Concentre-se nos gigantes — você tropeçará.
> Concentre-se em Deus — seus gigantes cairão.

Erga os olhos, matador de gigantes. O Deus que fez de Davi um milagre está pronto para fazer o mesmo com você.

Capítulo 2

Telefones mudos

Alguns eventos do ano em que eu estava na sexta série não me são nítidos. Não me lembro das minhas notas ou dos programas familiares nos feriados. Não posso lhe dizer o nome da garota de cabelos castanhos de quem gostei ou do diretor da escola. Mas aquele anoitecer de primavera em 1967... Ah! Dele me recordo com clareza.

Estou sentado no quarto de meus pais. Os temas debatidos durante o jantar ecoam pelo corredor. Temos convidados, mas pedi para sair da mesa. Mamãe fez torta, mas abri mão da sobremesa. Nada estava sociável. Não tinha apetite. Quem tem tempo para conversa fiada ou torta em um momento como esse?

Preciso concentrar-me no telefone.

Eu esperava o telefonema antes do jantar. Ele não veio. Eu ouviria o telefone tocar durante o jantar. Ele não tocou. Agora estou fitando os olhos no telefone como um cachorro com os olhos fixos em um osso, esperando que o técnico da *Little League* me diga que estou em seu time de beisebol.

Estou sentado na cama; minha luva está ao meu lado. Posso ouvir meus amigos brincando lá fora na rua. Não me importo. Tudo o que importa é o telefone. Quero que ele toque.

Ele não toca.

Os convidados vão embora. Ajudo a lavar a louça e termino minha lição de casa. Papai me elogia. Mamãe diz coisas bacanas. Já está quase na hora de ir para a cama. E o telefone nunca toca. Fica mudo. Um silêncio doloroso.

No grande esquema das coisas, ficar de fora de um time de beisebol pouco importa. Mas garotos de 12 anos não podem ver o grande esquema das coisas e, para eles, fazer parte de um time é muito importante, e minha mente só pensava no que eu diria quando os coleguinhas da escola perguntassem que time havia me escolhido.

Você conhece a dor de um telefonema
que não vem. Todos conhecemos.

Você conhece essa sensação. O telefone também não tocou para você. Em um esquema muito maior das coisas, ele não tocou. Quando você se candidatou para o emprego ou para o clube, tentou compensar ou obter ajuda... o telefonema nunca veio. Você conhece a dor de um telefonema que não vem. Todos conhecemos.

Forjamos frases no momento. Ele acabou "pagando o pato". Ela foi deixada "no altar". Eles foram "ignorados". Ou o meu favorito: "Ele estava cuidando das ovelhas". Este era o caso de Davi.

A história de Davi começa não no campo de batalha com Golias, mas na encosta das antigas montanhas de Israel como um sacerdote de barba cor-de-prata que anda devagar por um caminho estreito. Um novilho segue-o com dificuldade. Belém está à sua frente. A ansiedade surge dentro dele. Fazendeiros no campo notam sua presença. Aqueles que conhecem seu rosto sussurram seu nome. Aqueles que ouvem o seu nome se viram para fitar seu rosto.

"Samuel?" O sacerdote escolhido de Deus. Sua mãe era Ana. Seu mentor era Eli. Foi chamado por Deus. Quando os filhos de Eli ficaram amargurados, Samuel deu um passo à frente. Quando Israel precisou de foco espiritual, Samuel o proveu. Quando Israel quis um rei, Samuel ungiu um... Saul.

O mesmo nome leva Samuel a gemer. *Saul. O alto Saul. O forte Saul. Os israelitas queriam um rei, por isso temos um rei. Queriam um líder, por isso temos... um miserável.* Samuel olha de um lado para o outro, com medo de que pudesse ter dito em voz alta o que pretendia apenas pensar.

Ninguém o ouve. Ele está seguro... tão seguro quanto se pode estar durante o reinado de um rei que se tornou um maníaco. O coração de Saul está ficando mais duro, seus olhos ainda mais perturbados. Ele não é o rei que costumava ser. Aos olhos de Deus, nem rei ele é mais. O Senhor diz para Samuel:

> Até quando você irá se entristecer por causa de Saul? Eu o rejeitei como rei de Israel. Encha um chifre com óleo e vá a Belém; eu o enviarei a Jessé. Escolhi um de seus filhos para tornar-se rei (1 Samuel 16:1).

E assim Samuel segue o caminho para Belém. Sua barriga remexe e os pensamentos correm. É perigoso ungir um rei quando Israel já tem um. Contudo, é mais perigoso viver sem um líder nesses momentos explosivos.

Os mil anos anteriores a Cristo foram tempos ruins para esse ajuntamento decadente de tribos chamado Israel. Josué e Moisés eram heróis que figuravam na história. Três séculos de inverno espiritual haviam congelado a fé do povo. Um escritor descreveu os dias entre Josué e Samuel com esta sucinta frase: "Naquela época não havia rei em Israel; cada um fazia o que lhe parecia certo" (Juízes 21:25). A corrupção alimentava a divisão. A imoralidade gerava brutalidade. O povo exigiu um rei — mas, em vez de salvar o navio, Saul quase o fez afundar. O primeiro monarca de Israel revelou-se um asno psicótico.

E então surgiram os filisteus: um povo dado à guerra, sedento de sangue e fonte de gigantes, que monopolizava o ferro e o trabalho dos ferreiros. Eles eram pardos. Os hebreus eram rosados. Os filisteus construíam cidades; os hebreus amontoavam-se em tribos e tendas. Os filisteus faziam armas de ferro; os hebreus lutavam com fundas e flechas grosseiras. Os filisteus faziam ameaças gritando em carros reluzentes; os israelitas retaliavam com facas e ferramentas usadas em fazendas. Ora, em uma batalha todo o exército hebreu só tinha duas espadas — uma para Saul e a outra para seu filho Jônatas (1 Samuel 13:22).

A corrupção vinha de dentro. O perigo vinha de fora. Saul era fraco. A nação, mais fraca. O que Samuel deveria ter feito? O que Deus fez? Ele fez o que ninguém imaginou. Enviou um convite surpresa para todos os que eram de Nenhum Lugar.

Ele enviou Samuel para Red Eye, em Minnesota. Na verdade, não. Enviou o sacerdote para Sawgrass, no Mississippi. Não, não exatamente... Deu a Samuel uma passagem de ônibus para Muleshoe, no Texas.

Tudo bem, ele não fez isso também. Mas ele poderia ter feito. A Belém da época de Samuel era parecida com Red Eye, Sawgrass ou Muleshoe: uma vila sossegada, esquecida pelo tempo, que ficava em uma montanha no sopé de outras mais altas a quase dez quilômetros ao sul de Jerusalém. Belém ficava cerca de 600 metros acima do Mediterrâneo, de onde se viam colinas suaves e verdes que aplainavam pastos desolados e irregulares. Rute conhecia essa aldeia. Jesus clamou pela primeira vez sob o céu de Belém.

Contudo, mil anos antes de nascer um bebê em uma manjedoura, Samuel entra na vila, puxando um novilho. Sua chegada faz com que os habitantes virem suas cabeças para vê-lo. Profetas não visitam Belém. Viera ele para castigar alguém ou se esconder em algum lugar? Nem uma coisa nem outra — assegura o profeta de ombros caídos. Ele viera para sacrificar o animal para Deus e convida os anciãos e Jessé e seus filhos para se juntarem a ele.

A cena lembra uma exibição de cachorros. Jessé exibe seus filhos um de cada vez, como cães com coleiras. Samuel examina-os de vários ângulos, pronto, por mais de uma vez, para dar-lhes a distinção máxima; mas, em cada uma delas, Deus o impede.

Eliabe, o mais velho, parece a escolha lógica. Imagine-o como o Casanova da vila: cabelos ondulados, maxilar saudável. Ele usa uma calça *jeans* apertada e tem um sorriso perfeito. *Este é o cara*, pensa Samuel.

"Errado", diz Deus.

Abinadabe entra como o segundo irmão e concorrente. Você acharia que quem havia acabado de entrar era um modelo de uma revista masculina. Terno italiano. Sapatos de couro de crocodilo. Cabelos negros, alisados para trás com brilhantina. Quer um rei estiloso? Abinadabe tem esse perfil.

O SENHOR não vê como o homem: o homem vê a aparência, mas o SENHOR vê o coração (1 Samuel 16:7).

Deus não está interessado em estilo. Samuel pede para que entre o terceiro irmão, Samá. Ele é estudioso, aplicado. Lucraria com um transplante de carisma, mas tem massa cinzenta sobrando. É formado pela Universidade Estadual e está de olho em um programa de pós-graduação no Egito. Jessé sussurra para Samuel: "Orador oficial da Escola de Belém".

Samuel fica impressionado, mas Deus não. Deus faz o sacerdote se lembrar: "O SENHOR não vê como o homem: o homem vê a aparência, mas o SENHOR vê o coração" (1 Samuel 16:7).

Sete filhos passam. Sete filhos fracassam. O desfile pára.

Samuel conta os irmãos: um, dois, três, quatro, cinco, seis, sete.

– Jessé, você não tem oito filhos?

Uma pergunta semelhante fez a madrasta de Cinderela contorcer-se. Jessé provavelmente fez o mesmo. "Ainda tenho o caçula, mas ele está cuidando das ovelhas" (16:11).

O termo hebraico para "caçula" é *haqqaton* e indica mais do que idade; sugere posição. O *haqqaton* era mais do que o irmão caçula; era o *irmãozinho* — o tampinha, o *hobbit*, o "bêêê-bêêê".

Cabe ao *haqqaton* da família cuidar das ovelhas. Coloque o menino onde ele não possa causar problemas. Deixe-o com cabeças cheias de lã e céu aberto.

E é ali que encontramos Davi, no pasto com o rebanho. As Escrituras dedicam 66 capítulos à sua história, deixando-o, em número de referências, atrás somente de Jesus. O Novo Testamento menciona seu nome 59 vezes. Ele estabelecerá e habitará a cidade mais famosa do mundo, Jerusalém. O Filho de Deus será chamado o Filho de Davi. Os maiores salmos fluirão de sua pena. Iremos chamá-lo de rei, guerreiro, menestrel e matador de gigantes. Mas, hoje, ele nem está incluído na reunião familiar; é simplesmente uma criança esquecida e descredenciada, realizando uma tarefa doméstica em uma cidade que não passa de um ponto no mapa.

O que levou Deus a escolhê-lo? Queremos saber. Realmente queremos saber.

Afinal, andamos pelo pasto de Davi, o pasto da exclusão.

Estamos cansados do sistema superficial da sociedade, de sermos classificados de acordo com os centímetros de nossa cintura, os metros quadrados de nossa casa, a cor de nossa pele, o modelo de nosso carro, a marca de nossas roupas, o tamanho de nosso escritório, a presença de diplomas, a ausência de espinhas. Não estamos cansados desses joguinhos?

O trabalho duro é ignorado. A devoção não compensa. O chefe prefere a segmentação ao caráter. O professor escolhe alunos mimados em vez de alunos preparados. Os pais exibem seus filhos preferidos e deixam os nanicos lá fora no campo. Oh, o Golias da exclusão!

Você está cansado dele? Então é hora de parar de olhar para ele. Quem se importa com o que ele ou eles pensam? O que importa é o que o seu Criador pensa. "O SENHOR não vê como o homem: o homem vê a aparência, mas o SENHOR vê o coração" (16:7).

Essas palavras foram escritas para os *haqqatons* da sociedade, os que se sentem como peixes fora d'água, excluídos. Deus usa a todos eles.

Moisés fugiu da justiça, mas Deus o usou.

Jonas fugiu de Deus, mas Deus o usou.

Raabe dirigia um bordel, Sansão correu para os braços da mulher errada, Jacó correu em círculos, Elias correu para as montanhas, Sara perdeu a esperança, Ló andou com a multidão errada, mas Deus usou a todos eles.

E Davi? Deus viu um adolescente servindo-lhe lá no meio do mato, em Belém, entre o tédio e o anonimato, e, com a voz de um irmão, Deus chamou: "Davi! Entre. Alguém quer vê-lo". Os olhos humanos viram um adolescente magricelo entrar na casa, cheirando a ovelha e com a aparência de quem precisava de um banho. Contudo, "o SENHOR disse: 'É este! Levante-se e unja-o'" (16:12).

Deus viu o que ninguém viu: um coração que o buscava. Davi, apesar de todos os seus defeitos, buscava Deus assim como uma cotovia procura o nascer do sol. Ele buscava o coração de Deus, porque esperava no coração de Deus. No final, é tudo o que Deus queria ou precisava... quer ou precisa. Outras pessoas medem o tamanho de sua cintura ou de sua carteira. Deus não. Ele examina corações. Quando encontra um coração que está nele, Deus o chama e o reclama para si.

Deus examina corações. Quando encontra um coração que está nele, ele o chama e o reclama.

A propósito, você se lembra de quanto esperei pelo toque do telefone naquela noite? Ele nunca tocou. Mas a campainha da porta sim.

Muito tempo depois de minhas esperanças terem se esvaído e de minha luva ter sido pendurada, a campainha tocou. Era o técnico. Ele deu a entender que eu havia sido o primeiro a ser escolhido e achou que um assistente havia telefonado para mim. Só depois descobri a verdade. Eu havia sido o último a ser escolhido. E, não fosse o telefonema de meu pai, talvez eu ficasse de fora do time.

Mas papai telefonou e o técnico apareceu; e eu fiquei feliz em jogar.

A história do jovem Davi dá-nos esta garantia: seu Pai conhece o seu coração e, por causa disso, ele tem um lugar reservado somente para você.

Capítulo 3

Sauls furiosos

Sharon verifica o espelho retrovisor… mais uma vez. Estuda o rosto de outros motoristas... de novo. Procura por ele porque sabe que ele virá à sua procura... uma vez mais.

"Nada me afastará de você", dizia a mensagem que Tony deixara na caixa postal de Sharon. "Sou seu marido."

Os ataques repentinos de raiva, o punho ligeiro do marido e seus olhos roxos provocaram o divórcio. Ele ainda negligenciava advertências, ignorava ordens restritas e ridicularizava a lei.

Por isso Sharon consulta o retrovisor... insistentemente.

Perto dali, Adam, funcionário de um escritório, faz a mesma coisa. Ele espia a porta da sala de seu chefe, vê a cadeira vazia e suspira de alívio. Com um pouco de sorte, ele terá uma hora, talvez duas, antes que o Tio Patinhas do mundo da Internet apareça à sua porta, provavelmente de ressaca, furioso e desorientado.

O Tio Patinhas Jr. herdou a empresa do Sr. Tio Patinhas. Dirigir a empresa é algo que deixa Júnior frustrado. Ele redireciona seu estresse para os funcionários de quem mais precisa, como, por exemplo, Adam. Júnior fala alto e esbraveja; solta insultos todos os dias e distribui elogios com a freqüência de um cometa Halley.

Sharon se esquiva do ex-marido, Adam evita o chefe. E você? Que bicho-papão vagueia pelo seu mundo?

Mães controladoras. Técnicos que vieram da escola de Stalin. O professor bravo de matemática. O comandante autonomeado do cubículo. O rei que decide encravar o jovem pastor na parede.

Essa última história aconteceu com Davi. Pobre Davi. O vale de Elá revelou-se um campo de treinamento para a corte real. Quando Golias perdeu sua cabeça, os hebreus transformaram Davi em seu herói. O povo promoveu um desfile para espalhar rapidamente a notícia, cantando: "Saul matou milhares e Davi, dezenas de milhares" (1 Samuel 18:7).

Saul explode como o vulcão Vesúvio. Passa a examinar Davi "dali em diante" (18:9). O rei já tem a alma perturbada, propensa a ter acessos de raiva, suficientemente louca para comer abelhas. A popularidade de Davi irritou Saul. "Encravarei Davi na parede" (18:11).

Saul tenta matar o menino de ouro de Belém em seis diferentes momentos. Primeiro, ele pede a Davi que se case com sua filha Mical. Parece um gesto gentil, até você ler sobre o preço brutal que Saul exigiu pela noiva. O prepúcio de cem filisteus. *Sem dúvida, um dos filisteus matará Davi*, espera Saul. Não é o que acontece. Davi dobra a exigência e volta com a prova (18:25-27).

Saul não desiste. Ordena aos seus servos e a Jônatas que matem Davi, mas eles se recusam a fazê-lo (19:1). Ele tenta encravá-lo com a lança outra vez, mas não consegue (19:10). Saul envia mensageiros à casa de Davi para o matarem, mas Mical, esposa de Davi, o faz descer por uma janela. Davi, o papa-léguas, fica um passo à frente de Saul, o coiote.

A raiva de Saul estarrece Davi. O que ele fez senão o bem? Ele levou cura pela música ao espírito atormentado de Saul, esperança à nação enfraquecida. Ele é o Abraham Lincoln da calamidade dos hebreus, salvando a república e fazendo isso modesta e honestamente. Ele "tinha êxito em tudo o que fazia" (18:14). "Todo o Israel e todo o Judá, porém, gostavam de Davi" (18:16). Davi "tinha mais habilidade do que os outros oficiais de Saul e assim tornou-se ainda mais famoso" (18:30).

Contudo, o monte Saul continua em erupção, recompensando os feitos de Davi com lanças voadoras e planos para assassiná-lo. Entendemos a pergunta que Davi faz para Jônatas: "O que foi que eu fiz? Qual foi o meu crime? Qual foi o pecado que cometi contra seu pai para que ele queira tirar a minha vida?" (20:1).

Jônatas não tem resposta para dar, pois não há resposta. Quem pode justificar a raiva de um Saul?

Quem sabe por que um pai atormenta um filho, uma esposa desdenha o marido, um chefe coloca os funcionários uns contra os outros? Mas é o que acontece. Saul ainda tem raiva de nosso planeta. Ditadores torturam, patrões seduzem, ministros abusam, sacerdotes molestam, os fortes e poderosos controlam e enganam os vulneráveis e inocentes. Os Sauls ainda perseguem os Davis.

Como Deus responde em tais casos? Aplica o castigo merecido? Talvez queiramos que ele faça isso. Ele tornou-se conhecido por acabar com alguns Herodes e faraós. Não posso dizer como ele cuidará dos seus. Ele lhe enviará um Jônatas.

Deus responde à crueldade de Saul com a lealdade de Jônatas. Jônatas poderia ter ficado tão enciumado quanto Saul. Como filho de Saul, ele preparava-se para herdar o trono. Como um nobre soldado, ele estava lutando contra os filisteus enquanto Davi ainda estava apascentando ovelhas.

Jônatas tinha razão para desprezar Davi, mas não desprezava. Ele era generoso. Generoso porque a mão do Tecelão Mestre tomou seu coração e o de Davi e fez uma emenda entre eles. "Surgiu tão grande amizade entre Jônatas e Davi que Jônatas tornou-se o seu melhor amigo" (18:1).

A mão do Tecelão Mestre tomou seu coração
e o de Davi e fez uma emenda entre eles.

Como se dois corações fossem dois tecidos, Deus os "costura e junta com um fio". De tão entrelaçados que estão, quando um é deslocado, o outro percebe. Quando um é esticado, o outro sabe.

No dia em que Davi derrota Golias, Jônatas jura sua lealdade.

> E Jônatas fez um acordo de amizade com Davi, pois se tornara o seu melhor amigo. Jônatas tirou o manto que estava vestindo e o deu a Davi, com sua túnica, e até sua espada, seu arco e seu cinturão (18:3,4).

Jônatas troca as vestes de pastor de Davi por seu próprio manto de púrpura: o manto de um príncipe. Ele dá sua espada de presente para Davi. Ele, efetivamente, coroa o jovem Davi. O herdeiro do trono entrega seu trono.

E, depois, ele protege Davi. Quando fica sabendo dos planos de Saul, Jônatas avisa seu novo amigo. Quando Saul vem em busca de Davi, Jônatas o esconde. Ele normalmente dá-lhe avisos como este: "Meu pai está procurando uma oportunidade para matá-lo. Tenha cuidado amanhã cedo. Vá para um esconderijo e fique por lá" (19:2).

Jônatas faz uma promessa a Davi e dá-lhe roupas e proteção. "Existe amigo mais apegado que um irmão" (Provérbios 18:24). Davi encontrou tal amigo no filho de Saul.

Oh, como é bom ter um amigo como Jônatas. Um amigo e confidente que o protege, que não procura nada senão o seu bem, que não quer nada senão a sua felicidade. Um aliado que o permite ser quem você é. Você sente-se seguro com essa pessoa. Não é preciso pesar pensamentos ou medir palavras. Você sabe que a mão dele separará o joio do trigo, reterá o que é importante e, com um sopro de bondade, soprará o restante. Deus deu a Davi esse amigo.

Ele deu um a você também. Davi encontrou um companheiro em um príncipe de Israel; você pode encontrar um amigo no Rei de Israel, Jesus Cristo. Ele não fez uma aliança com você? Entre suas últimas palavras estão as seguintes: "Eu estarei sempre com vocês, até o fim dos tempos" (Mateus 28:20).

Davi encontrou um companheiro em um príncipe de Israel;
você pode encontrar um amigo no Rei de Israel, Jesus Cristo.

Ele não o vestiu? Ele oferece-lhe "roupas brancas para que você cubra a sua vergonhosa nudez" (Apocalipse 3:18). Cristo cobre-o com vestes adequadas para o céu.

Na verdade, ele vai além de Jônatas. Ele não só lhe dá o próprio manto; ele põe seus trapos. "Deus tornou pecado por nós aquele que não tinha pecado, para que nele nos tornássemos justiça de Deus" (2 Coríntios 5:21).

Jesus veste você. E, como Jônatas, ele prepara-o. Você é convidado a "[vestir] toda a armadura de Deus, para [poder] ficar [firme] contra as ciladas do Diabo" (Efésios 6:11).

Você quer um amigo verdadeiro? Você tem um. E, por causa disso, você tem uma escolha. Você pode concentrar-se em seu Saul ou em seu Jônatas, ponderar sobre a malícia de seu monstro ou a bondade de seu Cristo.

De seu arsenal, Deus dá-lhe o cinto da verdade, a couraça da justiça, o escudo da fé e a espada do Espírito, que é a palavra de Deus (vv. 13-17).

Assim como Jônatas protegeu Davi, Jesus promete protegê-lo. "Eu lhes dou a vida eterna e elas [as minhas ovelhas] jamais perecerão; ninguém as poderá arrancar da minha mão" (João 10:28).

Você quer um amigo verdadeiro? Você tem um. E, por causa disso, você tem uma escolha. Você pode concentrar-se em seu Saul ou em seu Jônatas, ponderar sobre a malícia de seu monstro ou a bondade de seu Cristo.

Beverly[5] prefere superestimar Cristo. Não é fácil. Como você consegue tirar seu foco do homem que a estuprou? Ele entrou na casa de Beverly passando-se por funcionário público. Ela tinha todos os motivos para confiar nele: relação pessoal e parceria profissional. Ele trabalhava para o Estado e solicitou uma audiência com ela. Mas ele a fez perder mais do que seu tempo.

Ele negou e conseguiu encobrir o ato. Enquanto ele continua a subir na escada política, Beverly reconhece-o no noticiário noturno, encontra-o em festas. Enquanto ele finge ser inocente, ela revolve-se por dentro.

Mas não do modo como ela estava acostumada. Dois anos depois do estupro, ela conheceu seu Jônatas. Uma amiga falou-lhe de Cristo — sua proteção, sua provisão e seu convite. Ela aceitou. As lembranças do estupro ainda a perseguem, mas não a controlam. Ela não ficou mais sozinha com seu Saul. Ela busca Cristo, em vez de vingança; avalia escolhas tendo em vista a misericórdia dele, não a crueldade de quem a violentou. Beverly medita na presença viva de Jesus e a louva. Fazer isso é algo que cura sua alma.

Especialize-se em seu imperador do mal, se quiser. Faça chifres na foto dele. Lance flechas no retrato dele. Faça e memorize uma lista com tudo aquilo que as coisas que contaminaram sua mente levaram: sua infância, sua carreira, seu casamento, sua saúde. Leve uma vida cheia de Sauls. Atole-se na lama da dor. Você se sentirá melhor, não é?

Ou não se sentirá?

Passei boa parte do verão do colégio mergulhado na lama. Trabalhar em campos petrolíferos é um serviço consideravelmente sujo, na melhor das hipóteses. Mas seria esse o serviço mais sujo de todos? Não. Remover o lodo de tanques de petróleo vazios certamente era pior. O chefe da seção deixava esses serviços para os ajudantes que apareciam no verão. (Obrigado, chefe.) Colocávamos máscaras de gás, fazíamos força para abrir a porta de metal e entrávamos, tendo lama contaminada na altura dos tornozelos. Minha mãe queimava as roupas que eu usava para trabalhar. O mau cheiro impregnava o ar.

Fique um bom tempo mergulhado no fedor de sua dor e você ficará com o cheiro da toxina que tanto despreza.

Destino semelhante podem ter as suas roupas. Fique um bom tempo mergulhado no fedor de sua dor e você ficará com o cheiro da toxina que tanto despreza.

Qual a melhor opção? Fique na companhia de seu Jônatas. Lamente-se menos por Saul; adore mais a Cristo. Junte-se a Davi enquanto ele proclama:

> O SENHOR vive!
> Bendita seja a minha Rocha!...
> Este é o Deus que em meu favor executa vingança,
> Que a mim sujeita nações.
> Tu me livraste dos meus inimigos...
> E de homens violentos me libertaste.
> Por isso eu te louvarei entre as nações, ó SENHOR;
> Cantarei louvores ao teu nome (Salmo 18:46-49).

Passeie livre e diariamente pela galeria da bondade de Deus. Catalogue os atos de bondade de Deus. Tudo, dos pores-de-sol à salvação — olhe para o que você tem. Seu Saul levou muita coisa, mas Cristo lhe deu mais! Deixe que Jesus seja o amigo de que você precisa. Converse com ele. Não poupe detalhes. Revele seu temor e descreva seu medo.

Seu Saul desaparecerá? Quem sabe? E até que ponto isso realmente importa? Você acaba de encontrar um amigo para toda a vida. O que poderia ser melhor do que isso?

Capítulo 4

Dias de desespero

O homem desesperado está sentado em um dos cantos da igreja durante a reunião. Boca seca, mãos suando. Ele mal se mexe. Sente-se deslocado em uma sala de discípulos, mas para onde mais ele pode ir? Acaba de violar cada uma de suas crenças. Feriu cada uma das pessoa que ama. Passou uma noite fazendo o que jurou que jamais voltaria a fazer. E agora, no domingo, lá está ele sentado — e com o olhar fixo. Ele não fala. *Se essas pessoas soubessem o que fiz...*

Sente-se assustado, culpado e sozinho.

Ele poderia ser um viciado, um ladrão, espancar os filhos, espancar a mulher.

Ele poderia ser ela — solteira, grávida, confusa. Poderia ser um sem-número de pessoas, pois um número indeterminado de pessoas procura o povo de Deus nessas condições — de desespero, infelicidade, desamparo.

Como a congregação reagirá? O que ele encontrará? Críticas ou compaixão? Rejeição ou aceitação? Sobrancelhas levantadas ou mãos estendidas?

Davi pergunta as mesmas coisas para si mesmo. Ele está em fuga, é um homem procurado na corte de Saul. Seu rosto jovem está estampado em cartazes em agências de correio. Seu nome aparece no topo da lista de pessoas que Saul deseja matar. Ele foge, olhando por sobre o ombro, dormindo com um olho aberto e comendo com sua cadeira próxima à saída do restaurante.

Que série obscura de eventos! Não fazia dois ou três anos de quando ele estava apascentando rebanhos em Belém! Naquela época, bom era ver as ovelhas dormindo. Então apareceu Samuel, um idoso profeta com farta cabeleira e um chifre cheio de óleo. Assim como o óleo, o Espírito de Deus cobria Davi.

Davi deixou de fazer serenatas para ovelhas e passou a fazê-las para Saul. O tampinha ignorado da cria de Jessé estava na boca do povo — o rei Artur para a época da Camelot de Israel, belo e humilde. Os inimigos temiam-no. Jônatas amava-o. Mical casou-se com ele. Saul odiava-o.

Após o sexto atentado contra sua vida, Davi entende a razão. *Saul não gosta de mim*. Tendo a própria cabeça por recompensa e um bando armado em seu rastro, ele beija Mical, dá adeus à vida na corte e foge.

Mas para onde ele pode ir? Para Belém e arriscar a vida de sua família? Para o território do inimigo e arriscar a própria vida? Isso se torna uma opção mais tarde. Por enquanto, ele escolhe outro esconderijo. Ele vai à igreja. "Davi foi falar com o sacerdote Aimeleque, em Nobe" (1 Samuel 21:1).

Estudiosos indicam uma colina a cerca de um quilômetro e meio ao nordeste de Jerusalém como o provável lugar da cidade antiga de Nobe. Ali, Aimeleque, bisneto de Eli, dirigia, em termos, um mosteiro. Oitenta e cinco sacerdotes serviam em Nobe, o que lhe rendeu a alcunha de "a cidade dos sacerdotes" (22:19). Davi vai correndo para a cidadezinha, procurando abrigo para escapar de seus inimigos.

Sua chegada provoca um medo compreensível em Aimeleque. Ele "tremia de medo quando se encontrou com Davi" (21:1). O que leva um guerreiro a Nobe? O que o genro do rei deseja?

Davi garante sua segurança mentindo para o sacerdote:

> O rei me encarregou de uma certa missão e me disse: 'Ninguém deve saber coisa alguma sobre sua missão e sobre as suas instruções'... Agora, então, o que você pode me oferecer? Dê-me cinco pães ou o que você tiver (21:2,3).

Desesperado, Davi recorre à mentira. Isso nos surpreende. Até aqui Davi fora brilhante, impecável, puro — Branca de Neve em um elenco de bruxas com verrugas no nariz. Ele permaneceu calmo quando seus irmãos o repreenderam; permaneceu forte quando Golias bramiu; manteve a calma quando Saul perdeu a dele.

Mas agora ele mente como um chefe mafioso no confessionário. Descaradamente. Convincentemente. Saul não o havia encarregado de missão alguma. Ele não está cumprindo um serviço real secreto. Ele é um fugitivo. Injustamente, é claro. Mas, ainda assim, um fugitivo. E ele mente sobre isso.

O sacerdote não interroga Davi. Ele não tem razão para duvidar do fujão. Ele simplesmente não tem nenhum recurso para ajudá-lo. O sacerdote tem pão, não pão comum, mas pão consagrado. O pão da Presença. Todos os sábados, o sacerdote colocava doze pães de trigo sobre a mesa como uma oferta a Deus. Após uma semana, e somente uma semana depois, os sacerdotes, e somente os sacerdotes, podiam comer o pão (como se alguém quisesse o pão de uma semana.) Não obstante, as opções e o colarinho clerical de Aimeleque encolhem.

Davi não é sacerdote. E o pão acabara de ser colocado sobre o altar. O que Aimeleque deveria fazer? Distribuir o pão e transgredir a lei? Guardar o pão e ignorar a fome de Davi? O sacerdote procura uma escapatória: "Não tenho pão comum; somente pão consagrado; se os soldados não tiveram relações com mulheres recentemente, podem comê-lo" (21:4).

Aimeleque deseja saber se Davi e seus homens vinham se comportando. Pode culpar o aroma de pão recém-assado, mas Davi responde com a segunda mentira e uma escorregadela teológica. Seus homens não puseram os olhos, muito menos as mãos, em uma moça. E o pão consagrado? Ele põe o braço no ombro do sacerdote, segue com ele em direção ao altar e sugere: *Sabe, Aime, meu camarada*, "o pão terá o efeito de sempre, ainda que tenha sido santificado na vasilha" (21:5). Mesmo os pães consagrados, raciocina Davi, ainda são assados no forno e levam farinha. Pão é pão, certo?

Davi, o que você está fazendo? Mentir não é suficiente? Agora você está sendo leviano com as Escrituras e tentando persuadir o pregador?

Funciona. O sacerdote dá-lhe do pão consagrado, "visto que não havia outro além do pão da Presença, que era retirado de diante do SE-

NHOR e substituído por pão quente no dia em que era tirado" (21:6).

Ávido, Davi devora o pão. É provável que Aimeleque também tenha feito o mesmo. Ele pergunta-se se fez a coisa certa. Ele inverteu a lei? Violou a lei? Obedeceu a uma lei superior? O sacerdote concluiu que o apelo maior era a barriga vazia. Em vez de pôr os pingos nos is do código de Deus, ele supriu a necessidade do filho de Deus.

E como Davi retribui a compaixão de Aimeleque? Com outra mentira! "Você tem uma lança ou uma espada aqui? Não trouxe a minha espada nem qualquer outra arma, pois o rei exigiu urgência" (21:8).

A fé de Davi está vacilando. Não fazia muito tempo e a funda do pastor era tudo de que ele precisava. Agora aquele que recusou a armadura e espada de Saul pede uma arma ao sacerdote. O que aconteceu com nosso herói?

Simples. Ele perdeu seu foco em Deus. Golias está no telão da imaginação de Davi. Conseqüentemente, começou o desespero. O desespero que cria mentiras, incita o medo, esconde a verdade. Não há onde se esconder. Não há o que comer.

Para o que tem fome espiritual, a igreja oferece alimento.

Não há refúgio. Não há recurso. Adolescentes e grávidas, os de meia-idade e os arruinados, os velhos e doentes... Para onde os desesperados podem ir?

Eles podem ir ao santuário de Deus. À igreja de Deus. Podem procurar um Aimeleque, um líder da igreja com um coração voltado para almas desesperadas.

Aimeleque deu pão para Davi; agora Davi quer uma espada. A única arma que há no santuário é uma relíquia, a espada de Golias. A espada que Davi usou para decapitar a cabeça do gigante. Os sacerdotes estão expondo a espada como a Galeria da Academia de Florença, na Itália, expõe a estátua de *Davi*, de Michelângelo.

"Esta está perfeita", diz Davi. E aquele que entra no santuário com fome e desarmado sai com a barriga cheia de pão e com a espada de um gigante.

Eugene Peterson, escritor e pastor, vê este intercâmbio como a função da igreja. "Um santuário", ele escreve, "é... o lugar onde eu, como Davi, consigo pão e uma espada, força para o dia e armas para a batalha."[1]

Para o que tem fome espiritual, a igreja oferece alimento:

> Pois estou convencido de que nem morte nem vida, nem anjos nem demônios, nem o presente nem o futuro, nem quaisquer poderes, nem altura nem profundidade, nem qualquer outra coisa na criação será capaz de nos separar do amor de Deus que está em Cristo Jesus, nosso Senhor (Romanos 8:38-39).

Para o fugitivo, a igreja oferece as armas da verdade:

> Sabemos que Deus age em todas as coisas para o bem daqueles que o amam, dos que foram chamados de acordo com o seu propósito (Romanos 8:28).

Pão e espadas. Comida e equipamento. A igreja existe para prover ambas as coisas. Ela consegue fazer isso? Nem sempre. Ajudar pessoas nunca é um negócio organizado, porque as pessoas que precisam de ajuda não levam uma vida organizada. Elas entram na igreja como fugitivos, pedindo abrigo para escapar dos Sauls furiosos, em alguns casos, e das más escolhas em outros. Os Aimeleques da igreja (líderes, mestres, pastores e assim por diante) são forçados a optar não entre o preto e o branco, mas por tons de cinza; não entre o certo e o errado, mas por um pouco de cada.

Procurar o espírito — mais do que a letra — da lei.

Jesus convida a igreja a se inclinar na direção da compaixão. Um milênio depois o Filho de Davi lembra a flexibilidade de Aimeleque.

> Naquela ocasião Jesus passou pelas lavouras de cereal no sábado. Seus discípulos estavam com fome e começaram a colher espigas para comê-las. Os fariseus, vendo aquilo, lhe disseram: "Olha, os teus discípulos estão fazendo o que não é permi-

> tido no sábado". Ele respondeu: "Vocês não leram o que fez Davi quando ele e seus companheiros estavam com fome? Ele entrou na casa de Deus e, junto com os seus companheiros, comeu os pães da Presença, o que não lhes era permitido fazer, mas apenas aos sacerdotes. Ou vocês não leram na Lei que, no sábado, os sacerdotes no templo profanam esse dia e, contudo, ficam sem culpa?" (Mateus 12:1-5).

No final do dia no santuário, a pergunta não deve ser quantas leis foram violadas, mas, em vez disso, quantos Davis desesperados foram alimentados e equipados? Aimeleque ensina a igreja a procurar o espírito — mais do que a letra — da lei.

Davi ensina os desesperados a buscar ajuda entre o povo de Deus. Davi tropeça nessa história. Almas desesperadas sempre tropeçam.

Davi ensina os desesperados a buscar ajuda entre o povo de Deus.

Mas, pelo menos, ele tropeça no lugar certo — no santuário de Deus, onde Deus atende e ministra aos corações desesperados.

Voltemos à história com a qual começamos este capítulo: o homem ofegante e descuidado está sentado na igreja durante a reunião.

Mencionei o tamanho da congregação? Pequena. Uma dúzia ou algo assim de almas reunidas em busca de força. Falei onde elas se reúnem? Em uma sala no primeiro andar que elas tomaram emprestada em Jerusalém. E em que dia? Domingo. O domingo após a crucificação na sexta. O domingo após a traição na noite de terça.

Uma igreja de discípulos desesperados.

Pedro agacha-se na esquina e tapa os ouvidos, mas não pode calar o som de sua promessa vazia. "Estou pronto... para a *morte*" (Lucas 22:33).

Deus traz pão para a nossa alma. "Paz seja com vocês", e uma espada para a batalha. "Recebam o Espírito Santo".

Mas sua coragem desapareceu no fogo e no medo da meia-noite. E agora ele e os outros desertores se perguntam que lugar Deus tem para eles. Jesus responde à pergunta passando pela porta.

Ele traz pão para a alma deles. "Paz seja com vocês" (João 20:19). Ele traz uma espada para a batalha. "Recebam o Espírito Santo" (v. 22).

Pão e espadas. Ele dá ambas as coisas aos desesperados.

Ainda.

Capítulo 5

Estações secas

O Mar Morto está morrendo. Gota a gota, a uma razão de aproximadamente 90 centímetros por ano, ele está recuando. A Galiléia lança seus fluidos frescos pelo canal da Jordânia, águas dignas do batismo de um Messias. Mas o Mar Morto o empobrece: turvando, acidulando, criando um cemitério salino. Encontra-se pouca vida em suas águas.

Encontra-se pouca vida em suas imediações. Penhascos fatais erguem-se ao oeste, formando um paredão de cerca de 610 metros. A erosão marcou a terra deixando muitas cavernas, sulcos e cânions esparsos: um lar para hienas, lagartos, abutres... e para Davi. Não por escolha, lembre-se. Ele não queria trocar o palácio pelas terras assoladas pela erosão. Ninguém escolhe o deserto. Ele o ataca de todas as direções — calor e chuva, tempestades de areia e de granizo. Preferimos quartos com ar-condicionado e becos sem saída — segurança.

Mas às vezes não temos direito de escolha. A calamidade chega e o telhado racha. O tornado ergue-nos e solta-nos no deserto. Não no deserto ao sudeste de Israel, mas no deserto da alma.

Uma época de seca.

O isolamento marca tais épocas. Saul isolou, efetiva e sistematicamente, Davi de toda fonte de estabilidade.

As seis tentativas de assassinato acabaram com a carreira militar de Davi, que teve também seu casamento abalado por toda aquela perseguição.

O deserto começa com separações. Continua com engano.

Depois que Mical, esposa de Davi, o ajudou a escapar, Saul exigiu dela uma explicação. "Tive de fazê-lo", ela mentiu. "Ele me disse que o deixasse fugir, se não me mataria" (1 Samuel 19:17). Davi nunca mais confiou em sua esposa. Eles continuaram casados, mas dormiam em camas separadas.

Davi corre da corte de Saul para a casa de Samuel. Mas logo que ele chega, alguém diz para Saul: "Davi está em Naiote, em Ramá" (19:19).

Davi foge procurando refúgio em Jônatas, seu amigo e confidente. Jônatas quer ajudar, mas o que ele pode fazer? Deixar a corte nas mãos de um louco? Não, Jônatas tem de ficar com Saul. Davi, como se estivesse escalando uma montanha, já ouve os fios de sua corda se arrebentando e sabe que logo estará no ar, sem nenhuma ajuda de Jônatas.

Sem lugar na corte.

Sem posição no exército.

Sem esposa, sem sacerdote, sem amigo.

Nada a fazer senão correr. O deserto começa com separações. Continua com engano.

Vimos a má-fé de Davi em Nobe, a cidade dos sacerdotes. A cidade era santa; Davi era tudo menos santo. Ele mentia sempre que abria a boca.

Davi piora antes de ficar melhor. Foge para Gate, cidade natal de Golias. Tenta forjar uma amizade baseada em um adversário comum. Se Saul é o seu inimigo e Saul é também o meu inimigo, somos nós amigos, certo?

Nesse caso, errado.

Os giteus não são hospitaleiros. "Não é este Davi, o rei da terra de Israel"? — perguntam. "Não é aquele acerca de quem cantavam em suas danças: 'Saul abateu seus milhares e Davi suas dezenas de milhares'?" (21:11).

Davi entra em pânico. Ele é um cordeiro no meio de uma matilha de lobos. Homens altos, muros ainda mais altos. Olhares penetrantes, lanças cortantes. Gostaríamos de ouvi-lo fazer uma oração ao seu Pastor; ficaríamos agradecidos por uma manifestação da força de Deus. Não prenda a respiração. Davi não vê Deus. Ele vê confusão. Assim ele segura os problemas com as próprias mãos.

Ele finge ser louco, riscando as portas da cidade e deixando escorrer saliva pela barba. Finalmente, o rei de Gate diz para seus homens: "'Vejam este homem! Ele está louco! Por que trazê-lo aqui? Será que me faltam loucos para que vocês o tragam para agir como doido na minha frente?' Davi então fugiu da cidade de Gate, e dirigiu-se para a caverna de Adulão" (21:14–22:1).

Será que arriscamos imaginar essa cena de Davi? De olhos arregalados, tremendo como gelatina. Ele põe a língua para fora, rola na lama, resmunga e dá risadinhas, cospe, treme e espumeja. Davi finge ter uma espécie de epilepsia.

Os filisteus acreditavam que um "epiléptico era possuído pelo espírito de Dagom e que esse espírito deixava maridos impotentes, mulheres estéreis, causava a morte de crianças e vômito nos animais". Temendo que cada gota do sangue de um epiléptico criasse mais um demônio, os filisteus expulsavam os epilépticos de suas cidades e os enviavam para morrer no deserto.[1] E foi o que fizeram com Davi. Eles o puseram para fora dos portões da cidade e o deixaram sem ter para onde ir.

Ele não poderia ir para a corte de Saul nem para a casa de Mical, nem para a cidade de Samuel nem para a segurança de Nobe. Por isso ele vai para o único lugar possível — o lugar para onde ninguém vai, porque lá nada sobrevive. Ele vai para o deserto, para o ermo; segue para os cânions em forma de favo de mel que dão vista para o Mar Morto. Ele encontra um lugar chamado de caverna de Adulão. Lá ele encontra sombra, silêncio e segurança. Ele estende-se sobre a terra fria, fecha os olhos e começa sua década no deserto.

Você consegue relacionar sua história com a de Davi?

Seu Saul retirou você da posição que você tinha e afastou você das pessoas que você ama?

Em um esforço para se pôr em pé, você distorceu a verdade? Distorceu os fatos?

Você está procurando refúgio em Gate? Sob circunstâncias normais, você jamais iria para lá. Mas essas não são circunstâncias normais, por isso você perde tempo na terra que cria gigantes. A cidade da confusão. Os braços de uma mulher ou aquele bar. Você anda por ruas escuras e lugares muitas vezes duvidosos. E, enquanto está ali, você enlouquece. Para que a multidão o aceite, para que o estresse não o mate, você fica alucinado. Você acorda em uma caverna do Mar Morto, nas grutas de Adulão, no ponto mais baixo de sua vida, como se tivesse um cérebro de minhoca. Você olha lá para fora para um futuro árido, duro e despovoado, e pergunta: "O que faço agora?".

Sugiro que você deixe Davi ser seu professor. É claro que ele fica desnorteado em alguns versículos. Mas, na caverna de Adulão, ele se anima. O fiel menino-pastor surge novamente. O matador de gigantes redescobre a coragem. Sim, ele tem a cabeça a prêmio. Sim, ele não tem onde recostar a cabeça, mas de algum modo ele se se descontrola.

Seu foco volta-se novamente para Deus e Davi encontra refúgio.

O *refúgio* surge como uma das palavras favoritas de Davi. Faça um círculo nessa palavra no livro de Salmos e você verá que há mais de 40 ocorrências dela em algumas versões. Mas nunca Davi usou o termo de forma mais acerbada do que no Salmo 57. A introdução para a passagem explica seu contexto: "Poema epigráfico davídico. Quando Davi fugiu de Saul para a caverna".

Imagine o filho de Jessé na penumbra: de joelhos, talvez com o rosto em terra, perdido em meio às sombras e aos pensamentos. Ele não tem para onde se virar. Se for para casa, ele põe sua família em perigo; se for para o tabernáculo, ele põe os sacerdotes em perigo. Saul irá matá-lo; Gate não o aceitará. Ele mentiu no santuário e se passou por louco para os filisteus; e aqui está ele sentado. Completamente sozinho.

Mas então ele se lembra de que, na realidade, não está. Ele não está sozinho. E do fundo da caverna uma doce voz paira no ar:

> Misericórdia, ó Deus misericórdia,
> Pois em ti a minha alma se refugia.
> Eu me refugiarei à sombra das tuas asas, até que passe o perigo
> (v. 1).

Faça de Deus seu refúgio. Não seu emprego, seu cônjuge, sua reputação ou seu plano de previdência. Faça de Deus seu refúgio. Deixe que Deus, não Saul, o cerque. Deixe que ele seja o teto que protege o ambiente da luz do sol, as paredes que detêm o vento, o alicerce sobre o qual você está.

Um homem que morava em uma caverna dirigiu-se à nossa igreja recentemente. Ele tinha o cheiro da caverna de Adulão. Havia acabado de enterrar a esposa e sua filha estava ficando mais doente a cada dia. Contudo, na terra seca ele encontrou Deus. Escrevi o que ele descobriu na página em branco de minha Bíblia: "Você jamais saberá que Jesus é tudo de que você precisa até Jesus ser tudo o que você tem".

Os que sobrevivem ao deserto encontram refúgio na presença de Deus.

Eles também descobrem uma comunidade entre o povo de Deus.

> Quando seus irmãos e seu pai souberam disso, foram até lá para encontrá-lo. Também juntaram-se a ele todos os que estavam em dificuldades, os endividados e os descontentes; e ele se tornou o líder deles. Havia cerca de 400 homens com ele (1 Samuel 22:1,2).

Não se tratava de algo que você compararia a um corpo de cadetes da mais famosa academia militar. Estavam em dificuldades, endividados e descontentes. Que bando! Desajustados, sim. A escória da sociedade, sem dúvida. Rejeitados. Perdedores. Marginais.

Assim como a igreja. Não somos os que estão em dificuldades, os endividados e os descontentes?

> Irmãos, pensem no que vocês eram quando foram chamados. Poucos eram sábios segundo os padrões humanos; poucos eram poderosos; poucos eram de nobre nascimento. Mas Deus escolheu o que para o mundo é loucura para envergonhar os sábios, e escolheu o que para o mundo é fraqueza para envergonhar o que é forte (1 Coríntios 1:26,27).

Igrejas fortes estão cheias de ex-moradores de cavernas e dos que ainda moram em cavernas, pessoas que conhecem o terreno de Adulão. Elas contaram algumas mentiras em Nobe. Passaram-se por loucas em Gate. E não se esqueceram. E, por causa disso, imitam Davi: elas dão espaço para você.

Quem é Davi para mandar esses homens embora? Ele não é candidato para a arquidiocese. Ele é um ímã para os marginais. Assim Davi cria uma comunidade de desajustados que buscam Deus. Deus faz deles um grupo poderoso: "Diariamente chegavam soldados para ajudar Davi, até que o seu exército tornou-se tão grande quanto o exército de Deus" (1 Crônicas 12:22).

Gate. Deserto. Caverna de Adulão.

Loucura. Solidão. Restauração.

Davi encontrou todos esses três elementos. O mesmo aconteceu com Whit Criswell. Este homem de Kentucky foi criado em um lar cristão. Quando jovem, serviu como ministro em uma igreja cristã. Mas se pôs a jogar, arriscando diariamente seu salário em jogos de beisebol. Ele mais perdeu do que ganhou e se viu em uma terrível dívida com o corretor de apostas. Decidiu desviar fundos do banco em que trabalhava. Bem-vindo à Gate.

Foi só uma questão de tempo para que os auditores detectassem um problema e convocassem uma reunião. Criswell sabia que havia sido descoberto. Na noite anterior à auditoria, ele não pôde dormir. Resolveu seguir o caminho de Judas. Deixando para a esposa um bilhete sobre seu suicídio, ele saiu de Lexington, estacionou o carro e pôs uma arma na cabeça. Como não conseguiu puxar o gatilho, ele praticou dando um tiro do lado de fora da janela do carro. Pressionou a ponta do cano do revólver contra a testa e murmurou: "Vamos, puxe o gatilho, seu porqueira. É isso que você merece". Mas não conseguiu. O medo da possibilidade de ir para o inferno impediu-o de tirar a própria vida.

Finalmente, ao amanhecer, ele foi para casa, sentindo-se um fracassado. Sua esposa havia encontrado o bilhete e telefonado para a polícia. Ela abraçou-o. Os policiais algemaram-no e levaram-no. Ele foi, ao mesmo tempo, humilhado e libertado: humilhado por ser preso diante da família e de seus vizinhos, mas libertado das algemas da desconfiança. Ele não mais precisava mentir.

A caverna de Adulão de Whit Criswell foi uma cela de prisão. Nela, ele recobrou o juízo; voltou a ter sua fé. Ao ser solto, ele mergulhou no trabalho de uma igreja local, fazendo tudo o que precisava ser feito.

> Você jamais saberá que Jesus é tudo de que você precisa até Jesus ser tudo o que você tem. Você está no deserto? Refugie-se na presença de Deus. Encontre consolo no povo de Deus.

Com o passar dos anos, ele foi incluído na equipe da congregação. Em 1998, foi convidado por outra igreja da região a servir como pastor sênior. Enquanto escrevo este livro, essa igreja é uma das igrejas que mais rapidamente crescem em Kentucky.

Outro Davi foi restaurado.

Você está no deserto? Vá arrastando-se até Deus como se arrastaria um fugitivo até uma caverna. Encontre refúgio na presença de Deus.[2]

Encontre consolo no povo de Deus. Junte-se a uma congregação de gente que apenas uma dádiva da graça separa da tragédia, do vício e do desastre. Busque comunhão na igreja de Adulão.

Refugie-se na presença de Deus. Encontre consolo no povo de Deus. Suas chaves para sobreviver no deserto. Faça isso e, quem sabe, no meio deste deserto você poderá escrever os salmos mais doces.

Capítulo 6

Doadores de sofrimento

O símbolo mais sagrado na cidade de Oklahoma, em Oklahoma, é uma árvore: um vasto olmo norte-americano de 80 anos que faz muita sombra. Turistas percorrem quilômetros para vê-lo. Pessoas posam para fotos debaixo dele. Arboristas cuidadosamente o protegem. Ele enfeita pôsteres e papéis de carta. Outras árvores ficam maiores, mais cheias, até mais verdes. Mas nenhuma recebe o mesmo carinho. A cidade valoriza a árvore não por sua aparência, mas por sua resistência.

Ela resistiu aos bombardeios sofridos por aquela cidade.

Timothy McVeigh estacionou seu caminhão-bomba a apenas alguns metros dela. Sua maldade matou 168 pessoas, feriu outras 850, destruiu o edifício federal Alfred P. Murrah e cobriu a árvore de escombros. Ninguém esperava que ela sobrevivesse. Ninguém, na verdade, parou para pensar na árvore coberta de pó e sem galhos.

Até que ela começou a brotar.

Brotos passavam espremidos por sua casca destruída; folhas verdes empurravam a fuligem cinzenta. A vida ressurgiu de um campo marcado pela morte. As pessoas perceberam. A árvore era um modelo da resiliência que as vítimas desejavam. Por isso elas deram um nome ao olmo: a Árvore Sobrevivente.[1]

Os Timothy McVeighs ainda abalam nossos mundos. Eles ainda, sem razão, inexplicavelmente nos mutilam e deixam cicatrizes. Queremos imitar a árvore — sobreviver ao mal, sobrepormo-nos à ruína. Mas como?

Davi pode nos dar algumas idéias. Quando Saul dá uma de McVeigh e entra no mundo de Davi, Davi se lança no deserto, onde encontra refúgio entre as cavernas próximas ao Mar Morto. Várias centenas de legalistas o seguem. O mesmo acontece com Saul. E, em duas cenas dramáticas no deserto, Davi exemplifica como transmitir graça à pessoa que não lhe dá outra coisa senão sofrimento.

Primeira cena. Saul faz sinal para que seus homens parem. Eles param. Três mil soldados param de marchar enquanto seu rei desce do cavalo e sobe a encosta da montanha.

Dá para fritar um ovo no chão da região de En-Gedi. Os raios de sol ferem como punhais o pescoço dos soldados. Lagartos alojam-se por trás das pedras. Escorpiões ficam na lama. E cobras, como Saul, procuram descanso na caverna.

Saul entra na caverna "para fazer suas necessidades. Davi e seus soldados estavam bem no fundo da caverna" (1 Samuel 24:3). Com os olhos embaçados por causa do sol do deserto, o rei não consegue perceber os vultos silenciosos que se alinham nas paredes.

Mas você não sabe que eles vêem o rei. Enquanto Saul atende ao chamado da natureza, inúmeros olhos arregalam-se. A mente desses homens voa e as mãos estendem-se para pegar lanças. Um golpe da espada levará a tirania de Saul ao fim e eles não terão mais de fugir. Mas Davi faz sinal para que seus homens se contenham. Ele esgueira-se pela parede, desembainha sua faca e corta não a carne, mas o manto de Saul. Davi então volta para o fundo da caverna.

Os homens de Davi não podem acreditar no que seu líder fez. Nem o próprio Davi. Contudo, seus sentimentos não refletem os de seus homens. Eles acham que ele fez muito pouco; ele acha que já fez coisa demais. Em vez de tripudiar, ele arrepende-se.

> Mas Davi sentiu bater-lhe o coração de remorso por ter cortado uma ponta do manto de Saul, e então disse a seus soldados: "Que o SENHOR me livre de fazer tal coisa a meu senhor, de erguer a mão contra ele, pois é o ungido do SENHOR" (24:5,6).

Saul sai da caverna e Davi logo o segue. Ele levanta a ponta de suas vestes e, com todas as letras, grita: "Eu poderia tê-lo matado, mas não o matei".

Saul ergue os olhos, espantado, e pergunta em voz alta: "Quando um homem encontra um inimigo e o deixa ir sem fazer-lhe mal?" (24:19).

Davi faz isso. Mais de uma vez.

Alguns capítulos adiante, Saul está, novamente, perseguindo Davi. Davi volta a bancar o esperto para o lado de Saul. Enquanto o acampamento do rei dorme, o atrevido Davi e um soldado esgueiram-se pelos soldados até que alcançam o rei, que roncava. O soldado implora: "Hoje Deus entregou o seu inimigo nas suas mãos. Agora deixe que eu crave a lança nele até o chão, com um só golpe; não precisarei de outro" (26:8).

Mas Davi não deixa. Em vez de tirar a vida de Saul, ele tira-lhe a lança e o jarro com água e foge do acampamento. A uma distância segura, ele acorda Saul e os soldados com um aviso: "Ele [o Senhor] te entregou nas minhas mãos hoje, mas eu não levantaria a mão contra o ungido do SENHOR" (26:23).

Mais uma vez, Davi poupa a vida de Saul.

Mais uma vez, Davi revela uma mente cheia de Deus. Quem domina seus pensamentos? "O SENHOR recompensa... o ungido do SENHOR... que o SENHOR também considere" (26:23-24).

Mais uma vez, pensamos nas coisas que promovem dor em nossa própria vida. Uma coisa é transmitir graça aos amigos, mas transmitir graça àqueles que nos causam sofrimento? Você conseguiria? Se passasse alguns minutos seguidos com o Darth Vader, o vilão de Guerra nas Estrelas, de seus dias, você conseguiria imitar Davi?

A vingança faz sua atenção se prender aos momentos mais feios da vida.

Talvez você pudesse. Algumas pessoas parecem ser agraciadas com glândulas de misericórdia. Elas escondem perdão, sem nunca guardar rancores ou revelar suas feridas. Para outros de nós (para a maioria de nós?) é difícil perdoar nossos Sauls.

Perdoamos os que nos ofendem uma vez, lembre-se. Repudiamos os que tomam nossa vaga no estacionamento, os que não honram compromissos e até os que batem carteiras.

Podemos passar batido pelos pequenos delitos, mas e os crimes capitais? Os que nos ofendem de novo? Os Sauls que levam nossa juventude, nossa aposentadoria ou nossa saúde?

Se um patife desses buscasse sombra em sua caverna ou estivesse dormindo aos seus pés... você faria o que Davi fez? Você conseguiria perdoar o canalha que o machucou?

Não conseguir fazer isso talvez seja fatal. "O ressentimento mata o insensato e a inveja destrói o tolo" (Jó 5:2).

A vingança faz sua atenção prender-se aos momentos mais feios da vida. A desforra faz seus olhos concentrarem-se em eventos dolorosos de seu passado. É para lá que você quer olhar? Contar e reviver suas feridas fará de você uma pessoa melhor? De forma alguma. Isso irá destruí-lo.

Estou me lembrando de uma velha comédia de costumes. Joe queixa-se com Jerry sobre o hábito irritante de um amigo comum. O rapaz bate com o dedo no peito de Joe enquanto fala, o que enerva Joe.

Os que gostam de destruir os inimigos
precisam de dois túmulos.

Por isso ele resolve se vingar. Ele mostra para Jerry uma garrafinha com uma mistura de nitroglicerina altamente explosiva amarrada a um barbante. Ele explica: "Vou usar isso aqui em volta do meu pescoço, deixando a garrafa pendurada bem no lugar onde ele fica batendo com o dedo. Da próxima vez em que puser o dedo no meu peito, ele vai pagar caro".

Nem de longe Joe passará, certo? Os que gostam de destruir os inimigos precisam de dois túmulos. "A ira se aloja no íntimo dos tolos" (Eclesiastes 7:9). Olho por olho passa a ser pescoço por pescoço e emprego por emprego e reputação por reputação. Quando isso pára? Pára quando uma pessoa imita a mente de Davi controlada por Deus.

Ele enfrentou Saul como enfrentou Golias — colocando-se diante de Deus ainda mais. Quando os soldados na caverna instigaram Davi a matar Saul, veja no que Davi estava pensando: "Que o SENHOR me livre de fazer tal coisa a meu senhor, de erguer a mão contra ele, pois é o ungido do SENHOR" (1 Samuel 24:6).

Quando gritou para Saul da entrada da caverna, "Davi inclinou-se, rosto em terra" (24:8). Depois reiterou sua convicção: "Não erguerei a mão contra meu senhor, pois ele é o ungido do SENHOR" (24:10).

Na segunda cena, durante o ataque ao acampamento de noite, Davi manteve sua convicção: "Quem pode levantar a mão contra o ungido do SENHOR e permanecer inocente?" (26:9).

Nessas duas cenas, contei em seis as vezes em que Davi chamou Saul de "o ungido do SENHOR". Você consegue pensar em outro termo que Davi poderia ter usado? *Desmancha-prazeres* e *miolo mole* vêm à minha mente. Mas não à mente de Davi. Ele não via Saul como o inimigo, mas como o ungido. Recusou-se a ver o homem que o fazia sofrer como algo menos que um filho de Deus. Davi não aprovou o comportamento de Saul; ele simplesmente reconheceu o dono de Saul — Deus. Davi filtrou o que via acerca de Saul usando a peneira do céu. O rei ainda pertencia a Deus, e isso deu esperança a Davi.

Alguns anos atrás, um rottweiler atacou nosso filhote de golden retriever em um canil. O animal desprezível pulou sua jaula e entrou na de Molly e quase a matou. Ele deixou-a com vários cortes e com a orelha pendurada. Meus sentimentos para com aquele vira-lata não eram nada parecidos com os de Davi. Se nos deixassem, os dois, em uma caverna, apenas um sairia vivo. Escrevi uma carta para o dono do cachorro, insistindo que ele o colocasse para dormir.

Mas quando mostrei a carta à dona do canil, ela pediu que eu reconsiderasse.

— O que aquele cachorro fez foi horrível, mas eu ainda o estou treinando. Não terminei meu trabalho ainda.

Deus diria o mesmo sobre o rottweiler que atacou você.

— O que ele fez foi inconcebível, inaceitável, imperdoável, mas não terminei meu trabalho ainda.

Seus inimigos ainda figuram no plano de Deus. O pulso deles é a prova: Deus não desistiu deles. Talvez eles estejam fora da vontade de Deus, mas não estão fora do alcance de Deus. Você honra Deus quando os vê, não como fracassos de Deus, mas como projetos de Deus.

Além disso, quem nos encarregou do serviço de vingança? Davi entendeu isso. Da entrada da caverna, ele declarou: "O SENHOR julgue entre mim e ti. Vingue ele os males que tens feito contra mim, mas não levantarei a mão contra ti... O SENHOR seja o juiz e nos julgue" (24:12,15).

Veja seus inimigos não como falhas de Deus, mas como projetos dele.

Deus ocupa o único assento na corte suprema do céu. Ele usa a beca e se nega a dividir o martelo. Por essa razão, Paulo escreveu: "Nunca procurem se vingar, mas deixem com Deus a ira, pois está escrito: 'Minha é a vingança; eu retribuirei', diz o Senhor" (Romanos 12:19).

A vingança tira Deus da equação. Os que fazem justiça pelas próprias mãos tomam o lugar de Deus. "Não tenho certeza de que o Senhor poderá cuidar disso. O Senhor pode castigar muito pouco ou devagar demais. Deixe esse assunto nas minhas mãos, obrigado."

É isso o que você quer dizer? Não foi assim com Jesus. Ninguém tinha uma noção mais clara do que era certo e errado do que o Filho perfeito de Deus. Não obstante, "quando sofria, não fazia ameaças, mas entregava-se àquele que julga com justiça" (1 Pedro 2:23).

Somente Deus determina sentenças exatas. Impomos castigos leves ou severos demais. Deus faz a justiça perfeita. Cabe a ele a vingança. Deixe seus inimigos nas mãos de Deus.

Ao fazer isso, você não estará endossando a má conduta deles. Você pode odiar o que alguém fez sem se deixar consumir pelo ódio. Perdoar não é justificar.

Perdoar também não é fingir. Davi não encobriu ou evitou o pecado de Saul. Ele tratou-o de forma direta. Ele não evitou o problema, mas evitou Saul. "[Saul] voltou para casa, mas Davi e seus soldados foram para a fortaleza" (1 Samuel 24:22).

Faça o mesmo. Transmita graça, mas, se for necessário, mantenha distância. Você pode perdoar o marido abusivo sem ter de viver com ele.

Perdão é optar por ver o ofensor
com olhos diferentes.

Seja rápido em mostrar compaixão pelo pastor imoral. Mas não tenha pressa em dar-lhe um púlpito. A sociedade pode conceder graça e condenações ao mesmo tempo. Dê uma segunda chance àquele que molesta crianças, mas mantenha-o longe de parquinhos de diversões.

Perdão não é loucura.

Perdão é, em sua essência, optar por ver o ofensor com olhos diferentes. Quando alguns missionários morávios levaram a mensagem de Deus aos esquimós, eles sofreram para encontrar uma palavra para perdão na língua nativa. Por fim, chegaram a essa difícil opção de 24 letras: *issumagijoujungnainermik*. Esta formidável junção de letras é literalmente traduzida como "não há mais como pensar nisso".[2]

Perdoar é seguir em frente, não pensar mais na ofensa. Você não justifica, endossa ou aceita o ofensor. Você simplesmente coloca o que pensa sobre ele no caminho que leva ao céu. Você vê seu inimigo como filho de Deus e a vingança como algo que cabe a Deus.

A propósito, como nós, recipientes da graça, podemos fazer menos que isso? Será que temos coragem de pedir graça a Deus quando nos recusamos a transmiti-la? Esse é um grande tema de discussão nas Escrituras. Jesus era duro com os pecadores que se recusavam a perdoar outros pecadores. Você se lembra da história que Jesus contou sobre o servo cuja dívida de milhões acabara de ser perdoada que se recusou a perdoar uma dívida de alguns reais? Ele provocou a ira de Deus: "Servo mau, cancelei toda a sua dívida... Você não devia ter tido misericórdia... como eu tive de você?" (Mateus 18:32,33).

Em suma, transmitimos graça porque recebemos graça. Sobrevivemos porque imitamos a Árvore Sobrevivente. Nossas raízes vão além da área que foi atingida por bombardeios. Usamos a umidade que vai além da explosão. Cavamos cada vez mais fundo até extrairmos umidade da misericórdia de Deus.

Nós, como Saul, recebemos graça.

Nós, como Davi, podemos transmiti-la gratuitamente.

Capítulo 7

Comportamento bárbaro

Ernest Gordon geme na cela dos condenados à morte de Chungkai, em Burma. Ele ouve os lamentos dos que estão agonizando e sente o mau cheiro dos mortos. O calor impiedoso da selva queima sua pele e seca sua garganta. Se ele tivesse força, poderia envolver sua coxa esquelética com uma mão. Mas ele não tem energia nem interesse. A difteria levou ambas as coisas; ele não pode andar; nem consegue sentir o corpo. Divide um beliche com moscas e percevejos e espera uma morte solitária em um campo para prisioneiros de guerra no Japão.

Como a guerra foi dura com ele! Alistou-se para a 2ª Guerra Mundial com seus vinte e poucos anos, um robusto escocês das regiões montanhosas, trajando as cores típicas da Brigada Sutherland. Mas então vieram a captura pelos japoneses, meses de trabalho pesado na selva, surras diárias e a morte lenta provocada pela fome. A Escócia parece distante para sempre. A civilidade, ainda mais.

Os soldados das Forças Aliadas comportam-se como bárbaros, furtando uns dos outros, roubando de colegas que estão quase morrendo, lutando por restos de comida. Os encarregados da cozinha racionam os alimentos para que tenham mais para eles mesmos. A lei da selva tornou-se a lei do campo.

Gordon está feliz em dar adeus. Morrer por estar doente é algo que supera a vida em Chungkai. Mas então algo maravilhoso acontece. Dois novos prisioneiros, ainda animados pela esperança, são transferidos para o campo. Embora também estejam doentes e fracos, eles atentam para um código superior. Compartilham suas refeições escassas e voluntariam-se para trabalhos extras. Limpam as úlceras de Gordon e massageiam-lhe as pernas atrofiadas. Dão nele o primeiro banho em seis semanas. A força de Gordon aos poucos volta e, com ela, sua dignidade.

A bondade desses homens passa a ser contagiante, e Gordon contrai essa doença. Ele começa a tratar dos doentes e a dividir suas porções de comida. Ele até abre mão do pouco que tem. Outros soldados fazem o mesmo. Com o passar do tempo, o clima do campo acalma-se e clareia. A renúncia toma o lugar do egoísmo. Soldados realizam cultos de adoração e estudos bíblicos.

Vinte anos depois, quando Gordon passou a servir como capelão da Universidade de Princeton, ele descreveu a transformação com as seguintes palavras:

> A morte ainda estava com a gente — sem sombra de dúvida. Mas fomos, aos poucos, sendo libertados de suas garras destrutivas... Egoísmo, ódio e orgulho eram sentimentos contrários à vida. Amor... abnegação... e fé, por outro lado, eram a essência da vida... dádivas de Deus para os homens... A última palavra não mais era da morte em Chungkai.[1]

Egoísmo, ódio e orgulho — você não precisa ir a um campo de prisioneiros de guerra para encontrá-los. Um albergue de estudantes é um bom exemplo. Assim como a sala de reunião da diretoria de uma empresa ou o quarto de um casal ou um local afastado de um município. O código da selva está vivo e presente. *Cada um por si. Agarre o que puder e guarde tudo o que agarrar. A sobrevivência dos mais aptos.*

O código contamina seu mundo? Os pronomes possessivos pessoais dominam a linguagem de seu círculo social? *Minha* carreira, *meus* sonhos, *minhas* coisas. Quero que as coisas sejam do *meu* jeito no *meu* tempo. Se isso acontece, você sabe como esse gigante pode ser cruel. Contudo, de vez em quando, um diamante brilha no meio da lama. Um camarada reparte coisas, um soldado se preocupa, ou Abigail, a maravilhosa Abigail, aparece em seu caminho.

Ela viveu na época de Davi e foi casada com Nabal, cujo nome significa "tolo" em hebraico. A vida de Nabal fez jus à definição de seu nome.

Pense nele como o Saddam Hussein da região. Ele tinha gados e ovelhas e se orgulhava de ambos. Mantinha a adega cheia, a vida amorosa a pleno vapor e rodava por aí em uma enorme limusine. Ocupava lugares nas primeiras filas durante as atividades esportivas, voava em um jato último modelo e estava sempre dando um pulinho em Las Vegas para passar um final de semana em grande estilo. Meia dúzia de seguranças grandalhões o acompanhavam onde quer que fosse.

Nabal precisava de proteção. Ele era "rude e mau — um verdadeiro pitbull, descendente de Calebe... Ele é um homem tão mau que ninguém consegue conversar com ele" (1 Samuel 25:3, 17).[2] Aprendeu a lidar com pessoas no zoológico local. Nunca conheceu uma pessoa com quem não pudesse se irritar ou um relacionamento que não pudesse estragar. O mundo de Nabal girava em torno de uma pessoa — Nabal. Ele não devia nada a ninguém e ria da idéia de dividir coisas com quem quer que fosse.

Principalmente com Davi.

Davi fazia o papel de Robin Hood no deserto. Ele e seus 600 soldados protegiam os fazendeiros e pastores contra bandidos e beduínos. Israel não tinha polícia rodoviária ou força policial, por isso Davi e seus homens valentes supriam uma necessidade específica no campo. Eles fizeram a proteção com tanta eficiência que levaram um dos pastores de Nabal a dizer: "Dia e noite eles eram como um muro ao nosso redor, durante todo o tempo em que estivemos com eles cuidando de nossas ovelhas" (25:16).

Davi e Nabal coabitavam o mesmo território com a harmonia de dois touros no mesmo pasto. Ambos eram fortes e cabeças-duras. Era apenas uma questão de tempo para que eles entrassem em conflito.

Os problemas começaram a ferver depois da colheita. Com as ovelhas tosquiadas e o feno recolhido, era hora de assar o pão, assar o cordeiro e derramar o vinho; de dar um tempo aos arados e rebanhos e desfrutar do fruto do trabalho. Pelo que entendemos na história, os homens de Nabal estavam fazendo exatamente isso.

Davi fica sabendo da festança e acha que seus homens merecem um convite. Afinal, eles protegeram as colheitas e ovelhas do homem, patrulharam as colinas e defenderam os vales. Eles merecem um pouco da generosidade. Davi envia dez homens a Nabal com o seguinte pedido: "Estamos vindo em época de festa. Por favor, dê a nós, seus servos, e a seu filho Davi o que puder" (25:8).

Rude, Nabal zomba da idéia:

> Quem é Davi? Quem é esse filho de Jessé? Hoje em dia muitos servos estão fugindo de seus senhores. Por que deveria eu pegar meu pão e minha água e a carne do gado que abati para meus tosquiadores, e dá-los a homens que vêm não se sabe de onde? (25:10,11).

Nabal finge nunca ter ouvido falar de Davi, equiparando-o a servos fugitivos e vagabundos. Tal insolência enfurece os mensageiros, que dão as costas e voltam às pressas para dar o relatório completo a Davi.

Davi não precisa ouvir a notícia duas vezes. Ordena aos homens que formem um bando armado. Ou, mais precisamente: "Peguem suas espadas!" (25:12).

Quatrocentos homens reúnem-se e partem. Olhos fixos. Narinas dilatadas. Lábios resmungando. Testosterona à flor da pele. Davi e suas tropas vêm com tudo contra Nabal, o canalha, que, distraidamente, bebe cerveja e come churrasco com seus companheiros.

Gestos de paz trazem mais
bem do que alabardas.

A estrada estronda enquanto Davi resmunga: "Que Deus castigue Davi, e que o faça com muita severidade, caso até a manhã eu deixe vivo um só do sexo masculino de todos os que pertencem a Nabal!" (25:22).

Espere aí. É o bangue-bangue no Oriente Antigo!

Então, de repente, surge a beleza. Uma margarida ergue-se no deserto; um cisne pousa no matadouro; um ligeiro perfume paira pelo vestiário masculino. Abigail, esposa de Nabal, aparece no caminho. Enquanto ele é bruto e mesquinho, ela é "inteligente e bonita" (25:3).

Inteligência *e* beleza. Abigail põe ambas para funcionar. Quando fica sabendo da resposta grosseira de Nabal, ela põe-se em ação. Sem falar com o marido, ela ajunta presentes e corre para interceptar Davi. Enquanto Davi e seus homens descem um desfiladeiro, ela assumiu sua posição, munida de "200 pães, duas vasilhas de couro cheias de vinho, cinco ovelhas preparadas, cinco medidas de grãos torrados, 100 bolos de uvas passas e 200 bolos de figos prensados — e os carregou em jumentos" (25:18).

Quatrocentos homens puxam as rédeas dos cavalos. Alguns ficam boquiabertos diante da comida; outros ficam bobos diante da mulher. Ela é bonita e cozinha bem, uma combinação que detém qualquer exército. (Imagine uma loira de fazer um homem virar o pescoço aparecendo no campo de treinamento de recrutas com um caminhão cheio de hambúrgueres e sorvete.)

Abigail não é boba. Ela sabe da importância do momento. Ela aparece como a última barreira entre sua família e a morte certa. Caindo aos pés de Davi, ela faz um apelo digno de um parágrafo nas Escrituras: "Meu senhor, a culpa é toda minha. Por favor, permita que tua serva te fale; ouve o que ela tem a dizer" (25:24).

Ela não defende Nabal, mas concorda que ele é um canalha. Ela não pede justiça, mas perdão, aceitando a culpa quando não merece ser culpada de nada. "Esquece, eu te suplico, a ofensa de tua serva" (25:28). Ela oferece os presentes de sua casa e insiste para que Davi deixe Nabal nas mãos de Deus e evite o peso morto do remorso.

Suas palavras chegam a Davi assim como o sol de verão ao sorvete. Ele se derrete.

> Bendito seja o SENHOR, o Deus de Israel, que hoje a enviou ao meu encontro... pelo seu bom senso... Se você não tivesse vindo depressa encontrar-me, nem um só ser do sexo masculino pertencente a Nabal teria sido deixado vivo... Ouvi o que você disse e atenderei ao seu pedido (25:32-35).

Davi volta para o acampamento. Abigail volta para Nabal. Uma vez que o encontra extremamente bêbado para conversar, ela espera até a manhã seguinte para descrever-lhe o quão perto Davi chegou do acampamento e como Nabal esteve perto da morte. "De manhã... ele sofreu um ataque e ficou paralisado como uma pedra. Cerca de dez dias depois, o SENHOR feriu Nabal e ele morreu" (25:37-38).

Quando fica sabendo da morte de Nabal e da súbita disponibilidade de Abigail, Davi agradece a Deus pela primeira notícia e se aproveita da segunda. Não conseguindo tirar da cabeça a lembrança da linda mulher no meio da estrada, ele a pede em casamento e ela aceita. Davi consegue uma nova esposa; Abigail, um novo lar. E, com isso, temos um importante princípio: a beleza pode vencer a barbárie.

A mansidão salvou a pátria naquele dia. A delicadeza de Abigail reverteu um rio de raiva. A humildade tem tal poder. Desculpas podem desarmar discussões. A contrição pode neutralizar a raiva. Gestos de paz trazem mais bem do que alabardas. "A língua branda quebra até ossos" (Provérbios 25:15).

Abigail ensina muita coisa: o poder contagiante da bondade; a força de um bom coração. Sua maior lição, no entanto, é tirar nossos olhos de sua beleza e colocá-los na de outra pessoa. Ela tira nossos pensamentos de um caminho rural e os leva para uma cruz em Jerusalém. Abigail nunca conheceu Jesus. Ela viveu 1.000 anos antes do sacrifício de Jesus. Não obstante, sua história prefigura a vida de Jesus.

Abigail colocou-se entre Davi e Nabal. Jesus colocou-se entre Deus e nós. Abigail ofereceu-se para ser castigada pelos pecados de Nabal.

A língua branda quebra até ossos (Provérbios 25:15).

Jesus permitiu que o céu o castigasse pelos seus e meus pecados. Abigail desviou a raiva de Davi. Cristo não lhe serviu de proteção contra a raiva de Deus?

Ele era nosso "mediador, entre Deus e os homens; o homem Cristo Jesus, o qual se entregou a si mesmo como resgate por todos" (1 Timóteo 2:5-6). Quem é o mediador senão aquele que se coloca no meio de alguma coisa? E o que Cristo fez senão colocar-se entre a raiva de Deus e nosso castigo? Cristo interceptou a ira do céu.

Algo um pouco parecido aconteceu no campo em Chungkai. Certa noite, depois da inspeção, um guarda japonês anunciou que faltava uma pá. O oficial manteve as Forças Aliadas em formação, insistindo que alguém havia roubado a pá.

Cristo viveu a vida que não poderíamos viver e levou o castigo que não poderíamos levar para oferecer a esperança a que não podemos resistir.

Gritando em um inglês mal falado, ele exigiu que o culpado desse um passo à frente. Pôs seu rifle no ombro, pronto para matar um prisioneiro por vez até que a confissão fosse feita.

Um soldado escocês saiu da formação, ficou firmemente em posição de sentido e disse: "Fui eu". O oficial descarregou sua raiva e bateu no homem até ele morrer. Quando o guarda finalmente se cansou, os prisioneiros pegaram o corpo do homem e suas ferramentas e voltaram para o campo. Só então as pás foram recontadas. O soldado japonês cometera um erro. No final das contas, nenhuma pá estava faltando.[3]

Quem faz isso? Que tipo de pessoa assumiria a culpa de algo que não fez?

Quando você encontrar tal substantivo, associe-o a Jesus. "O SENHOR fez cair sobre ele a iniqüidade de todos nós" (Isaías 53:6). Deus tratou seu Filho inocente como a raça humana culpada, seu Santo como um canalha mentiroso, sua Abigail como um Nabal.

Cristo viveu a vida que não poderíamos viver e levou o castigo que não poderíamos levar para oferecer a esperança a que não podemos resistir. Seu sacrifício pede que façamos essa pergunta: se ele tanto nos amou, não podemos amar uns aos outros? Tendo sido perdoados, não podemos perdoar? Tendo festejado à mesa da graça, não podemos compartilhar algumas migalhas de pão?

"Amados, visto que Deus assim nos amou, nós também devemos amar uns aos outros" (1 João 4:11).

Você acha seu mundo de Nabal difícil de suportar? Então faça o que Davi fez: pare de encarar Nabal. Volva seus olhos para Cristo. Olhe mais para o Mediador e menos para os encrenqueiros.

"Não se deixem vencer pelo mal, mas vençam o mal com o bem" (Romanos 12:21). Um prisioneiro pode mudar um campo. Uma Abigail pode salvar uma família. Seja a beleza em meio às suas feras e veja o que acontece.

Capítulo 8

Revólveres superdestrutivos

Golias possui um revólver superdestrutivo: um magnum .338 feito sob encomenda, de alcance ilimitado, com cano canelado e mira certeira para o coração. Ele não cospe balas, mas tristeza. Não leva vidas, mas sorrisos. Não inflige feridas na carne, mas feridas na fé.

Você já foi acertado?

Se algo o impede de acertar o passo, você já foi atingido. Se parece que você não conseguirá superar a primeira etapa de alguma coisa (ou sair da cama), você já foi atingido. Você dá um passo para frente e dois para trás.

Relacionamentos amargos.

O céu escurece e fica revolto.

Suas noites afrontam o nascer do sol.

Você desmoronou.

Os problemas parecem enormes, você se sente prestes a perder a última batalha.

Davi sente-se assim. Saul vem levando a melhor sobre Davi, deixando-o dormir em cavernas, espreitando atrás de árvores. Seiscentos soldados dependem de Davi como líder e provedor. Esses 600 homens têm esposas e filhos. Davi tem duas esposas (o suficiente para garantir tensão em sua tenda).

Ele está fugindo de um rei desvairado; escondendo-se em montanhas; liderando um bando desordenado de soldados; alimentando mais de 1.000 bocas.

O revólver superdestrutivo encontra seu alvo.Veja o que Davi diz: "Algum dia serei morto por Saul. É melhor fugir para a terra dos filisteus. Assim Saul desistirá de procurar-me por todo o Israel e escaparei dele" (1 Samuel 27:1).

Sem esperança e, principalmente, sem Deus, Davi concentra-se em Saul. Ele pendura o pôster de Saul na parede e torna a ouvir suas mensagens de voz. Davi afunda em seu medo até que seu medo o domina: "Serei morto.".

Ele tem bom senso. Em dias melhores e em momentos mais saudáveis, Davi era exemplo da terapia do céu para dias difíceis. A primeira vez em que enfrentou os filisteus no deserto, "ele perguntou ao SENHOR" (23:2). Quando se sentiu pequeno diante de seu inimigo, "Davi consultou o SENHOR" (23:4). Quando foi atacado pelos amalequitas, "ele perguntou ao SENHOR" (30:8). Confuso acerca do que fazer depois da morte de Saul, "Davi perguntou ao SENHOR" (2 Samuel 2:1). Quando coroado rei e perseguido pelos filisteus, "Davi perguntou ao SENHOR" (5:19). Davi derrotou-os, mas eles armaram outro ataque, então "Davi consultou o SENHOR" (5:23). Davi tinha o número do telefone de Deus armazenado para discagem rápida.

Confuso? Davi conversou com Deus. Desafiado? Ele conversou com Deus. Com medo? Ele conversou com Deus... na maior parte do tempo. Mas não dessa vez. Nessa ocasião, Davi conversa consigo mesmo. Ele nem busca a orientação de seus conselheiros. Quando Saul atacou pela primeira vez, Davi recorreu a Samuel. Como os ataques continuaram, Davi pediu conselhos a Jônatas. Quando se viu sem armas e sem pão, ele procurou refúgio entre os sacerdotes de Nobe. Nesse caso, no entanto, Davi consulta Davi.

Pobre escolha. Veja o conselho que ele dá para si mesmo: "Algum dia serei morto por Saul" (1 Samuel 27:1).

Não, você não será, Davi. Você não se lembra do azeite dourado de Samuel em seu rosto? Deus ungiu-o. Você não se lembra da promessa de Deus por meio de Jônatas? "Você será rei de Israel" (23:17). Você se esqueceu da promessa que Deus lhe fez por meio de Abigail? "Quando o

SENHOR tiver feito a meu senhor todo o bem que prometeu e te tiver nomeado líder sobre Israel..." (25:30). Deus até garantiu sua segurança por meio de Saul. "Tenho certeza de que você será rei" (24:20).

Mas, em meio à onda de cansaço, Davi pressiona a tecla "pausa" de seus pensamentos bons e pensa:

> Algum dia serei morto por Saul. É melhor fugir para a terra dos filisteus. Saul desistirá de procurar-me por todo o Israel e escaparei dele (27:1).

Assim Davi parte, e Saul suspende a caça. Davi bandeia-se para as mãos do inimigo. Ele leva seus homens para a terra dos ídolos e falsos deuses e levanta sua tenda no quintal de Golias. Ele cai em cheio no pasto do próprio Satanás.

A princípio, Davi sente alívio. Saul desiste da perseguição. Os homens de Davi podem dormir com os dois olhos fechados. As crianças podem ir para o jardim de infância e as esposas podem desfazer as malas. Esconder-se com o inimigo traz um alívio temporário.

Nem sempre?

Pare de resistir às bebidas alcoólicas e você rirá — por um tempo.

Troque de cônjuge e você relaxará — por um tempo.

Entregue-se à pornografia e você se entreterá — por um tempo.

Mas depois a tentação crava suas garras. Ondas de culpa arrebentam. A solidão do rompimento chega atropelando.

Esconder-se com o inimigo
traz um alívio temporário.

"Há caminho que parece certo ao homem, mas no final conduz à morte. Mesmo no riso o coração pode sofrer, e a alegria pode terminar em tristeza" (Provérbios 14:12,13).

Aquele "amém" que você acaba de ouvir veio de Davi lá no alto. Ele pode lhe dizer. Veja a terceira estrofe de seu cântico do tombo. No primeiro versículo, "ele se cansou". Por isso "fugiu". E, para sobreviver no campo do inimigo, Davi vendeu-se.

Ele chegou a um acordo com Aquis, rei de Gate: "Dá-me um lugar numa das cidades desta terra onde eu possa viver. Por que este *teu servo* viveria contigo na cidade real?" (1 Samuel 27:5, grifo meu).

Observe o título que Davi dá para si mesmo: o "servo" do rei inimigo. O filho antes orgulhoso de Israel e conquistador de Golias levanta um brinde ao inimigo de sua família.

Aquis aceita o acordo. Ele dá para Davi uma aldeia, Ziclague, e pede apenas que Davi se volte contra seu próprio povo e o extermine. Até onde Aquis sabe, Davi faz isso. Mas Davi, na verdade, assalta os inimigos dos hebreus:

> Ele e seus soldados atacavam os gesuritas, os gersitas e os amalequitas... Quando Davi atacava a região, não poupava homens nem mulheres, e tomava ovelhas, bois, jumentos, camelos e roupas. Depois retornava a Aquis (27:8,9).

Não é a melhor hora de Davi. Ele mente para o rei filisteu e encobre sua fraude derramando sangue. Continua mentindo por 16 meses. Não existem salmos dessa época. Sua harpa está em silêncio. O revés silencia o menestrel.

As coisas pioram antes de melhorarem.

Os filisteus decidem atacar o rei Saul. Davi e seus homens optam por trocar de lado e se juntam à oposição. Imagine os fuzileiros navais norte-americanos juntando-se aos nazistas. Eles viajam três dias para chegar ao campo de batalha, são rejeitados e viajam três dias de volta para casa.

"Os comandantes filisteus iraram-se contra ele e disseram: '...Ele não deve ir para a guerra conosco, senão se tornará nosso adversário durante o combate'" (29:4).

Davi conduz seus homens indesejados de volta para Ziclague e acaba por encontrar a aldeia toda incendiada. Os amalequitas destruíram-na e seqüestraram todas as esposas, filhos e filhas. Quando Davi e seus homens vêem a devastação, eles choram até "não terem mais forças" (30:4).

Rejeitados pelos filisteus. Saqueados pelos amalequitas. Sem terra pela qual lutar. Sem família para recebê-los na volta para casa. Será que as coisas podem piorar? Podem. Ódio brilha nos olhos dos soldados. Os homens de Davi começam a olhar para as pedras. "Os homens falavam em apedrejá-lo; todos estavam amargurados" (30:6).

Temos de perguntar para nós mesmos: Davi está se arrependendo de sua decisão? Desejando dias mais simples no deserto? Os bons e velhos tempos na caverna?

O modo como lidamos com nossos momentos difíceis permanece conosco por um bom tempo.

Ali não havia a rejeição dos filisteus nem os ataques dos amalequitas. Seus homens amavam-no. Suas esposas estavam com ele.

Agora, nas ruínas de Ziclague com homens escolhendo pedras para apedrejá-lo, ele arrepende-se da escolha de sair e se vender que ele fez sem orar?

Tempos de dificuldades: local de teste das más decisões, a incubadora para mudanças erradas, a linha de montagem de atos arrependidos. O modo como lidamos com nossos momentos difíceis permanece conosco por um bom tempo.

Como você lida com os seus? Quando a esperança vai embora no último trem e a alegria não é nada senão o nome da menina do outro lado da rua... quando você está cansado de tentar, cansado de perdoar, cansado de semanas difíceis ou de gente teimosa... como você lida com seus dias negros?

Com um frasco de remédio ou uma garrafa de uísque? Com uma hora no bar, um dia no spa ou uma semana no litoral? Muitos optam por tais tratamentos. Tantos desses tratamentos, na verdade, revigoram a vida triste. Mas será? Ninguém nega que ajudam por um tempo, mas e a longo prazo? Eles atenuam a dor, mas será que a removem?

Ou somos como as ovelhas que pularam de um penhasco na Turquia? Quem sabe por que a primeira pulou a cerca. Ainda mais estranho são as outras 1.500 que seguiram a primeira, cada uma pulando do mesmo lugar. Os primeiros 450 animais morreram. Os 1.000 que seguiram só sobreviveram porque a pilha de corpos amorteceu a queda.[1]

Nós, como ovelhas, seguimos uns aos outros à beira do penhasco, mergulhando de cabeça em bares, farras e camas. Como Davi, acabamos em Gate e descobrimos que Gate não tem nenhuma solução.

Existe uma solução? Na verdade, existe. Fazer certo aquilo que Davi fez errado.

Ele não orou. Faça o contrário: *seja rápido para orar*. Pare de conversar consigo mesmo. Converse com Cristo, que convida: "Venham a mim, todos os que estão cansados e sobrecarregados, e eu lhes darei descanso" (Mateus 11:28).

Deus, que nunca se abate, nunca se cansa de seus dias para baixo.

Davi negligenciou o bom conselho. Aprenda com o erro dele. Da próxima vez em que você perder a vontade de continuar, *procure um bom conselho*.

Você não vai querer. Pessoas que vivem para baixo gostam de pessoas que vivem para baixo. Pessoas que magoam andam com pessoas que magoam. Gostamos daqueles que se compadecem e evitamos aqueles que corrigem. Contudo, é de correção e direção que precisamos.

Descobri a importância de um bom conselho em um meio triatlo. Depois de nadar dois quilômetros e pedalar 90 quilômetros de bicicleta, não me restava muita energia para os 21 quilômetros de corrida. Nem para o companheiro que corria ao meu lado. Perguntei-lhe como ele estava se saindo e logo me arrependi de ter feito a pergunta.

— Isso é uma droga. Participar desta corrida foi a decisão mais idiota que tomei.

Ele tinha mais reclamações do que um contribuinte da Receita Federal. Que resposta dei para ele?

— Adeus.

Eu sabia que se ouvisse por muito tempo, começaria a concordar com ele.

Alcancei uma vovó de 66 anos. Seu tom era exatamente o oposto.

— Você vai terminar — ela incentivou. — Está quente, mas, pelo menos, não está chovendo. Um passo de cada vez... Não se esqueça de se hidratar... Fique por perto.

Corri ao lado dela até meu coração ficar acelerado e minhas pernas ficarem doendo. Por fim, tive de diminuir o passo.

— Não tem problema — ela disse, acenando enquanto continuava em frente.

Qual dos dois descreve o conselho que você procura? "Os planos fracassam por falta de conselho, mas são bem-sucedidos quando há muitos conselheiros" (Provérbios 15:22).

Seja rápido para orar, procure um bom conselho e não desista.

Não cometa o erro de Florence Chadwick. Em 1952, ela tentou nadar nas águas geladas do oceano entre a ilha Catalina e a costa da Califórnia. Ela nadou com um tempo nublado e o mar agitado por 15 horas. Seus músculos começaram a ter cãibras e sua determinação diminuiu.

Seja rápido para orar, procure um bom conselho e não desista.

Ela pediu para ser tirada da água, mas sua mãe, que estava em um barco ao lado, insistiu para que ela não desistisse. Ela continuou tentando, mas ficou exausta e parou de nadar. O grupo de apoio tirou-a da água e colocou-a no barco. Eles remaram mais alguns minutos, a neblina desapareceu e ela descobriu que a costa estava a menos de 800 metros.

— Tudo o que eu conseguia ver era o nevoeiro — ela explicou em uma coletiva de imprensa. — Acho que, se tivesse visto a costa, eu teria chegado lá.[2]

Dê uma boa olhada na costa que o espera. Não se deixe enganar pelo nevoeiro do contratempo. A linha de chegada pode estar a apenas algumas braçadas. Talvez Deus esteja, nesse momento, levantando a mão para fazer um sinal para Gabriel pegar a trombeta.

Dê uma boa olhada na costa que o espera. Não se deixe enganar pelo nevoeiro do contratempo. A linha de chegada pode estar a apenas algumas braçadas.

Os anjos talvez estejam se reunindo, os santos se juntando, os demônios tremendo. Fique aí! Fique na água. Continue na competição. Transmita graça, mais uma vez. Seja generoso, mais uma vez. Dê mais uma aula, encoraje mais uma alma, dê mais uma braçada.

Davi fez isso. Bem ali, em meio às ruínas em brasa, ele encontrou força. Depois de 16 meses em Gate. Depois da rejeição dos filisteus, do ataque dos amalequitas e da revolta de seus homens, ele lembrou o que fazer. "Davi, porém, fortaleceu-se no SENHOR, o seu Deus" (1 Samuel 30:6).

É bom tê-lo de volta, Davi. Sentimos sua falta enquanto você estava longe.

Capítulo 9

A última gota

Recentemente vi uma mulher andando com um cachorro preso à coleira. Mude isso. Vi uma mulher *puxando* um cachorro *com* uma coleira. O dia estava quente, terrivelmente quente. O cachorro parou, de todo. Ele caiu, de barriga para baixo, na grama molhada, trocando a calçada que estava pegando fogo por um gramado fresco.

A mulher puxava e puxava. Teria tido mais sucesso se estivesse puxando um trailer estacionado.

A idéia de levantar e caminhar havia sido abandonada pelo cão, que permanecia esticado no chão.

Ele não foi o último a fazer isso. Você já atingiu seu ponto limite?

A culpa é do seu chefe. "Precisamos que você aceite *mais um* caso."

Do seu cônjuge. "Vou chegar tarde *mais uma* noite nesta semana."

De seus pais. "Tenho *mais um* serviço para você."

De seu amigo. "Preciso só de *mais um* favor."

O problema? Você cuidou, tolerou, fez, perdoou e aceitou até não restar mais nenhum "mais um" em você. Você é um filhotinho cansado. Caiu para valer. *Quem se importa com o que os vizinhos pensam. Quem se importa com o que o Mestre pensa. Que eles puxem a coleira que quiserem; não estou dando nem mais um passo.*

Mas, ao contrário do cachorro, você não cai na grama. Se for como os homens de Davi, você cai no ribeiro de Besor.

Não se sinta mal se você nunca ouviu falar do lugar. A maioria nunca ouviu; contudo, mais pessoas precisam conhecê-lo. A narrativa sobre o ribeiro de Besor merece um lugar na prateleira da biblioteca dos esgotados. Ela fala palavras doces ao coração cansado.

A história surge das ruínas de Ziclague. Como vimos, Davi e seus 600 soldados voltam da guerra contra os filisteus e encontram a destruição total. Um bando de invasores amalequitas passou pela aldeia, saqueou-a e levou as mulheres e crianças como reféns. A dor dos homens se converte em raiva, não contra os amalequitas, mas contra Davi. Afinal, não foi ele que os levou para a batalha? Não foi ele que deixou as mulheres e crianças sem proteção? Não é ele que leva a culpa? Então ele precisa morrer. Assim, eles começam a pegar pedras.

O que mais é novo? Davi está ficando acostumado com tal tratamento. Sua família ignorou-o. Saul ficou com raiva dele. E agora o exército de Davi, que, se você se lembra, o procurou (e não o contrário) se voltou contra ele. Davi é um psicopata em desenvolvimento, rejeitado por todo círculo social importante em sua vida. Esse talvez fosse seu pior momento.

Mas ele o transforma em um dos melhores.

Enquanto 600 homens alimentam sua raiva, Davi busca seu Deus. "Davi, porém, fortaleceu-se no SENHOR, no seu Deus" (1 Samuel 30:6).

Como é essencial que aprendamos a fazer o mesmo! Sistemas de apoio nem sempre apóiam. Amigos nem sempre são amigos. Pastores podem desviar-se do essencial e as igrejas perdem o contato. Quando ninguém pode ajudar, temos de fazer o que Davi faz aqui. Ele se volta para Deus.

"Devo perseguir esse bando de invasores? Irei alcançá-los?"

"Persiga-os; é certo que você os alcançará e conseguirá libertar os prisioneiros" (30:8).

(Eu costumava acreditar que somente os santos podiam conversar assim com Deus. Estou começando a achar que Deus conversa deste modo com qualquer pessoa e que santos são os que aceitam sua oferta.)

Recém-comissionado, Davi redireciona a raiva de seus homens

para o inimigo. Eles começam a perseguir os amalequitas. Lembre-se do cansaço dos homens. Eles ainda trazem a poeira da estrada depois de uma longa campanha e não sufocaram totalmente a raiva que sentem de Davi. Eles não conhecem o esconderijo dos amalequitas, e, se não fosse por amor aos seus entes queridos, talvez desistissem.

Na verdade, 200 desistem. O exército chega a um ribeiro chamado Besor e eles descem dos cavalos. Os soldados entram no riacho e jogam água no rosto, afundam os dedos dos pés na lama fria e se esticam na grama. Ouvindo a ordem de que sigam em frente, 200 preferem descansar. "Continuem sem nós", eles dizem.

Até que ponto uma pessoa precisa ficar cansada para abandonar a busca de sua própria família?

A igreja tem seu quórum de tais pessoas. Pessoas boas. Pessoas tementes a Deus. Há apenas horas ou anos, elas marchavam com muita determinação. Mas agora a fadiga as consome. Elas estão exaustas. Tão esgotadas e cansadas que não conseguem reunir forças para salvar os do mesmo sangue. A idade avançada roubou-lhes o ar. Ou talvez tenha sido uma série de derrotas de tirar o fôlego. O divórcio pode levá-lo ao ribeiro. O vício também. Seja qual for a razão, a igreja tem sua cota de pessoas que simplesmente se sentam e descansam.

E a igreja precisa decidir. O que fazemos com as pessoas que estão no ribeiro de Besor? Devemos repreendê-las? Devemos humilhá-las? Devemos dar-lhes um descanso mas contar os minutos? Ou fazemos o que Davi fez? Davi deixou que ficassem.

E a igreja precisa decidir. O que fazemos com as pessoas que estão no ribeiro de Besor?

Ele e os 400 guerreiros restantes recomeçam a perseguição. Eles se precipitam cada vez mais, ficando mais desanimados a cada duna de areia pela qual passam. Os amalequitas estão muito à frente e não deixaram pistas. Mas, então, Davi tira a sorte grande. "Encontraram um egípcio no campo e o trouxeram a Davi. Deram-lhe água e comida" (30:11).

O egípcio é um servo inválido que pesa mais do que vale, por isso os amalequitas o deixaram passar fome no deserto. Os homens de Davi cuidam dele com figos e uvas passas até ele se recuperar e pedem que o servo os leve até o acampamento de seus velhos amigos. Ele fica feliz em poder fazer um favor.

Davi e seus homens vão para cima do inimigo como gaviões sobre ratos. Cada mulher e cada criança israelitas são resgatadas. Cada amalequita ou cai morto ou foge, deixando despojos preciosos para trás. Davi passa de bode expiatório a herói, e a algazarra e a gritaria começam.

O auge da história, no entanto, ainda está por vir. Para sentir toda a força dela, imagine os pensamentos de alguns dos personagens dessa história.

As esposas resgatadas. Você simplesmente foi arrancada de sua casa e arrastada pelo deserto. Temia por sua vida e agarrava seus filhos. Então, em um belo dia, os mocinhos invadem o acampamento. Braços fortes erguem-na e colocam-na diante da corcova de um camelo. Você agradece a Deus pelo grupo de elite da polícia que a resgatou e começa a procurar por seu marido no rosto dos soldados.

— Querido — você grita. — Querido! Onde você está?

Aquele que a resgata puxa as rédeas do camelo para ele parar.

— Uh — ele começa — uh... seu benzinho ficou no acampamento.

— Ele o quê?

— Ele ficou com os rapazes no ribeiro de Besor.

Não sei se as mulheres hebréias tinham rolos de macarrão, mas, se tinham, poderiam começar a usá-los nesse momento.

— Besor, é? Vou lhe dizer quem vai ficar no ribeiro.

A equipe de resgate. Quando Davi chamou, você arriscou sua vida. Agora, com a vitória na mão, você volta para o ribeiro de Besor. Chega ao topo da cordilheira que dá vista para o acampamento e vê os 200 homens lá embaixo.

— Seus parasitas!

Enquanto você lutava, eles dormiam. Você foi para a batalha; eles foram para matinês e massagistas. Eles encaçaparam 18 bolas e ficaram até tarde jogando pôquer.

Talvez você se sinta como alguns dos homens de Davi se sentiram: "Uma vez que não saíram conosco, não repartiremos com eles os bens que recuperamos. No entanto, cada um poderá pegar sua mulher e seus filhos" (30:22).

Esposas resgatadas: irritadas.

Resgatadores: ressentidos.

E os 200 homens que descansaram? Os vermes têm mais auto-estima. Eles sentem-se tão másculos quanto uma toalhinha de renda.

Uma bomba caseira feita de emoções é agitada, acesa e entregue a Davi. Eis como ele a neutraliza:

> Não façam isso com o que o SENHOR nos deu. Ele nos protegeu e entregou em nossas mãos os bandidos que vieram contra nós. Quem concordará com o que vocês estão dizendo? A parte de quem ficou com a bagagem será a mesma de quem foi à batalha. Todos receberão partes iguais (30:23,24)

Observe as palavras de Davi: ele refere-se a quem "ficou com a bagagem" — como se esse fosse o trabalho deles. Eles não pediram para guardar os suprimentos; queriam descansar. Mas Davi dignifica a decisão deles de ficar.

Davi fez muitas coisas importantes em sua vida. Ele fez muitas coisas insensatas em sua vida. Mas talvez a mais nobre tenha sido essa ação raramente discutida: ele honrou os soldados cansados no ribeiro de Besor.

Não há problema algum em descansar.
Jesus luta quando você não pode.

Algum dia, alguém lerá o que Davi fez e chamará a igreja deles de a Congregação junto ao ribeiro de Besor. Não é isso que a igreja tem por objetivo ser? Um lugar para que os soldados recuperem suas forças?

Em seu maravilhoso livro sobre Davi, *Transpondo Muralhas*, Eugene Peterson fala de uma amiga que às vezes assina suas cartas com "Um abraço no ribeiro de Besor".[1] Eu pergunto-me quantas pessoas poderiam fazer o mesmo. Estão cansadas demais para lutar. Envergonhadas demais para reclamar. Enquanto outros declaram vitória, os cansados ficam sentados em silêncio. Quantos ficam sentados junto ao ribeiro de Besor?

Se você estiver listado entre eles, aqui está o que você precisa saber: não há problema algum em descansar. Jesus é seu Davi.

Você está cansado? Tome fôlego. Você é forte?
Deixe o julgamento para os cansados.

Ele luta quando você não pode. Ele vai aonde você não pode ir. Ele não fica nervoso se você fica sentado. Não foi ele que fez o convite: "Venham comigo para um lugar deserto e descansem um pouco" (Marcos 6:31)?

O ribeiro de Besor abençoa o descanso.

O ribeiro de Besor também adverte contra a arrogância. Davi sabia que a vitória era um presente. Lembremo-nos da mesma coisa. A salvação vem como o egípcio no deserto, uma agradável surpresa que aparece no caminho. Não obtida. Não merecida. Quem são os fortes para criticar os cansados?

Você está cansado? Tome fôlego. Precisamos de sua força.

Você é forte? Deixe o julgamento para os cansados. É provável que você precise cair em cheio. E, quando cair, o ribeiro de Besor é uma boa história para se conhecer.

Capítulo 10

Sofrimento inexprimível

Talvez você ouça a notícia da boca de um policial:

— Sinto muito. Ele não sobreviveu ao acidente.

Talvez você ligue de volta para um amigo e receba a notícia:

— O cirurgião trouxe más notícias.

Muitos cônjuges já ouviram essas palavras da boca de soldados com cara fechada:

— Lamentamos informar que...

Nesses momentos, a primavera vira inverno, o azul fica cinza, os pássaros ficam em silêncio e a sensação de frio causada pela dor instala-se. É frio no vale da sombra da morte.

O mensageiro de Davi não é um policial, amigo ou soldado. É um amalequita ofegante com roupas rasgadas e o cabelo todo sujo que dá de cara com o acampamento de Ziclague com a seguinte notícia: "O nosso exército fugiu da batalha e muitos morreram. Saul e Jônatas também estão mortos" (2 Samuel 1:4).

Davi sabe que os hebreus estão lutando contra os filisteus. Sabe que Saul e Jônatas estão lutando pela própria vida. Ele estava esperando o resultado. Quando o mensageiro lhe mostra a coroa e o bracelete de Saul, Davi tem em mãos uma prova inegável — Saul e Jônatas estão mortos.

Jônatas — mais chegado que um irmão. Ele salvou a vida de Davi e jurou proteger seus filhos.

Saul — escolhido por Deus, ungido de Deus. Sim, ele perseguiu Davi. Ele atormentou Davi. Mas ele ainda era o ungido de Deus.

O rei escolhido por Deus — morto.

O melhor amigo de Davi — morto.

Restava para Davi enfrentar outro gigante — o gigante da dor.

Sentimos sua mão pesada sobre nossos ombros. Não em Ziclague, mas em salas de emergência, em hospitais de crianças, em acidentes de carro e em campos de batalha. E nós, como Davi, temos duas escolhas: fugir do gigante ou enfrentá-lo.

Muitos optam por evitar a dor. O capitão Woodrow Call estimulou o jovem Newt a fazer isso. No filme *Os Pistoleiros do Oeste*, Call e Newt têm de conduzir uma manada de cavalos do Texas para Montana lá pelos idos de 1880.

Nós, como Davi, temos duas escolhas:
fugir do gigante ou enfrentá-lo.

Quando um grupo de cobras d'água põe fim à vida do melhor amigo de Newt, Call dá-lhe um conselho pela perda, ao estilo faroeste. No enterro, sob a sombra de olmos e na presença de vaqueiros, ele aconselha:

– Fique longe, filho. Esta é a única maneira de lidar com a morte. Fique longe dela.

O que mais você pode fazer? O túmulo instiga tal dor inexprimível e perguntas que não têm resposta. Somos tentados a dar meia-volta e ir embora. Mude o tema, evite o assunto. Esforce-se. Beba muito. Ocupe-se. Fique distante. Siga para Montana e não olhe para trás.

Pagamos um preço alto quando agimos assim. Privação vem do termo *privar*. Consulte o termo *privar* no dicionário e você terá "tirar à força, saquear, roubar". A morte rouba você. O túmulo rouba momentos e lembranças ainda não compartilhados: aniversários, férias, passeios à toa, conversas durante o chá. Você fica desolado porque foi roubado.

Nada mais é normal e nunca será de novo. Depois que a esposa de C.S. Lewis morreu de câncer, ele escreveu: "Sua ausência é como o céu, que se estende sobre tudo".[1]

Quando você pensa que o bicho-papão da dor se foi, ouve uma música que ela adorava ou sente o cheiro da colônia que ele usava ou passa em frente a um restaurante onde vocês dois costumavam comer. O gigante continua aparecendo.

E o gigante da dor continua provocando. Provocando...

Ansiedade. "Estou perto?"

Culpa. "Por que não contei para ele?" "Por que não disse a ela?"

Anseio. Você vê casais perfeitos e deseja seu cônjuge. Você vê pais com os filhos e tem saudades de seu filho.

O gigante provoca insônia, perda de apetite, esquecimento, pensamentos suicidas. A dor não é uma doença mental, mas, às vezes, é como se fosse.

O capitão Call não entendeu isso.

Talvez seus amigos não entendam isso.

Talvez você não entenda isso. Mas, por favor, tente. Entenda a gravidade de sua perda. Você não perdeu um jogo ou colocou suas chaves no lugar errado. Você não se afastou da situação. Em algum momento, em questão de minutos ou meses, você precisará fazer o que Davi fez. Enfrente sua dor.

Ao ouvir sobre a morte de Saul e de Jônatas, "Davi cantou este lamento" (2 Samuel 1:17). O guerreiro chorou. O comandante enterrou o rosto barbado nas mãos calejadas e chorou. Ele "rasgou suas vestes; e os homens que estavam com ele fizeram o mesmo. E se lamentaram, chorando e jejuando até o fim da tarde, por Saul e por seu filho Jônatas, pelo exército do SENHOR e pelo povo de Israel, porque muitos haviam sido mortos à espada" (1:11,12).

Guerreiros em pranto cobriram as montanhas, uma multidão de homens andando, gemendo, chorando e pranteando. Eles rasgaram suas vestes, esmurraram o chão e exalaram gemidos de dor.

Você precisa fazer o mesmo. Expulse a dor de seu coração e, quando ela voltar, expulse-a novamente. Siga em frente, chore um rio de lágrimas.

Jesus chorou. Ao lado do túmulo de seu querido amigo, "Jesus chorou" (João 11:35). Por que ele faria tal coisa? Ele não sabe que a ressurreição de Lázaro está para acontecer? Basta uma palavra sua para ver o amigo sair do túmulo. Ele verá Lázaro antes do jantar. Por que as lágrimas?

A morte amputa um membro de sua vida.

Em meio às respostas que imaginamos ter e às muitas que não temos está esta: a morte tem um mau cheiro.

A morte amputa um membro de sua vida. Por isso Jesus chorou. E, nas lágrimas de Jesus, encontramos permissão para derramar as nossas. F. B. Meyer escreveu:

> Jesus chorou. Pedro chorou. Os convertidos de Éfeso choraram sobre o apóstolo, cuja face nunca mais veriam. Cristo está ao lado de todo aquele que chora, dizendo: "Chore, meu filho; chore, pois eu chorei".
> As lágrimas aliviam a cabeça quente, como um belo banho de chuva. As lágrimas descarregam a insuportável agonia do coração, assim como o transbordar diminui a pressão da enchente contra a barragem. As lágrimas são materiais com os quais o céu tece seu arco-íris mais brilhante.[2]

Não sabemos por quanto tempo Jesus chorou. Não sabemos por quanto tempo Davi chorou. Mas sabemos quanto tempo choramos, e o tempo parece tão truncado.

As lágrimas são materiais com os quais o céu tece seu arco-íris mais brilhante. — F. B. Meyer

Os egípcios vestem-se de preto por seis meses. Alguns muçulmanos usam roupas de luto por um ano. Os judeus ortodoxos fazem preces pela mãe ou pai falecido todos os dias por 11 meses. Há apenas 50 anos, os norte-americanos de regiões rurais usavam uma faixa preta no braço por um período de várias semanas.[3] E hoje? Sou o único que tem a impressão de que apressamos nossas dores?

A dor leva um certo tempo. Dê um tempo para si mesmo. "O coração do sábio está na casa onde há luto" (Eclesiastes 7:4). *Lamentar* pode ser um verbo estranho em nosso mundo, mas não nas Escrituras. Setenta por cento dos salmos são poemas de dor. Ora, o Antigo Testamento inclui um livro de lamentações. O filho de Davi escreveu: "A tristeza é melhor do que o riso, porque o rosto triste melhora o coração" (Eclesiastes 7:3).

Exploramos as questões mais profundas da vida na caverna da dor. Por que estou aqui? Para onde vou? Um giro pelo cemitério levanta questões difíceis, porém vitais.

Exploramos as questões mais profundas da vida na caverna da dor. Por que estou aqui? Para onde vou?

Davi entregou-se à total força de seu remorso: "Estou exausto de tanto gemer. De tanto chorar inundo de noite a minha cama; de lágrimas encharco o meu leito" (Salmo 6:6).

E, depois, mais tarde: "Minha vida é consumida pela angústia, e os meus anos pelo gemido; minha aflição esgota as minhas forças, e os meus ossos se enfraquecem" (Salmo 31:10).

Você está zangado com Deus? Diga isso a ele. Aborrecido com Deus? Deixe que ele saiba disso. Cansado de dizer às pessoas que você está bem quando não está? Diga a verdade. Foi o que fizeram meus amigos Thomas e Andrea Davidson. Uma bala perdida tirou-lhes Tyler, o filho de 14 anos. Tom escreve:

> Fomos bombardeados com a pergunta: "Como vocês estão?"... O que eu realmente queria dizer para todos era: "Como você acha que estamos? Nosso filho está morto, nossa vida está infeliz e eu gostaria de que o mundo acabasse".[4]

Talvez Davi tenha usado outras palavras. Talvez não. Uma coisa é certa: ele se negou a ignorar sua dor.

> Como caíram os guerreiros!
>
> Chorem por Saul, ó filhas de Israel!...
>
> Como estou triste por você, Jônatas, meu irmão!
> Como eu lhe queria bem!
> Sua amizade era, para mim, mais preciosa que o amor das mulheres!
>
> Caíram os guerreiros! (2 Samuel 1:19, 24, 26-27)

Davi chorou com a mesma criatividade com que adorou a Deus, e — grife isso — ele "cantou este lamento sobre Saul e seu filho Jônatas e ordenou que o ensinassem aos homens de Judá" (1:17,18).

Davi convidou a nação a prantear. Fez do choro uma política pública. Negou-se a encobrir ou amenizar a morte. Ele enfrentou-a, lutou contra ela, desafiou-a. Mas não a negou. Como explicou seu filho Salomão: "Há... tempo de prantear" (Eclesiastes 3:1-4).

Dê tempo para si mesmo. Enfrente sua dor com lágrimas, tempo, e — mais uma vez — enfrente sua dor com a verdade. Paulo incentivou os tessalonicenses a sofrer, mas não quis que os cristãos fossem "ignorantes quanto aos que dormem, para que não se [entristecessem] como os outros que não têm esperança" (1 Tessalonicenses 4:13).

A última palavra sobre a morte é de Deus. E, se você prestar atenção, ele lhe dirá a verdade sobre seus entes queridos. Eles receberam alta do hospital chamado Terra. Você e eu ainda vagamos pelos corredores, sentimos o cheiro dos remédios e comemos vagem e gelatina servidas em bandejas de plástico. Eles, enquanto isso, desfrutam de piqueniques, respiram o ar da primavera e correm em meio às flores que chegam à altura dos joelhos. Você sente uma saudade louca deles, mas é possível negar a verdade? Eles não têm dor, dúvida ou luta. Eles realmente estão mais felizes no céu.

E você não os verá logo? A vida passa muito rápido. "Deste aos meus dias o comprimento de um palmo; a duração da minha vida é nada diante de ti. De fato, o homem não passa de um sopro" (Salmo 39:5).

Ao deixar seus filhos na escola, você chora como se nunca mais fosse vê-los? Ao deixar seu cônjuge no mercado para ir estacionar o carro, você dá um último adeus para sempre?

Deus conhece a dor de um túmulo. Ele enterrou um filho. Mas ele também conhece a alegria da ressurreição. E, pelo poder dele, você também conhecerá.

Não. Quando você diz: "Até logo", é isso que você quer dizer. Quando você está no cemitério olhando para a terra fofa que acabou de ser revirada e promete: "*Até logo*", você está falando a verdade. Só falta uma fração de momento eterno para a reunião acontecer.

Não é necessário que vocês "se entristeçam como os outros que não têm esperança" (1 Tessalonicenses 4:13).

Por isso, vá em frente, enfrente sua dor. Dê tempo para si mesmo. Permita-se derramar lágrimas. Deus entende. Ele conhece a dor de um túmulo. Ele enterrou um filho. Mas ele também conhece a alegria da ressurreição. E, pelo poder de Deus, você também conhecerá.

Capítulo 11

Cruzamentos cegos

Posso me perder em qualquer lugar. É sério. Em qualquer lugar. O mapa mais simples me confunde; o caminho mais óbvio me deixa desnorteado. Eu não conseguiria seguir um elefante a 1,5 metro de distância na neve. Consigo ler errado as indicações pelo corredor que levam ao banheiro. Na verdade, uma vez fiz isso e deixei várias mulheres constrangidas em um restaurante *fast-food*, em Fort Worth.

Minha lista de acidentes parece uma lista de idéias cômicas para a Pantera Cor-de-Rosa.

- Uma vez fiquei perdido no hotel em que estava. Disse para a recepcionista que minha chave não estava funcionando e acabei percebendo que estava no andar errado tentando abrir a porta errada.
- Vários anos atrás eu estava convencido de que meu carro havia sido roubado da garagem do estacionamento do aeroporto. Ele não foi; eu estava na garagem errada.
- Uma vez embarquei no vôo errado e acordei na cidade errada.
- Enquanto seguia de Houston para San Antonio, saí da auto-estrada para abastecer o carro. Peguei a pista novamente e dirigi cerca de 30 minutos até perceber que estava voltando para Houston.

- Enquanto estava em Seattle, deixei o quarto de hotel com tempo de sobra para chegar ao meu compromisso como palestrante, mas, quando vi as placas na estrada alertando para a fronteira com o Canadá, percebi que chegaria atrasado.
- Uma vez fui correr de manhã, voltei para o hotel e comi. Servi-me duas vezes do bufê gratuito antes de lembrar que meu hotel não tinha um espaço para este serviço. Eu estava no lugar errado.

Se os gansos tivessem meu senso de direção, eles passariam os invernos no Alasca. Posso dar as mãos a Colombo, que, pelo que consta, não sabia para onde estava indo quando partiu, não sabia onde estava quando lá chegou e não sabia onde tinha estado quando voltou.

Você consegue se identificar com alguma dessas situações? É claro que consegue. Todos coçamos a cabeça uma ou duas vezes, se não em cruzamentos na estrada, ao menos nos cruzamentos da vida. O melhor dos navegadores perguntou-se:

- aceito o emprego ou desisto dele?
- aceito ou recuso o pedido de casamento?
- saio de casa ou fico em casa?
- faço ou compro?

Uma das maiores perguntas da vida é: *Como posso saber o que Deus quer que eu faça?*, e Davi faz essa pergunta. Ele acaba de saber da morte de Saul e de Jônatas. De repente, o trono fica vazio e as opções de Davi estão abertas. Mas, antes de dar um passo, ele consulta o Senhor:

> Passado algum tempo, Davi perguntou ao SENHOR: "Devo ir para uma das cidades de Judá?". O SENHOR respondeu que sim e Davi perguntou para qual delas. "Para Hebrom", respondeu o SENHOR (2 Samuel 2:1).

Davi adquire o hábito de apresentar suas opções a Deus. E ele faz isso com uma ferramenta fascinante. O colete sacerdotal. Observe que o colete apareceu na primeira vez em que Davi fugiu de Saul. Davi busca a ajuda dos sacerdotes de Nobe. Saul acusa os sacerdotes de abrigarem o fugitivo e, em consonância com sua paranóia, ele os mata. Um sacerdote chamado Abiatar, no entanto, foge. Ele não só escapa com vida como também leva algo mais; ele escapa com o colete sacerdotal.

> Abiatar, filho de Aimeleque, tinha levado o colete sacerdotal quando fugiu para se juntar a Davi...
> Quando Davi soube que Saul tramava atacá-lo, disse a Abiatar: "Traga o colete sacerdotal". Então orou: "Ó SENHOR, Deus de Israel, este teu servo ouviu claramente que Saul planeja vir a Queila e destruir a cidade por minha causa. Será que os cidadãos de Queila me entregarão a ele? Saul virá de fato, conforme teu servo ouviu? Ó SENHOR, Deus de Israel, responde-me".
> E o SENHOR lhe disse: "Ele virá".
> E Davi, novamente, perguntou: "Será que os cidadãos de Queila entregarão a mim e a meus soldados a Saul?"
> E o SENHOR respondeu: "Entregarão".
> Então Davi e seus soldados, que eram cerca de 600, partiram de Queila (1 Samuel 23:6, 9-13).

Davi veste o colete sacerdotal, fala com Deus e recebe uma resposta. Algo semelhante acontece depois da destruição de Ziclague. Com sua aldeia em ruínas e seus homens furiosos.

> Davi disse ao sacerdote Abiatar, filho de Aimeleque: "Traga-me o colete sacerdotal". Abiatar o trouxe a Davi, e ele perguntou ao SENHOR: "Devo perseguir esse bando de invasores? Irei alcançá-los?"
> E o SENHOR respondeu: "Persiga-os; é certo que você os alcançará e conseguirá libertar os prisioneiros" (30:7-8).

O que está acontecendo? O que é este colete sacerdotal? O que o torna tão eficaz? E esses coletes são vendidos em lojas de departamentos?

O colete sacerdotal surgiu na época das peregrinações pelo deserto. Moisés deu o primeiro de presente para o sacerdote Arão. Era uma veste com adornos, feita de linho branco, trabalhada com fios de ouro e fios de tecidos azul, roxo e vermelho. Um peitoral sustentando 12 pedras preciosas adornava a veste. O peitoral tinha um ou dois, talvez três, diamantes brilhantes ou pedras semelhantes ao diamante. Essas pedras tinham os nomes Urim e Tumim. Ninguém sabe o significado exato dos termos, mas "luz" e "perfeição" lideram a lista de sugestões.

Deus revelava sua vontade aos sacerdotes por meio dessas pedras. Como? Escritores antigos sugeriram vários métodos. As pedras:

- brilhavam quando a resposta de Deus era positiva;
- tinham letras que se moviam e se juntavam para formar uma resposta;
- eram objetos sagrados usados para a sorte que, uma vez lançados, revelariam uma resposta.[1]

Embora especulemos sobre a técnica, não precisamos adivinhar o valor. Você não cuidaria de tal ferramenta? Quando se via diante de uma escolha complicada, Davi podia, com o coração reverente, fazer um pedido e Deus lhe respondia.

Saul virá atrás de mim? Virá.

Os homens irão me capturar? Irão.

Devo perseguir o inimigo? Deve.

Irei alcançá-los? Irá.

Oh, que Deus faça o mesmo por nós. Que possamos pedir e ele responder. Que possamos clamar e ele responder.

O Deus que guiou Davi guia você.

Você não adoraria ter um colete sacerdotal? Quem diz que você não tem? Deus não mudou. Ele ainda promete nos guiar:

> O SENHOR diz: "Eu o instruirei e o ensinarei no caminho que você deve seguir; eu o aconselharei e cuidarei de você" (Salmo 32:8)
>
> Reconheça o SENHOR em todos os seus caminhos, e ele endireitará as suas veredas (Provérbios 3:6)
>
> Quer você se volte para a direita quer para a esquerda, uma voz atrás de você lhe dirá: Este é o caminho; siga-o (Isaías 30:21)

> As minhas ovelhas ouvem a minha voz; eu as conheço, e elas me seguem (João 10:27)

O Deus que guiou Davi guia você. Você simplesmente precisa consultar seu Criador. Eu gostaria de ter buscado um conselho antes de tomar uma recente decisão. Acordei cedo, certa manhã, para uma reunião. Enquanto estava procurando algo para comer no café da manhã, descobri uma embalagem plástica com biscoitos na cozinha. Denalyn e nossa filha Sara haviam acabado de participar de um evento na escola onde foram vendidas guloseimas assadas, por isso pensei: *Que sorte! Biscoitos para o café da manhã. Denalyn deve tê-los feito para mim.*

Comi um e tive de mastigar bastante, parecia um chiclete. *Textura interessante*, pensei. *Faz-me lembrar pão árabe*. Comi o segundo. O gosto estava um pouco suave para mim, mas, quando misturado ao café, o resultado era interessante. Peguei o terceiro para sair para a rua. Teria pegado o quarto, mas como só sobrou um, deixei-o para Denalyn.

Naquele dia, mais tarde, ela telefonou.

— Parece que alguém mexeu na embalagem plástica.

— Fui eu — admiti. — Já comi biscoitos melhores no café da manhã, mas aqueles não estavam ruins.

— Aqueles não eram biscoitos para o café da manhã, Max.

— Não?

— Não.

— O que eram?

— Biscoitos caseiros para cachorros.

— Oh... — aquilo explicava muita coisa. Aquilo explicava a textura pastosa e por que os biscoitos não tinham sabor. Aquilo também explicava por que, durante todo o dia, sempre que eu coçava a barriga, minha perna chutava. (Sem mencionar meu súbito interesse por extintores de incêndio.)

Você tem uma Bíblia? Leia-a.

Eu deveria ter consultado quem os fez. Precisamos consultar o nosso Criador.

Talvez você não tenha as pedras Urim e Tumim, mas...

Você tem uma Bíblia? Leia-a.

Algum outro livro já foi descrito dessa maneira: "Pois a palavra de Deus é viva e eficaz e mais afiada que qualquer espada de dois gumes; ela penetra até o ponto de dividir alma e espírito, juntas e medulas, e julga os pensamentos e intenções do coração" (Hebreus 4:12)?

"Viva e eficaz." As palavras da Bíblia têm vida! Substantivos com números de pulsações. Adjetivos musculares. Verbos lançando-se de um lado para o outro pela página. Deus trabalha por meio dessas palavras. A Bíblia é para Deus o que uma luva cirúrgica é para o cirurgião. Deus chega até essas palavras para tocar lá no fundo do seu íntimo.

Você não sentiu o toque de Deus?

Na hora da solidão, você lê as palavras: "Nunca o deixarei, nunca o abandonarei" (Hebreus 13:5). As frases consolam como uma mão que toca seu ombro.

Quando a ansiedade consome sua paz, alguém compartilha esta passagem: "Não andem ansiosos por coisa alguma, mas em tudo, pela oração e pelas súplicas, e, com ação de graças, apresentem seus pedidos a Deus" (Filipenses 4:6). As palavras arrancam um suspiro de sua alma.

Ou talvez a preguiça esteja batendo à sua porta. Você está considerando um esforço indiferente quando Colossenses 3:23 vem à sua mente: "Tudo o que fizerem, façam de todo o coração, como para o Senhor, e não para os homens". Tais palavras podem ferir, não podem?

Coloque-as em prática.

Você tem uma família de fé? Consulte-a.

"Habite ricamente em vocês a palavra de Cristo; ensinem e aconselhem-se uns aos outros com toda a sabedoria" (Colossenses 3:16).

Não tome uma decisão, seja grande ou pequena, sem sentar-se diante de Deus com a Bíblia aberta, o coração aberto, os ouvidos abertos, imitando a oração de Samuel: "O teu servo está ouvindo" (1 Samuel 3:10).

Você tem uma Bíblia? Leia-a.

Você tem uma família de fé? Consulte-a.

Outros já fizeram sua pergunta. Você não é o primeiro a encarar seu problema. Outros já estiveram em sua posição e perguntaram para si mesmos aquilo que você se pergunta. Procure o conselho deles. "Observem bem o resultado da vida que tiveram [os seus líderes] e imitem a sua fé" (Hebreus 13:7).

Seu casamento está difícil? Encontre um casamento forte. Lutando com a ética nos negócios? Busque o sábio conselho de um empresário cristão. Lutando com as decisões da meia-idade? Antes de deixar sua família e aproveitar sua aposentadoria, reserve um tempo para buscar conselhos. "O caminho do insensato parece-lhe justo, mas o sábio ouve os conselhos" (Provérbios 12:15).

Você não precisa de um colete sacerdotal para usar, nem de pedras para consultar; você tem a família de Deus. Ele falará com você por meio dela. E ele falará com você por meio de sua própria consciência.

Você tem o coração voltado para Deus? Preste atenção nele.

Cristo toca o coração que o contém. "Deus é quem efetua em vocês tanto o desejo quanto a realização, de acordo com a boa vontade dele" (Filipenses 2:13). O que seu coração lhe diz para fazer? Que escolha produz a maior sensação de paz?

Cristo toca o coração que o contém.

Há alguns anos, faltava-nos, a Denalyn e a mim, apenas assinar os documentos para nos mudarmos de uma casa para outra. A estrutura era boa e o preço era justo... Parecia uma mudança sensata. Mas não senti paz nisso. O projeto provocou desconforto e inquietação. Por fim, fui ao escritório da construtora e tirei meu nome da lista. Até hoje não consigo apontar a fonte do desconforto. Só não senti paz para fechar o negócio.

Alguns meses atrás, fui convidado para falar em uma conferência sobre união racial. Minha intenção era recusar o convite, mas não tive coragem para isso. O evento ficava ressurgindo à superfície de minha mente como uma bóia em um lago. Por fim, aceitei. Voltando do evento, eu ainda não podia explicar a impressão de estar lá. Mas senti paz na decisão, e aquilo foi suficiente.

Às vezes uma escolha só "parece" certa. Ao justificar a escrita de seu evangelho para Teófilo, Lucas disse: "Pareceu-me que seria bom conferir todas essas narrações e, depois de uma investigação completa, mandar-lhe este resumo" (1:3, A Bíblia Viva).

Notou a expressão "pareceu-me que seria bom"? Essas palavras refletem uma pessoa diante dos cruzamentos. Lucas ponderou suas opções e escolheu o caminho que lhe "pareceu bom".

Judas fez o mesmo. Sua intenção era dedicar sua epístola ao tema da salvação, mas ele não ficou à vontade com a escolha. Observe o terceiro versículo de sua carta.

> Amados, embora estivesse muito ansioso por lhes escrever acerca da salvação que compartilhamos, senti que era necessário escrever-lhes insistindo que batalhassem pela fé de uma vez por todas confiada aos santos (v. 3).

Mais uma vez a linguagem... "Ansioso por... senti que..." De onde vinham os sentimentos de Judas? Não vinham de Deus? O mesmo Deus "efetua em vocês tanto o querer quanto o realizar, de acordo com a boa vontade dele" (Filipenses 2:13).

Deus cria em nós o "querer".

Cuidado com isso. As pessoas ficam conhecidas por justificarem a estupidez com base em um "sentimento". "Senti que Deus estava me levando a trair minha esposa... não honrar minhas contas... mentir para meu chefe... flertar com minha vizinha casada." Anote aí: Deus não o levará a desobedecer à sua Palavra. Ele não contradirá seus ensinamentos. Cuidado com a expressão: "Deus levou-me a...". Não saia por aí brincando. Não disfarce seu pecado como se fosse algo que Deus o levou a fazer.

Deus não o levará a desobedecer à sua Palavra.

Ele não o levará a mentir, enganar, magoar. Ele, fielmente, o guiará pelas palavras de suas Escrituras e pelo conselho de seus fiéis.

Você não precisa de colete sacerdotal nem de pedras preciosas; você tem um coração no qual habita o Espírito de Deus. Como escreveu F. B. Meyer um século atrás:

> Cada filho de Deus tem sua própria pedra Urim e Tumim... uma consciência livre de ofensas, um coração purificado no sangue de Cristo, uma natureza espiritual que está impregnada e cheia do Espírito Santo de Deus... Você está tendo dificuldades em seu caminho? Vá até Deus com sua pergunta; receba a direção vinda da luz do sorriso de Deus ou da nuvem de sua resposta negativa... fique sozinho, onde as luzes e sombras da terra não possam interferir, onde a perturbação da vontade própria não perturbe, onde as opiniões humanas não consigam alcançar — ...espere ali, em silêncio e esperançoso, ainda que tudo ao seu redor insista para que uma decisão ou ação imediata seja tomada — a vontade de Deus ficará clara; e você terá... uma nova concepção de Deus, [e] uma percepção mais profunda de sua natureza.[2]

Você tem um coração voltado para Deus? Preste atenção nele.

Uma família de fé? Consulte-a.

Uma Bíblia? Leia-a.

Você tem tudo o que precisa para enfrentar as grandes questões de sua vida. Sobretudo, você tem um Deus que o ama demais para deixá-lo andar errante. Confie nele... e evite os biscoitos para cachorros.

Capítulo 12

Fortalezas

Pete senta-se na rua e encosta a cabeça na parede de um prédio. Gostaria de batê-la contra ela. Acaba de estragar tudo de novo. Todos eventualmente cometem enganos ao falar. Pete faz isso diariamente. Ele solta palavras erradas como uma baleia esguichando água salgada, respingando besteiras para todos os lados. Ele sempre machuca alguém, mas, nessa noite, acabou por machucar seu melhor amigo. Oh, Pete e sua língua afiada!

Depois temos Joe e suas falhas. O pobre rapaz não consegue manter um emprego. Sua carreira disputa com as Montanhas Rochosas — sobe, desce; fria, quente; lucrativa, improdutiva. Ele tentou os negócios da família. Despediram-no. Tentou suas habilidades como gerente. Foi demitido e acabou preso. Agora, lá está ele sentado na prisão, com um futuro tão desolado quanto o Deserto de Mojave. Ninguém podia culpá-lo por se sentir inseguro; ele fracassou em cada oportunidade.

Há também o caso de uma adorável mulher que enfrenta problemas não no trabalho, mas no casamento. O primeiro fracassou. O mesmo aconteceu com o segundo. Com o terceiro quase acabando, ela já sabia o nome dos netos dos oficiais de justiça. Se sua quarta jornada rumo ao divórcio não a convenceu, a quinta tirou todas as dúvidas. Ela está fadada ao fracasso conjugal.

As pessoas e seus conhecidos problemas. Pete sempre fala antes de pensar. Joe sempre falha quando deveria ter sucesso. Essa querida mulher vence no casamento com a mesma freqüência com que um burro vence em uma corrida de cavalos.

E você? Tem um problema freqüente que consome sua vida?

Alguns têm a tendência de trapacear. Outros são rápidos para duvidar. Talvez você se preocupe. Sim, todos se preocupam um pouco, mas você distribui ansiedade. Talvez você seja judicioso. É óbvio que todos podem ser críticos, mas você dá mais julgamentos do que um juiz federal.

O que é essa fraqueza: mau hábito, atitude desagradável? Onde Satanás tem uma fortaleza dentro de você? Ah! Há a palavra adequada — *fortaleza*: uma fortificação, cidadela, com muros espessos, portões altos. É como se o diabo reivindicasse uma fraqueza como sendo sua e construísse uma trincheira em torno dela.

—Você não vai tocar nessa falha — ele desafia o céu, colocando-se diretamente entre a ajuda de Deus e:

- seu temperamento explosivo;
- sua auto-imagem frágil;
- seu apetite insaciável;
- sua falta de confiança na autoridade.

As estações vêm e vão, e este monstro do lago Ness ainda espreita, lá do fundo da água, sua alma. Ele não irá embora. Faz jus ao seu nome: *forte* o suficiente para prender feito uma morsa e teimoso o suficiente para *segurar firme*. Ele aperta como a armadilha feita para um urso — quanto mais você se agita, mais ela machuca.

Fortalezas: desafios velhos, difíceis, desanimadores.

Foi diante disso que Davi se viu quando olhou para Jerusalém. Quando você e eu pensamos na cidade, visualizamos templos e profetas. Imaginamos Jesus ensinando, uma igreja neotestamentária crescendo. Imaginamos uma capital próspera, centro da história.

Quando vê Jerusalém em 1000 a.C., Davi vê algo mais. Ele vê uma triste fortaleza milenar, invadindo desafiadoramente o cume de uma cadeia de montanhas. Uma camada rochosa irregular que se destaca a ergue. Muros altos protegem-na. Jebuseus habitam-na. Ninguém os incomoda.

Filisteus lutam contra amalequitas. Amalequitas lutam contra hebreus. Mas e os jebuseus? Eles são uma cascavel enrolada no deserto. Todos os deixam em paz.

Todos, quer dizer, exceto Davi. O rei de Israel recém-coroado está de olho em Jerusalém. Ele herdou um reino dividido. O povo precisa, não só de um líder forte, mas também de um forte centro de operações. A base de Hebrom em que Davi está no momento fica muito ao sul para aliciar a lealdade das tribos do norte. Mas, se for para o norte, ele isolará o sul. Davi procura uma cidade neutra, centralizada.

Ele quer Jerusalém. Só gostaríamos de saber quantas vezes ele olhou para os muros da cidade. Ele cresceu em Belém, que ficava a apenas um dia de caminhada ao sul. Escondeu-se nas cavernas na região de En-Gedi, que não ficava no extremo sul. É claro que percebeu Jerusalém. Em algum lugar ele a reconheceu como a capital perfeita. A coroa mal havia se assentado em sua cabeça quando ele pôs os olhos em seu mais novo Golias.

> O rei e seus soldados marcharam para Jerusalém para atacar os jebuseus que viviam lá. E os jebuseus disseram a Davi: "Você não entrará aqui! Até os cegos e os aleijados podem se defender de você"... mas Davi conquistou a fortaleza de Sião, que veio a ser a Cidade de Davi. Naquele dia disse Davi: "Quem quiser vencer os jebuseus terá que utilizar a passagem de água... Davi passou a morar na fortaleza e chamou-a Cidade de Davi" (2 Samuel 5:6-9).

Esta história lamentavelmente curta atormenta-nos com a dupla aparição do termo *fortaleza*. No versículo 7, "Davi conquistou a fortaleza" e, no versículo 9, "Davi passou a morar na fortaleza".

Jerusalém atende às qualificações de uma fortaleza: uma fortificação velha, difícil e desanimadora. Do alto das torres pequenas, os soldados jebuseus têm tempo de sobra para apontar flechas para qualquer um que queira subir nos muros. Desanimador? Veja como os habitantes da cidade insultam Davi: "Você não entrará aqui! Até os cegos e os aleijados podem se defender de você" (5:6).

Os jebuseus despejam escárnios sobre Davi assim como Satanás joga baldes de desânimo em você:

- "Você nunca superará seus maus hábitos."
- "Nasceu pobre; vai morrer pobre."
- "Você pensa que pode vencer seu vício? Repense."

Se você já ouviu os escárnios que Davi ouviu, sua história precisa da palavra que a história de Davi tem. Você a viu? A maioria das pessoas passa batida por ela. Nós não. Pegue uma caneta e grife esta palavra de três letras:

Mas.

"Mas Davi conquistou a fortaleza..."

É verdade, a cidade era velha. Os muros eram difíceis. As vozes eram desanimadoras... *Mas* Davi conquistou a fortaleza.

Você não adoraria que Deus escrevesse um *mas* em sua biografia? Nasceu para ser uma alcoólatra, *mas* ela levou uma vida sóbria.

Você não adoraria que Deus escrevesse
um mas em sua biografia?

Ele nunca foi para a faculdade, *mas* foi mestre nos negócios. Ele não lia a Bíblia até chegar à idade de se aposentar, *mas* chegou a uma fé profunda e duradoura.

Todos precisamos de um *mas*. E Deus tem muitos por aí. As fortalezas nada significam para ele. Você se lembra das palavras de Paulo? "As armas com as quais lutamos não são humanas; pelo contrário, são poderosas em Deus para destruir fortalezas" (2 Coríntios 10:4).

Você e eu lutamos com palitos de dente; Deus chega com aríetes e canhões. O que ele fez por Davi, ele pode fazer por nós. A pergunta é: Faremos o que Davi fez? O rei dá aqui grandes exemplos.

Davi não dá ouvidos às velhas vozes. Aqueles escarnecedores pavoneando-se no alto dos muros? Davi os ignora. Ele rejeita suas palavras e ocupa-se em trabalhar.

Neemias, nesses mesmos muros, usou uma estratégia idêntica. No seu caso, no entanto, ele estava lá no alto das pedras e os escarnecedores estavam lá embaixo. Avance 500 anos da época de Davi e você verá que os baluartes de Jerusalém estão em ruínas e que a maior parte de seu povo está no cativeiro. Neemias lidera um programa de construção para restaurar as fortificações. Os críticos mandam-no parar. Planejam intrometer-se em seu trabalho. Listam todas as razões por que as pedras não podem e não devem ser empilhadas novamente. Mas Neemias não lhes dá ouvidos. "Estou executando um grande projeto e não posso descer. Por que parar a obra para ir encontrar-me com vocês?" (Neemias 6:3). Neemias sabia fazer com que seus dissidentes se calassem.

Jesus fez o mesmo também. Respondeu às tentações de Satanás com três frases concisas e três versículos bíblicos. Não dialogou com o diabo. Quando Pedro lhe pediu para evitar a cruz, Jesus não cogitou a idéia. "Para trás de mim, Satanás!" (Mateus 16:23). Uma multidão ridicularizou o que ele disse acerca de uma garotinha: "'A menina não está morta, mas dorme'. Todos começaram a rir dele" (Mateus 9:24). Você sabe o que Jesus fez com os opositores? Ele os silenciou. "Depois que a multidão se afastou, ele entrou e tomou a menina pela mão; e ela se levantou" (9:25).

Davi, Neemias e Jesus fizeram o que chamamos de "ouvir de forma seletiva". Não podemos fazer o mesmo?

Dois tipos de pensamentos constantemente disputam sua atenção. Um diz: "Sim, você pode". O outro diz: "Não, você não pode". Um diz: "Deus irá ajudá-lo". O outro mente: "Deus o abandonou". Um fala a linguagem do céu; o outro engana no vernáculo dos jebuseus. Um proclama os poderes de Deus; o outro lista os seus fracassos. Um quer colocá-lo para cima; o outro procura puxá-lo para baixo.

Dois tipos de pensamentos constantemente disputam sua atenção. Um proclama os poderes e Deus; o outro lista os seus fracassos.

E aqui está a grande notícia: você escolhe a voz que ouve. Por que ouvir os zombadores? Por que prestar atenção na voz deles?

Por que ouvir os zombadores... quando você pode, com os mesmos ouvidos, dar atenção à voz de Deus?

Por que dar ouvidos aos cérebros de amendoim e aos escarnecedores quando você pode, com os mesmos ouvidos, dar atenção à voz de Deus?

Faça o que Davi fez. Não dê ouvidos às velhas vozes. E, ao fazer isso, abra os olhos para novas escolhas. Quando todos os outros viram muros, Davi viu túneis. Os outros se concentraram no óbvio. Davi procurou o incomum. Uma vez que fez o que ninguém esperava, ele alcançou o que ninguém imaginava. Seja criativo na solução de seus problemas.

Conheço um jovem casal que lutou contra a fortaleza da tentação sexual. Eles queriam deixar o sexo para a lua-de-mel, mas não sabiam se conseguiriam. Por isso fizeram o que Davi fez. Tentaram uma estratégia diferente. Procuraram a ajuda de um casal entendido no assunto. Armazenaram o número do telefone do casal mais velho na discagem rápida do telefone e pediram permissão para telefonar para eles, independentemente da hora, quando a tentação fosse grande. O muro era alto, por isso eles usaram o túnel.

Eu tinha um amigo que lutava contra a fortaleza do álcool. Ele tentou uma tática nova. Deu permissão para que eu e alguns outros companheiros o puníssemos com veemência caso o víssemos bebendo. O muro era alto demais, por isso ele tentou o túnel.

Uma mulher rebate sua ansiedade memorizando longos trechos das Escrituras. Um representante de vendas itinerante pede que os hotéis tirem a televisão de seu quarto para que ele não seja tentado a assistir a filmes para adultos. Outro homem ficou tão cansado de seu preconceito que se mudou para um bairro menos favorecido, fez novos amigos e mudou sua atitude.

Se o muro for alto demais, tente um túnel.

Davi encontrou uma nova esperança em um buraco do lado de fora dos muros de Jerusalém. Você também pode. Não distante do túnel de Davi está o suposto túmulo de Cristo. O que o túnel de Davi fez por ele, o túmulo de Jesus pode fazer por você. "É incrivelmente grande o seu poder [o poder de Deus] para ajudar aqueles que crêem nele. Foi esse mesmo grandioso poder que levantou a Cristo dentre os mortos e o fez sentar-se no lugar de honra no céu, à mão direita de Deus" (Efésios 1:19,20, A Bíblia Viva)

Faça o que Davi fez.

Não dê ouvidos às velhas vozes.

Abra bem os olhos para as novas escolhas.

Quem sabe, talvez você só esteja a uma oração de distância de um *mas*. Deus gosta de oferecê-los.

Ele deu um *mas* para Pete. Você se lembra dele? Pete, o que fala antes de pensar? Deus acabou com a fortaleza de Satanás que estava em sua língua. Para ter uma prova, leia o sermão de Pedro sobre o Pentecostes, em Atos 2. Deus transformou o impetuoso Pedro no apóstolo Pedro (Lucas 22:54-62).

E Joe, o fracassado? Demitido pela família; condenado à prisão a pedido de seu patrão... Joe, o desempregado, pode vir a ser grande coisa? José pôde. Ele tornou-se primeiro-ministro do Egito (Gênesis 37–50).

E a que se divorciou cinco vezes? A mulher que os homens descartavam, Jesus discipulou. Segundo o último relato, ela havia apresentado Cristo a toda a sua vila. A mulher samaritana foi a primeira missionária de Jesus (João 4:1-42). Outra prova de que "as armas [de Deus]... são poderosas... para destruir fortalezas" (2 Coríntios 10:4).

Pedro meteu os pés pelas mãos.

José foi preso no Egito.

A mulher samaritana foi casada cinco vezes.

Jesus estava morto no túmulo...

Mas Pedro pregou, José governou, a mulher compartilhou, Jesus ressuscitou — e você?

A sua história você escreve. Seu *mas* o espera.

Capítulo 13

Deus distante

Um homem morto e um homem dançando. Um esticado no chão, o outro dando pulos no ar. O homem morto é o sacerdote Uzá. O homem que está dançando é o rei Davi. Os leitores de 2 Samuel não sabem o que fazer com nenhum dos dois.

Um pequeno contexto os ajudará.

A morte do primeiro e a dança do segundo têm algo a ver com a arca da aliança, uma caixa retangular comissionada por Moisés. A caixa não era grande: um metro e dez de altura por 70 centímetros de largura. Três dos objetos hebraicos mais preciosos ficavam na arca: uma jarra de ouro contendo o maná intacto, a vara de Arão que floresceu muito tempo depois de ter sido cortada e as preciosas tábuas de pedra tocadas pelo dedo de Deus ao serem gravadas. Uma lâmina de ouro pesada, chamada propiciatório, servia como tampa para a caixa. Dois querubins de ouro, com asas estendidas, ficavam de frente um para o outro e olhavam para a tampa de ouro. Representavam a majestade do Senhor guardando a lei e as necessidades do povo. A arca simbolizava a provisão (o maná) de Deus, o poder (a vara) de Deus, os preceitos (os mandamentos) de Deus e, principalmente, a presença de Deus.

Durante a época do templo, o sumo sacerdote podia ficar uma vez por ano diante da arca. Após oferecer sacrifícios pessoais de arrependimento, ele entrava no santo dos santos, segundo a história, com uma corda amarrada ao tornozelo para que não perecesse na presença de Deus e precisasse ser arrastado para fora.

É possível exagerarmos quanto à importância da arca? Dificilmente. Até onde seria preciosa para nós a manjedoura em que Jesus nasceu? E a cruz? Se tivéssemos a mesma cruz sobre a qual ele foi crucificado, daríamos valor a ela? Você também daria.

Por isso nós nos perguntamos por que os israelitas não valorizavam a arca da aliança. Surpreendentemente, deixaram-na acumular pó por 30 anos na casa de um sacerdote que morava cerca de 11 quilômetros ao oeste de Jerusalém. Negligenciada. Ignorada. Mas Davi, recém-coroado, resolve mudar isso. Depois de organizar a cidade de Jerusalém, ele tem como sua prioridade trazer a caixa de volta. Planeja um desfile de alto nível e convida 30.000 hebreus a participar.

Eles reúnem-se perto da casa do sacerdote Abinadabe. Seus dois filhos,[1] Uzá e Aiô, são responsáveis pelo transporte. Eles carregam a arca em uma carroça puxada por bois e começam a marcha. Trombetas soam, canções ecoam, e tudo segue bem ao longo dos três primeiros quilômetros até que eles pegam um trecho ruim da estrada. Os bois tropeçam, a carroça balança e a arca se desloca. Uzá, pensando que a caixa sagrada estava para cair da carroça, estica o braço para segurá-la. O céu fulminou Uzá "e ele morreu" (2 Samuel 6:7).

Isso acaba rapidamente com o desfile. Todos voltam para casa. Profundamente angustiado, Davi volta para Jerusalém. A arca é mantida na casa de Obede-Edom enquanto Davi resolve tudo. Ao que parece, Davi é bem sucedido em sua missão, pois, ao final de três meses, ele volta, recupera a arca e reinicia o desfile. Dessa vez ninguém morre. Há dança. Davi entra em Jerusalém cheio de alegria. E "Davi foi dançando com todas as suas forças perante o SENHOR" (6:14).

Dois homens. Um morto. O outro dançando. O que eles nos ensinam? Especificamente, o que eles nos ensinam sobre a questão de invocar a presença de Deus? É isso que Davi quer saber: "Como vou conseguir levar a arca do SENHOR?" (6:9).

Na história de Davi e seus gigantes, esse é um problema do tamanho de um gigante. Deus é um deus distante?

A tragédia de Uzá ensina o seguinte:
Deus vem com suas próprias condições.

As mães perguntam: "Como a presença de Deus pode vir sobre meus filhos?" Os pais pensam: "Como a presença de Deus pode encher minha casa?" As igrejas desejam em seu meio a presença de Deus que toca, que ajuda, que cura.

Como a presença de Deus pode vir até nós?

Devemos acender velas, entoar cânticos, edificar um altar, liderar uma comitiva, doar um barril cheio de dinheiro? O que invoca a presença de Deus? Uzá e Davi misturam morte e dança para revelar uma resposta.

A tragédia de Uzá ensina o seguinte: *Deus vem com suas próprias condições.* Ele dá instruções específicas quanto ao cuidado com a arca e com o seu transporte. Somente os sacerdotes podiam aproximar-se dela. E, então, só depois ofereciam sacrifícios por si mesmos e suas famílias (veja Levítico 16). A arca era erguida, não com as mãos, mas com varas de acácia. Os sacerdotes passavam varas longas pelas argolas nas extremidades para carregarem-na. "Os coatitas virão carregá-los [os utensílios e todos os artigos sagrados]. Mas não tocarão nas coisas sagradas; se o fizerem, morrerão... eles deveriam carregar nos ombros os objetos sagrados" (Números 4:15; 7:9).

Uzá deveria saber disso. Ele era um sacerdote, um sacerdote coatita, um descendente do próprio Arão. A arca fora mantida na casa de seu pai, Abinadabe. Ele crescera com ela — o que talvez seja a melhor explicação para seus atos.

Ele recebe a ordem de que o rei quer a arca e diz: "É claro que posso levá-la. Nós a tiramos do celeiro. Vamos colocá-la na carroça". O santo tornou-se monótono. O sagrado, de qualidade inferior. Por isso ele muda as ordens por conveniência, usando uma carroça, em vez de varas, e touros, em vez de sacerdotes. Não vemos obediência ou sacrifício; vemos conveniência.

Deus irou-se.

Mas ele tinha de matar Uzá? Ele tinha de tirar sua vida?

Fizemos a pergunta para Joe Shulam. Joe cresceu em Jerusalém, estudou no Seminário de Rabinos Judeus Ortodoxos e ainda mora em Israel. Ele conhece o Antigo Testamento a fundo. Ele encontrou alguns de nós no aeroporto e nos levou para Jerusalém, passando perto do lugar onde Uzá foi morto.

— A pergunta — opinou ele em resposta — não é por que Deus matou Uzá, mas, em vez disso, por que ele nos deixa vivos?

A julgar pelo número de igrejas mortas e corações frios, não tenho tanta certeza de que seja assim.

A imagem de Uzá morto manda um lembrete sério e arrepiante para aqueles de nós que conseguem ir à igreja com a freqüência que desejam, ter comunhão sempre que desejam. A mensagem é: não relaxe diante do santo. Deus não será levado em carroças convenientes ou carregado por animais irracionais.

Não relaxe diante do santo.

Não o confunda com um gênio que sai de uma lâmpada depois de ela ser esfregada ou com um mordomo que aparece ao som de uma campainha.

Deus vem, lembre-se. Mas ele vem com suas próprias condições. Ele vem quando ordens são respeitadas, corações estão limpos e a confissão é feita.

Mas e o segundo personagem? Qual é a mensagem do homem dançando?

A primeira reação de Davi à morte de Uzá não é nada alegre. Ele retira-se para Jerusalém, confuso e magoado, "contrariado porque o SENHOR, em sua ira, havia fulminado Uzá" (1 Crônicas 13:11).

Três meses se passam antes de Davi voltar para buscar a arca. Ele faz isso com um protocolo diferente. Sacerdotes tomam o lugar de touros. O sacrifício toma o lugar da conveniência. Os levitas consagram-se "para transportar a arca do SENHOR". Eles carregam a arca de Deus "apoiando as varas da arca sobre os ombros, conforme Moisés tinha ordenado, de acordo com a Palavra do SENHOR" (1 Crônicas 15:14,15).

Ninguém tem pressa. "Quando os que carregavam a arca do SENHOR davam seis passos, ele [Davi] sacrificava um boi e um novilho gordo" (2 Samuel 6:13). Quando percebe que Deus não está irado, Davi oferece um sacrifício e _____________________. Selecione a resposta correta dentre as seguintes alternativas:

a. ajoelha-se perante o Senhor;
b. cai prostrado perante o Senhor;
c. abaixa a cabeça perante o Senhor;
d. dança com todas as suas forças perante o Senhor.

Se sua resposta foi a alternativa *d*, você acaba de ganhar um ingresso para a quadrilha da igreja. Davi dança com todas as suas forças perante o Senhor (6:14). Cambalhotas, chutes para o alto. Rodopiando, pulando. Não é bater os pés ou balançar a cabeça.

Deus vem quando ordens são respeitadas,
corações estão limpos e a confissão é feita.

O termo hebraico descreve Davi andando em círculos, saltitando e pulando. Esqueça o arrasta-pé simbólico ou a valsa obrigatória. Davi-o-matador-de-gigantes torna-se Davi-o-dançarino-de-passos-duplos. Ele é o prefeito de uma cidade famosa no dia de um santo badalado, pulando e gingando à frente do desfile.

E, se não bastasse, ele tira o colete sacerdotal, a veste de linho para orações. O colete cobre a mesma parte que cobre uma camiseta longa.

Bem ali, diante de Deus, do altar e de todas as demais pessoas, Davi tira nada menos que sua roupa íntima sagrada. (Imagine o presidente da República fugindo do Salão Oval de cueca e dando cambalhotas por uma avenida movimentada.)

Davi dança e nós abaixamos a cabeça. Prendemos a respiração. Sabemos o que está por vir. Lemos sobre Uzá. Sabemos o que Deus faz com os irreverentes e com os metidos. Ao que parece, Davi não estava prestando atenção. Pois aqui está ele, em plena presença de Deus e dos filhos de Deus, sacudindo sua roupa íntima. Segure sua respiração e chame o coveiro. Até logo, rei Davi. Prepare-se para ser fritado, flambado e refogado.

Mas nada acontece. O céu está em silêncio, Davi continua rodopiando e nós ficamos curiosos. A dança não chateia Deus? O que Davi tem que Uzá não tinha? Por que o Pai celestial não está zangado?

Pela mesma razão por que eu não estava. Elas não fazem agora, mas, quando eram muito pequenas, minhas filhas dançavam quando eu chegava em casa. Meu carro na entrada de casa era sinal para elas começarem a puxar a banda. "Papai chegou!", elas anunciavam, passando correndo pela porta. Bem ali, no gramado em frente de casa, elas dançavam. Extravagantemente. Com o rosto sujo de chocolate e a fralda lá nos pés, elas se exibiam para que todos os vizinhos vissem.

Isso me incomodava? Eu ficava irritado? Ficava preocupado com o que as pessoas pensariam? Dizia para elas se endireitarem e agirem de forma madura? De jeito nenhum.

Deus disse a Davi que se comportasse? Não. Ele o deixou dançar.

As Escrituras não retratam Davi dançando em algum outro momento. Ele não dançou com a morte de Golias. Nunca sambou no meio dos filisteus. Não inaugurou seu tempo como rei com uma valsa ou dedicou a Jerusalém um giro pelo salão de baile. Mas, quando Deus chegou à cidade, Davi não conseguiu ficar parado.

Talvez Deus se pergunte como foi que nós nos contivemos. Não gostamos daquilo que Davi queria? A presença de Deus. Jesus prometeu: "Eu estarei sempre com vocês, até o fim dos tempos" (Mateus 28:20). Contudo, faz quanto tempo que enrolamos o tapete e celebramos noite afora a presença de Deus?

O que Davi sabia que não sabemos? Do que ele se lembrou que nós esquecemos? Em uma frase, poderia ser o seguinte:

O presente de Deus é sua presença.

Seu maior presente é ele mesmo. O pôr-do-sol tira-nos o fôlego. O azul do Caribe acalma nosso coração. Recém-nascidos levam-nos às lágrimas.

O presente de Deus é sua presença.
Seu maior presente é ele mesmo.

O amor para toda a vida embeleza nossa vida. Mas leve tudo isso embora — prive-nos do pôr-do-sol, de oceanos, de bebês murmurando e de corações moles — e deixe-nos no deserto do Saara, e ainda teremos razão para dançar na areia. Por quê? Porque Deus está conosco.

Isso deve ser o que Davi sabia. E isso deve ser o que Deus quer que saibamos. Nunca estamos sozinhos. Nunca.

Deus ama você demais para deixá-lo sozinho, por isso ele não o deixou. Ele não o deixou sozinho com seus medos, suas preocupações, suas doenças ou sua morte. Por isso, pule de alegria.

E faça festa! Davi "abençoou o povo em nome do SENHOR dos Exércitos, e deu um pão, um bolo de tâmaras e um bolo de uvas passas a cada homem e a cada mulher israelita" (2 Samuel 6:18,19). Deus está conosco. Essa é a razão para a celebração.

Uzá, ao que parece, deixou isso escapar. Uzá via um deus pequeno, um deus que cabia dentro de uma caixa e precisava de ajuda para se equilibrar. Por isso Uzá não se preparou para ele. Ele não se purificou para se encontrar com o santo: não ofereceu sacrifício, não observou os mandamentos. Esqueça-se do arrependimento e da obediência; coloque Deus na parte de trás de uma carroça e siga em frente.

Ou, em nosso caso, viva como o inferno por seis dias e aproveite a graça do domingo. Ou, quem se importa com aquilo em que você crê? Apenas use um crucifixo em volta do pescoço para ter sorte. Ou, acenda algumas velas, faça algumas preces e tenha Deus do seu lado.

O corpo sem vida de Uzá alerta contra tal irreverência. A falta de temor a Deus leva à morte do homem. Deus não será bajulado, controlado, evocado ou ordenado a descer. Ele é um Deus pessoal que ama, cura, ajuda e intervém.

Um coração reverente e pés que dançam
podem pertencer à mesma pessoa.

Ele não responde a poções mágicas ou *slogans* inteligentes. Ele procura mais. Procura reverência, obediência e corações com fome de Deus.

E, quando os vê, ele vem! E, quando ele vier, deixe a banda começar. E, sim, um coração reverente e pés que dançam podem pertencer à mesma pessoa.

Davi tinha as duas coisas.

Que tenhamos o mesmo.

A propósito, você se lembra do que eu disse sobre minhas filhas dançando de fraldas e com um sorriso largo no rosto? Eu costumava dançar com elas. Você pensa que eu ficava de lado e perdia a diversão? Não, senhor. Eu pegava-as no colo — duas e até as três de uma vez — e nós girávamos. Nenhum pai perde a chance de dançar com o filho.

(O que me deixa curioso para saber se Davi poderia ter tido um par para dançar.)

Capítulo 14

Duras promessas

A vida do rei Davi não poderia ter sido melhor. Ele havia acabado de ser coroado. A sala onde fica seu trono cheira à tinta fresca e o arquiteto de sua cidade está projetando novos bairros. A arca de Deus habita no tabernáculo; ouro e prata transbordam nos cofres do rei; os inimigos de Israel mantêm-se à distância. Os dias de Saul, prostrado, são uma lembrança distante.

Mas algo desperta uma dessas lembranças. Um comentário, talvez, ressuscita uma velha conversa. Talvez um rosto familiar balance em sinal de negativo diante de uma decisão com data marcada para acontecer. Em meio à sua nova vida, Davi lembra-se de uma promessa de seus tempos antigos: "Resta ainda alguém da família de Saul a quem eu possa mostrar lealdade, por causa de minha amizade com Jônatas?" (2 Samuel 9:1).

Confusão é o que se vê no rosto da corte de Davi. Por que se preocupar com os filhos de Saul? Esse é um novo tempo, essa é uma nova administração. Quem se importa com a velha guarda? Davi. Ele se importa porque se lembra do acordo que fez com Jônatas. Quando Saul ameaçou matar Davi, Jônatas tentou salvá-lo. Jônatas conseguiu fazê-lo e depois fez este pedido: "Se eu continuar vivo, seja leal comigo, com a lealdade do SENHOR; mas se eu morrer, jamais deixe de ser leal com a minha família" (1 Samuel 20:14,15).

Jônatas morre. Mas o acordo de Davi não. Ninguém teria pensado duas vezes antes de deixá-lo para trás. Davi tem muitas razões para se esquecer da promessa que fez a Jônatas.

Os dois eram jovens e idealistas. Quem cumpre as promessas de juventude?

Saul era cruel e impiedoso. Quem honra os filhos de um sujeito vingativo?

Davi tem uma nação para governar e um exército para liderar. Que rei tem tempo para coisas pequenas?

Mas, para Davi, um acordo não é uma coisa pequena. Quando listar os gigantes que Davi enfrentou, esteja certo de que a palavra *promessa* não foi cortada e faz parte da pequena lista. Ela certamente aparece em grande parte das listas de desafios pelo monte Everest.

O marido de uma esposa deprimida conhece o desafio de uma promessa. Enquanto ela se vê diariamente em meio a uma sombra de tristeza, ele se pergunta sobre o que teria acontecido com a garota com quem se casou. Você consegue cumprir uma promessa em um momento como esse?

A esposa de um marido que a trai faz a mesma pergunta. Ele está de volta. Arrependido. Ela está magoada. Ela se pergunta: *Ele quebrou sua promessa... Devo manter a minha?*

Pais têm feito a mesma pergunta. Pais de filhos pródigos. Pais de filhos que fogem. Pais de filhos deficientes e incapacitados.

Até pais de crianças saudáveis têm se perguntado como manter uma promessa. Os momentos da lua-de-mel e as noites tranqüilas ficam enterrados sob uma pilha de fraldas sujas e noites curtas.

Promessas. Comprometidas entre flores de primavera. Cobradas no tempo cinzento do inverno. Elas aparecem em nossa vida liliputiana feito um gigante Gulliver. Nunca escapamos de suas sombras. Davi, ao que parece, não tentou escapar.

Promessas. Comprometidas entre flores de primavera.
Cobradas no tempo cinzento do inverno.

Encontrar um descendente de Jônatas não era fácil. Ninguém que pertencia ao círculo de Davi conhecia um. Conselheiros mandaram chamar Ziba, um antigo servo de Saul. Será que ele conhecia um membro ainda vivo da família de Saul? Dê uma boa olhada na resposta de Ziba: "Ainda há um filho de Jônatas, aleijado dos pés" (2 Samuel 9:3).

Ziba não menciona nenhum nome, só diz que o menino é aleijado. Percebemos um repúdio levemente disfarçado em suas palavras: "Cuidado, Davi. Ele não — como diria você? — cai bem no palácio. Você podia pensar duas vezes antes de cumprir essa promessa."

Ziba não dá detalhes sobre o menino, mas o quarto capítulo de 2 Samuel os apresenta. A pessoa em questão é o filho de Jônatas, Mefibosete. (Que nomes incríveis! Você está precisando de nomes para seus nenês? Experimente Ziba e Mefibosete. Eles vão se destacar na escola.)

Quando Mefibosete tinha cinco anos, seu pai e seu avô morreram nas mãos dos filisteus. Conhecendo a brutalidade dos filisteus, a família de Saul foi para as montanhas. A ama de Mefibosete apanhou-o e fugiu, depois tropeçou e deixou-o cair, quebrando ele os dois tornozelos, o que o deixou irremediavelmente manco. Servos fugitivos carregaram-no na travessia do rio Jordão até uma vila inóspita chamada Lo-Debar. O nome significa "sem pasto". Imagine uma cidade com um trailer tombado, arrendado por um preço ridículo, jogado no meio de um deserto. Mefibosete escondeu-se ali, primeiro porque estava com medo dos filisteus, depois porque teve medo de Davi.

Junte os tristes detalhes da vida de Mefibosete:

- nasceu como herdeiro legítimo do trono;
- foi vitimado por uma queda;
- foi deixado, impossibilitado de andar, em uma cidade estranha;
- lá vivia sob a ameaça de morte.

Vitimado. Excluído. Incapacitado. Inculto.

"Tem certeza?", insinua a resposta de Ziba. "Tem certeza de que você quer gente como esse menino em seu palácio?"

Davi tem certeza.

Servos estacionam uma enorme limusine do outro lado do rio Jordão e batem à porta da cabana. Explicam por que estão ali, colocam Mefibosete dentro do carro e levam-no para o palácio. O menino imagina o pior. Ele vai ao encontro de Davi com o entusiasmo de um presidiário no corredor da morte, entrando na sala em que receberá uma injeção letal.

O menino prostra-se e pergunta:

"Quem é o teu servo, para que te preocupes com um cão morto como eu?"

Então o rei convocou Ziba e disse-lhe: "Devolvi ao neto de Saul, seu senhor, tudo o que pertencia a ele e à família dele... Mefibosete comerá sempre à minha mesa" (9:8-10).

Em tempo menor que o necessário para pronunciar Mefibosete duas vezes, o menino é promovido de Lo-Debar para a mesa do rei. Adeus, anonimato. Olá, realeza e palácio real. Observe: Davi poderia ter enviado dinheiro para Lo-Debar. Teria, generosamente, cumprido sua promessa com uma pensão anual vitalícia. Mas Davi deu mais do que uma pensão para Mefibosete; ele lhe deu um lugar — um lugar à mesa do rei.

Observe atentamente o retrato de família pendurado sobre a lareira de Davi; você verá o sorriso largo no diploma do Colégio de Lo-Debar. Davi está sentado no trono, no centro, rodeado de muitas esposas. Bem em frente ao belo e bronzeado Absalão, à direita da incrível beleza de Tamar, na fileira do estudioso Salomão, você verá Mefibosete, neto de Saul, filho de Jônatas, apoiando-se em suas muletas e sorrindo como se tivesse acabado de ganhar na loteria de Jerusalém.

E isso não deixa de ser verdade. A criança que não tinha pernas para sustentar-se tem tudo para viver. Por quê? Por que impressionou Davi? Convenceu Davi? Coagiu Davi? Não. Mefibosete não fez nada. Uma promessa motivou Davi. O rei é bom, não porque o menino esteja merecendo, mas porque a promessa é eterna.

Para ter outra prova, acompanhe a vida de Mefibosete. Ele acomoda-se no baluarte e desaparece das Escrituras por 15 anos ou algo em torno disso. Reaparece em meio ao drama da rebelião de Absalão.

Absalão, um filho rebelde, força Davi a fugir de Jerusalém. Envergonhado, o rei escapa com alguns amigos fiéis. Adivinhe quem está entre eles? Mefibosete? Pensei que você acharia também. Mas não é. É Ziba. Ziba diz para Davi que Mefibosete ficou do lado do inimigo. A história desenrola-se, Absalão perece e Davi volta para Jerusalém, onde Mefibosete dá ao rei outra versão da história. Ele encontra-se com Davi sem estar com a barba aparada e com roupas sujas. Segundo ele, Ziba abandonou-o em Jerusalém e não o colocou em um cavalo para que pudesse viajar.

Quem está dizendo a verdade? Ziba ou Mefibosete? Um está mentindo. Qual deles? Não sabemos. Não sabemos porque Davi nunca pergunta. Ele nunca pergunta, porque não importa. Se Mefibosete diz a verdade, ele fica. Se mente, ele fica. Seu lugar no palácio depende, não de seu comportamento, mas da promessa de Davi.

Por quê? Por que Davi é tão leal? E como? Como Davi é tão leal?

Deus é o exemplo a ser seguido em termos do cumprimento de acordos.

Mefibosete não traz nada e leva muito. De onde Davi tirou tal decisão? Se pudéssemos perguntar para Davi como ele venceu o gigante da promessa, ele nos tiraria de sua história e nos levaria à história de Deus. Deus é o exemplo a ser seguido em termos do cumprimento de acordos.

Como disse Moisés aos israelitas:

> Saibam, portanto, que o SENHOR, o seu Deus, é Deus; ele é o Deus fiel, que mantém a aliança e a bondade por mil gerações daqueles que o amam e obedecem aos seus mandamentos (Deuteronômio 7:9).

Deus faz e nunca quebra suas promessas. O termo hebraico para pacto, *beriyth*, significa "um acordo solene de peso obrigatório".[1] Seu pacto irrevogável corre como um fio vermelho pelo tapete das Escrituras. Você lembra-se de sua promessa a Noé?

> Estabeleço uma aliança com vocês: Nunca mais será ceifada nenhuma forma de vida pelas águas de um dilúvio; nunca mais haverá dilúvio para destruir a terra".
>
> E Deus prosseguiu: "Este é o sinal da aliança que estou fazendo

> entre mim e vocês e com todos os seres vivos que estão com vocês, para todas as gerações futuras: o meu arco que coloquei nas nuvens. Será o sinal da minha aliança com a terra (Gênesis 9:11-13).

Todo arco-íris nos faz lembrar do pacto de Deus. Curiosamente, astronautas que viram os arco-íris do espaço sideral contam que eles formam um círculo completo.[2] As promessas de Deus, de igual modo, não se quebram e não têm fim.

Abraão pode falar de promessas. Deus disse ao patriarca que contar as estrelas e contar seus descendentes seriam dois desafios idênticos.

O pacto irrevogável de Deus corre como um fio vermelho pelo tapete das Escrituras.

Para garantir o juramento, Deus levou Abraão a cortar vários animais ao meio. Para selar um pacto no Antigo Oriente, quem fazia a promessa passava pelo corpo dividido do animal, oferecendo-se para ter o mesmo destino se quebrasse sua palavra.

> Depois que o sol se pôs e veio a escuridão, eis que um fogareiro esfumaçante, com uma tocha acesa, passou por entre os pedaços dos animais. Naquele dia o SENHOR fez a seguinte aliança com Abrão: "Aos seus descendentes dei esta terra, desde o ribeiro do Egito até o grande rio, o Eufrates" (Gênesis 15:17,18).

Deus leva a sério as promessas e as sela de maneira drástica. Considere o caso de Oséias. Setecentos anos antes do nascimento de Jesus, Deus ordenou que Oséias se casasse com uma prostituta chamada Gômer. (Se a profissão dela não causasse suficiente impacto, seu nome causaria.) Todavia, Oséias obedeceu. Gômer deu à luz três filhos, sendo que nenhum deles era de Oséias. Gômer abandonou Oséias para levar uma vida igual à de uma garota de programa em uma casa noturna. O fundo do poço chegou na forma de um leilão, em que homens faziam lances para comprá-la como escrava. Homens de menor envergadura acenavam para ela dando-lhe a entender que podia ir embora. Não Oséias. Ele fez os lances, comprou sua esposa e levou-a novamente para casa. Por quê? Aqui está a explicação de Oséias.

> O SENHOR me disse: "Vá, trate novamente com amor sua mulher, apesar de ela ser amada por outro e ser adúltera. Ame-a como o SENHOR ama os israelitas, apesar de eles se voltarem para outros deuses e de amarem os bolos sagrados de uvas passas".
>
> Por isso eu a comprei por 180 gramas de prata e um barril e meio de cevada (Oséias 3:1,2).

Você precisa de uma descrição do nosso Deus que cumpre promessas? Olhe para Oséias comprando de volta a esposa. Olhe para a panela quente passando pelos animais. Olhe para o arco-íris. Olhe para Mefibosete. Você nunca se apresentou como Mefibosete, de Lo-Debar, mas poderia. Você se lembra dos detalhes da desgraça dele? Ele...

- nasceu como herdeiro legítimo do trono;
- foi vitimado por uma queda;
- foi deixado, impossibilitado de andar, em uma cidade estranha;
- lá vivia sob a ameaça de morte.

Essa é a sua história! Você não nasceu como um filho do Rei? Você não ficou manco por causa do tropeço de Adão e Eva? Quem, entre nós, não perambulou pela areia seca de Lo-Debar?

Mas então veio o mensageiro do palácio. Um professor da quarta série, um amigo do colégio, uma tia, um pregador da televisão. Eles vieram com uma grande notícia e uma limusine que estava à nossa espera.

— Você não vai acreditar nisso — anunciaram — mas o rei de Israel tem um lugar à mesa para você. O cartão que indica seu lugar à mesa está impresso e a cadeira está vazia. Ele o quer na família.

Por quê? Por causa do seu QI? Deus não precisa de nenhum conselho.

O dinheiro de sua aposentadoria? Não vale um tostão para Deus.

Suas habilidades na empresa? É claro! O arquiteto de órbitas precisa de sua opinião.

Sinto muito, Mefibosete. O convite não tem nada a ver com você e tem tudo a ver com Deus.

Sua vida eterna é conseqüência do pacto,
garantida pelo pacto e baseada no pacto.

Ele fez a promessa de que lhe daria a vida eterna: "[a] esperança da vida eterna, a qual o Deus que não mente prometeu antes dos tempos eternos" (Tito 1:2).

Sua vida eterna é conseqüência do pacto, garantida pelo pacto e baseada no pacto.Você pode olhar para Lo-Debar pelo espelho retrovisor por uma razão — Deus cumpre suas promessas. O fato de Deus cumprir promessas não deveria inspirá-lo a fazer o mesmo?

O céu sabe que você poderia se valer de certa inspiração.As pessoas podem cansá-lo. E há momentos em que tudo o que podemos fazer não é suficiente. Quando um cônjuge opta por sair de casa, não podemos forçá-lo a ficar.

Ao amar aquele que não ama, você tem um
vislumbre daquilo que Deus faz por você.

Quando um cônjuge comete um abuso, não devemos continuar. O que há de melhor no amor pode não ser correspondido. Não pretendo, em nenhum momento, minimizar os desafios que alguns de vocês enfrentam.Você está cansado.Você está irritado.Você está desapontado. Este não é o casamento que você esperava ou a vida que queria. Mas lá no seu passado está uma promessa que você fez. Posso incentivá-lo a fazer todo o possível para cumpri-la? Para fazer mais uma tentativa?

Por que você deveria? Para que possa entender a profundidade do amor de Deus.

Ao amar aquele que não ama, você tem um vislumbre daquilo que Deus faz por você. Ao deixar a luz da frente acesa para o filho pródigo, ao fazer o que é certo mesmo tendo feito o errado, ao amar o fraco e o doente, você faz o que Deus faz a cada instante. Cumprir o pacto é sua inscrição na escola de pós-graduação de Deus. Quando você ama os mentirosos, os trapaceiros e os que partem seu coração, você não está fazendo o que Deus fez por nós? Preste atenção em suas brigas e tome nota. Deus o convida a entender o amor dele.

Ele também quer que você o demonstre.

Davi fez isso com Mefibosete. Davi era uma parábola ambulante da lealdade de Deus. Oséias fez o mesmo com Gômer. Ele vestiu-se da devoção divina. Minha mãe fez isso com meu pai. Lembro-me de vê-la cuidando dele em seus últimos meses. A esclerose lateral amiotrófica (ELA) sugou a vida de cada músculo de seu corpo. Ela fez por ele o que mães fazem por seus bebês. Ela deu-lhe banho, alimentou-o e vestiu-o. Pôs uma cama de hospital na sala de nossa casa e cumpriu sua missão com ele. Se ela se queixou, nunca ouvi. Se franziu as sobrancelhas, nunca vi. O que ouvi e vi foi uma mulher cumprindo um pacto. "É isso que o amor faz" — era o que suas ações anunciavam quando ela passava-lhe talco, fazia sua barba e lavava seus lençóis. Ela exemplificou o poder de uma promessa cumprida.

Deus pede que você faça o mesmo. Demonstre o amor resistente. Encarne a fidelidade. Deus está lhe dando uma chance do tamanho da de Mefibosete para mostrar para seus filhos e seus vizinhos o que o verdadeiro amor faz.

Abrace-o. Quem sabe? Alguém pode contar sua história de lealdade para ilustrar a lealdade de Deus?

Uma última reflexão. Você lembra-se do retrato de família no palácio de Davi? Duvido que Davi tivesse um. Mas acho que o céu poderia ter. Não será maravilhoso ver seu rosto no retrato? Dividindo a moldura com gente como Moisés e Marta, Pedro e Paulo... lá estarão você e Mefibosete.

Ele não vai querer ser o único arreganhando os dentes.

Capítulo 15

O máximo em arrogância

Você pode subir muito para seu próprio bem. É possível subir alto demais, ficar alto demais e alçar alto demais.

Fique muito tempo em altas altitudes e dois de seus sentidos vão sofrer. Você perde a audição. É difícil ouvir pessoas quando se está mais alto que elas.

> Você pode subir muito para seu próprio bem.

As vozes ficam distantes. As frases parecem abafadas. E, quando se está lá em cima, sua vista embaça. É difícil focalizar as pessoas quando se está muito acima delas. Elas parecem tão pequenas... Pequenos vultos sem rosto. Você mal consegue distinguir umas das outras. Todas elas parecem iguais.

Você não as ouve. Você não as vê. Você está acima delas.

É exatamente aí que Davi está. Ele nunca esteve mais alto. A onda de seu sucesso chega ao auge quando ele tem 50 anos. Israel está se expandindo. A nação está prosperando. Em duas décadas no trono, ele distinguiu-se como guerreiro, músico, estadista e rei. Seu ministério é forte e suas fronteiras cobrem mais de 95.000 quilômetros quadrados. Não há derrotas no campo de batalha. Não há manchas em sua administração. Davi é amado pelo povo; servido pelos soldados; seguido pelas multidões. Davi está lá no alto o tempo todo.

Que contraste com o modo como o encontramos pela primeira vez no vale de Elá: ajoelhando-se à beira do ribeiro, procurando por cinco pedras lisas! Todos os outros estavam em pé. Os soldados estavam em pé. Golias estava em pé. Seus irmãos estavam em pé. Os outros estavam no alto; Davi estava abaixado, de barriga para baixo, na parte mais baixa do vale. Nunca esteve tão baixo, contudo nunca esteve tão forte.

Três décadas depois sua situação se inverteu. Nunca esteve tão alto, ao mesmo tempo nunca esteve mais fraco. Davi chega ao ponto mais alto de sua vida, na posição mais alta do reino, no lugar mais importante da cidade — no terraço que dava vista para Jerusalém.

Ele deveria estar com seus homens, na batalha, com um pé no cavalo e o outro no encalço de seu inimigo. Mas ele não estava. Ele estava em casa.

> Na primavera, época em que os reis saíam para a guerra, Davi enviou para a batalha Joabe com seus oficiais e todo o exército de Israel; e eles derrotaram os amonitas e cercaram Rabá. Mas Davi permaneceu em Jerusalém (2 Samuel 11:1).

É primavera em Israel. As noites são quentes e o ar está perfumado. Davi tem o tempo nas mãos, o amor na cabeça e as pessoas à sua disposição.

Seus olhos caem sobre uma mulher enquanto ela está no banho. Sempre teremos curiosidade para saber se Bate-Seba estava tomando banho em um lugar onde não deveria estar, esperando que Davi olhasse para onde não deveria olhar. Nunca saberemos. Contudo, sabemos que ele olha e gosta do que vê. Por isso ele pergunta sobre ela. Um servo volta com a seguinte informação: "É Bate-Seba, filha de Eliã e mulher de Urias, o hitita" (11:3).

O servo passa a informação com uma advertência. Ele não só dá o nome da mulher, mas seu estado civil e o nome de seu marido. Por que dizer a Davi que ela é casada senão para preveni-lo? E por que dar o nome do marido uma vez que Davi não estava familiarizado com ele?

É provável que Davi conhecesse Urias. O servo espera, com jeito, dissuadir o rei de suas pretensões. Mas Davi não entende a dica. O versículo seguinte descreve o primeiro passo de Davi em uma ladeira cheia de óleo. "Davi mandou que a trouxessem, e se deitou com ela" (11:4).

Davi "manda" muitas vezes nessa história. Ele *envia* Joabe para a batalha (v.1). Ele *envia* um servo para procurar saber coisas sobre Bate-Seba (v. 3). Ele *manda* que tragam Bate-Seba até ele (v. 4). Quando fica sabendo da gravidez de Bate-Seba, Davi *manda* um recado para Joabe (v. 6) para que ele *envie* Urias para Jerusalém. Davi *manda* Urias descansar em casa com Bate-Seba, mas Urias é nobre demais. Davi opta por *mandar* Urias novamente para a batalha em uma posição em que certamente será morto. Pensando que sua tentativa para encobrir a verdade está completa, Davi *manda* que tragam Bate-Seba e se casa com ela (v. 27).

Não gostamos deste Davi que envia, que exige. Preferimos o Davi que pastoreia, que cuida do rebanho; o Davi que lança com força, que se esconde de Saul; o Davi que adora, que escreve salmos. Não estamos preparados para o Davi que perde o domínio de seu autocontrole.

O que aconteceu com ele? Simples! É o mal da altitude. Ele estava lá no alto havia muito tempo. O ar rarefeito mexeu com seus sentidos. Ele não pode ouvir como estava acostumado. Não pode ouvir as advertências do servo ou a voz de sua consciência. Nem pode ouvir seu Senhor. O pico ensurdeceu seus ouvidos e cegou seus olhos. Davi viu Bate-Seba? Não. Ele viu Bate-Seba tomando banho.

Fique muito tempo em altas altitudes
e dois de seus sentidos vão sofrer.

Viu o corpo de Bate-Seba e as curvas de Bate-Seba. Viu Bate-Seba como uma conquista. Mas viu Bate-Seba como ser humano? A esposa de Urias? A filha de Israel? A criação de Deus? Não. Davi perdeu sua visão. Tempo demais no topo da montanha fará isso com você. Horas demais sob o sol brilhante e no ar rarefeito o deixará ofegante e atordoado.

Sem dúvida, quem entre nós poderia subir tão alto quanto Davi? Quem entre nós está a um estalar de dedos de um encontro com alguém que escolhemos? Presidentes e reis podem mandar pessoas cumprirem suas ordens; temos sorte de poder pedir que alguém nos traga comida chinesa. Não temos esse tipo de influência.

Podemos entender outros conflitos de Davi. Seu medo de Saul. Longos períodos de tempo escondendo-se no deserto. Estivemos lá. Mas o importante e poderoso Davi? O terraço de Davi é um lugar onde nunca estivemos.

Ou estivemos?

Não estive em um terraço, mas em um vôo. E não vi uma mulher no banho, mas uma comissária de bordo dando bola fora o tempo todo. Ela não conseguia fazer nada certo. Pediam soda e ela trazia suco. Pediam um travesseiro e ela trazia um cobertor — isso quando de fato trazia alguma coisa.

E comecei a resmungar. Não em voz alta, mas em meus pensamentos. *O que há com o serviço nesses dias?* Acho que estava ficando um pouco convencido. Havia acabado de dar uma palestra em um evento. As pessoas haviam dito como estavam felizes por me verem ali. Não sei o que era mais louco: o fato de elas dizerem isso ou o fato de eu acreditar nisso. Assim entrei no avião me sentindo o tal. Tive de inclinar a cabeça para passar pela porta. Tomei meu assento sabendo que o vôo era seguro, já que os céus sabem que sou essencial para a obra de Deus.

Então pedi o refrigerante, o travesseiro... Ela mencionou os serviços e eu murmurei. Vê o que eu estava fazendo? Colocando-me acima da comissária de bordo. Na hierarquia social do avião, ela estava abaixo de mim. Sua função era servir e a minha era ser servido.

Não olhe para mim assim. Você já não se sentiu um pouco superior a alguém? Ao manobrista do estacionamento; ao balconista da quitanda; ao vendedor de amendoim na peleja; ao funcionário de casaco xadrez? Você já fez o que fiz. E você já fez o que Davi fez. Perdemos nossa visão e nossa audição.

Quando olhei para a comissária de bordo, não vi um ser humano; vi uma comodidade necessária. Mas sua pergunta mudou tudo.

— Sr. Lucado?

Imagine minha surpresa quando a comissária de bordo se ajoelhou do lado de meu assento.

— É o senhor que escreve os livros cristãos?

Livros cristãos, sim. Pensamentos cristãos — essa é uma outra questão, eu disse para mim mesmo, descendo as escadas do terraço.

— Posso falar com o senhor? — ela perguntou. Seus olhos encheram-se de lágrimas, seu coração abriu-se e ela usou os três ou quatro minutos seguintes para falar de sua dor. A papelada do divórcio havia chegado naquela manhã. Seu marido não ligava de volta para ela. Ela não sabia onde iria morar. Mal podia concentrar-se no trabalho. Eu poderia orar por ela?

Orei. Mas tanto Deus como eu sabíamos que ela não era a única que estava precisando de oração.

Talvez você pudesse usar uma oração também. Como está a sua audição? Você ouve os servos que Deus envia? Você ouve a consciência que Deus desperta?

E sua visão? Você ainda vê pessoas? Ou vê apenas suas funções? Vê pessoas que precisam de você ou vê pessoas abaixo de você?

A história de Davi e Bate-Seba é mais uma história de poder do que uma história de luxúria. Uma história de um homem que subiu alto demais para seu próprio bem. Um homem que precisava ouvir essas palavras: "Desça antes que você caia".

"O orgulho vem antes da destruição; o espírito altivo, antes da queda" (Provérbios 16:18).

Deve ser por isso que Deus odeia a arrogância. Ele detesta ver seus filhos caírem; detesta ver seus Davis seduzirem e suas Bate-Sebas serem vitimadas.

Davi e Bate-Seba: é mais uma história de poder do que uma história de luxúria.

Deus odeia o que o orgulho faz com seus filhos. Não é que ele não goste da arrogância. Ele a odeia. Ele poderia deixar isso mais claro do que Provérbios 8:13: "Odeio o orgulho e a arrogância"? E depois, alguns capítulos mais adiante: "O SENHOR detesta os orgulhosos de coração. Sem dúvida serão punidos" (16:5).

Você não quer que Deus faça isso. Pergunte para Davi. Ele nunca se recuperou totalmente desse episódio com esse gigante. Não cometa o erro de Davi. É muito mais sábio descer a montanha do que cair dela.

Busque humildade. Humildade não significa pensar coisas inferiores sobre si mesmo, mas pensar menos em si mesmo. "Ninguém tenha de si mesmo um conceito mais elevado do que deve ter; mas, ao contrário, tenha um conceito equilibrado, de acordo com a medida da fé que Deus lhe concedeu" (Romanos 12:3).

Humildade não significa pensar coisas inferiores sobre si mesmo, mas pensar menos em si mesmo.

Aceite sua pobreza. Todos somos igualmente duros e abençoados. "O homem sai nu do ventre de sua mãe e, como vem, assim vai" (Eclesiastes 5:15).

Resista ao lugar de notoriedade. "[Quando você for convidado,] ocupe o lugar menos importante, de forma que, quando vier aquele que o convidou, diga-lhe: 'Amigo, passe para um lugar mais importante'. Então você será honrado na presença de todos os convidados" (Lucas 14:10).

Não é melhor ser convidado a subir do que a descer?

Deus tem um remédio para os altivos e poderosos: descer da montanha. Você se surpreenderá com o que você ouve e com quem você vê. E irá respirar com muito mais facilidade.

Capítulo 16

Quedas gigantescas

O que o Vaticano dará pelo nome do papa? Rogers Cadenhead procurou uma resposta. Com a morte do papa João Paulo, este auto-intitulado "colecionador de domínios" registrou o domínio www.BenedictXVI.com antes de o nome do novo papa ser anunciado. Cadenhead garantiu-o antes que Roma percebesse que precisava dele.

O nome do domínio certo pode mostrar-se lucrativo. Outro nome, PopeBenedictXVI.com, ultrapassou a casa dos 16 mil dólares na E-bay, empresa de comércio eletrônico. Cadenhead, no entanto, não queria dinheiro. Como católico, ele estava feliz pelo fato de a igreja reconhecer o nome.

— Vou tentar e evitar irritar 1,1 bilhão de católicos e minha avó — brincou.

Entretanto, ele gostaria de algo em troca. Em troca, Cadenhead procurava:

1. "um daqueles chapéus";
2. "uma estadia gratuita no hotel do Vaticano";
3. "total absolvição, sem perguntas, para a terceira semana de março de 1987".[1]

Você está curioso para saber o que aconteceu naquela semana, não está? Talvez ela o faça se lembrar de uma semana em que aconteceu algo com você. A maioria de nós tem uma ou mais semanas.

Um verão cheio de loucuras, um mês fora da rotina, os dias ficaram uma loucura. Se existisse uma caixa de fitas documentando cada segundo de sua vida, quais fitas você queimaria? Você tem uma época em que cedeu ao desejo, bebeu ou fumou?

O rei Davi teve. Uma queda poderia ser pior do que a dele? Ele seduz e engravida Bate-Seba, assassina seu marido e engana seu general e soldados. Depois ele se casa com ela. Ela tem o filho.

A verdade parece estar totalmente coberta. O observador descuidado não detecta nenhuma razão para preocupação. Davi tem uma nova esposa e uma vida feliz. Tudo parece bem no trono. Mas nem tudo está bem no coração de Davi. Ele, mais tarde, descreverá esse período de pecado encoberto em termos explícitos:

> Enquanto eu mantinha escondidos os meus pecados, o meu corpo definhava de tanto gemer.
>
> Pois dia e noite a tua mão pesava sobre mim; minhas forças foram-se esgotando como em tempo de seca (Salmo 32:3,4).

A alma de Davi lembra um olmo do Canadá no inverno. Estéril. Frustrada. Envolta em tristeza. Sua harpa está pendurada, sem cordas. Sua esperança hiberna. O sujeito é um desastre ambulante. Sua "terceira semana de março" persegue-o como uma matilha de lobos. Ele não consegue escapar. Por quê? Porque Deus continua a trazê-la à tona.

Com essas palavras o narrador introduz um novo personagem ao drama de Davi e Bate-Seba: Deus. Até aqui ele não aparecia no texto, não havia sido mencionado na história.

Davi seduz — não há menção de Deus. Davi conspira — não há menção de Deus. Urias enterrado, Bate-Seba casada — não há menção de Deus. Não se fala com Deus e Deus não fala. A primeira metade do versículo 27 atrai o leitor para um falso final feliz: Bate-Seba "se tornou sua mulher e teve um filho dele". Eles decoram o quarto do bebê e escolhem nomes tirados de uma revista. Nove meses se passam. Um menino nasce. E concluímos: Davi escapa de um tiro. Anjos jogam essa história na pasta etiquetada: "Meninos são assim". Deus faz vista grossa. Contudo, quando pensamos que é assim e Davi espera que seja...Alguém sai de trás da cortina e ocupa o centro do palco. "O que Davi fez desagradou ao SENHOR."

Deus não mais ficará em silêncio. O nome não mencionado até o último versículo do capítulo 11 domina o capítulo 12. Davi, "o que manda", fica sentado enquanto Deus assume o comando.

Deus envia Natã a Davi. Natã é um profeta, um pregador, uma espécie de capelão da Casa Branca. O homem merece uma medalha por ir até o rei. Ele sabe o que aconteceu com Urias. Davi matou um soldado inocente... O que fará com um pregador que chega para confrontá-lo?

Mesmo assim, Natã vai. Em vez de revelar o ato, ele conta a história de um homem pobre que tinha uma ovelha. Davi faz a ligação no mesmo instante. Ele apascentava rebanhos antes de liderar pessoas. Ele conhece a pobreza. Era o filho caçula de uma família tão pobre que não tinha como contratar um pastor. Natã conta para Davi como o pobre pastor amava sua ovelha — segurando-a em seu colo, alimentando-a do próprio prato. Ela era tudo o que ele tinha.

Enquanto a história segue, entra em cena o idiota rico. Um viajante passa em sua mansão, e ele prepara-lhe uma refeição. Em vez de matar uma ovelha de seu próprio rebanho, o rico manda seus seguranças roubarem o animal do pobre. Eles invadem sua propriedade, apanham a cordeira e fazem o churrasco.

Ao ouvir aquilo, os pêlos do pescoço de Davi arrepiam-se. Ele agarra os braços do trono. Dá um veredicto antes do julgamento: o peixe mordeu a isca ao anoitecer. "O homem que fez isso merece a morte! Deverá pagar quatro vezes o preço da cordeira, porquanto agiu sem misericórdia" (12:5,6).

Oh, Davi! Você nunca viu isso acontecer, não é? Você nunca viu Natã erguendo a forca e jogando a corda por cima da viga. Você nunca o viu amarrar suas mãos nas costas, fazê-lo subir a escada e vigiá-lo ao passar pelo alçapão. Só quando ele apertou o nó em torno do seu pescoço foi que você engoliu seco. Só quando Natã apertou a corda dizendo estas quatro palavras:

"Você é esse homem!" (12:7).

Davi fica pálido; o nó de sua garganta salta. Uma gota de suor forma-se em sua testa. Ele revolve-se em sua cadeira. Não tenta se defender.

Não dá uma resposta. Não diz nada. Deus, no entanto, está apenas coçando a garganta. Por meio de Natã, ele declara:

> Eu o ungi rei de Israel e o livrei das mãos de Saul. Dei-lhe a casa e as mulheres do seu senhor. Dei-lhe a nação de Israel e Judá. E, se tudo isso não fosse suficiente, eu lhe teria dado mais ainda. Por que você desprezou a palavra do SENHOR, fazendo o que ele reprova? Você matou Urias, o hitita, com a espada dos amonitas e ficou com a mulher dele (12:7-9).

As palavras de Deus refletem dor, não ódio; espanto, não desdém. Seu rebanho enche as colinas. Por que roubar? A beleza enche seu palácio. Por que tirá-la de outra pessoa? Por que o rico roubaria? Davi não tem desculpa.

Por isso Deus dá uma sentença.

> Por isso, a espada nunca se afastará de sua família, pois você me desprezou e tomou a mulher de Urias, o hitita, para ser sua mulher.
> Assim diz o SENHOR: "De sua própria família trarei desgraça entre você. Tomarei as suas mulheres diante dos seus próprios olhos e as darei a outro; e ele se deitará com elas em plena luz do dia. Você fez isso às escondidas, mas eu o farei diante de todo o Israel, em plena luz do dia" (12:10-12).

Desse dia em diante, confusão e tragédia marcam a família de Davi. Até a criança, fruto desse adultério, morrerá (12:18). Ela tem de morrer. As nações vizinhas agora questionam a santidade do Deus de Davi. Davi manchou a reputação de Deus, manchou a honra de Deus. E Deus, que zelosamente preserva sua glória, castiga o pecado público de Davi de uma forma pública. A criança perece. O rei de Israel descobre a dura verdade de Números 32:33: "... estejam certos de que vocês não escaparão do pecado cometido".

Você já descobriu essa verdade? Sua inflexível semana de março de 1987 o persegue? Contamina-o? Quedas gigantescas não nos deixarão em paz. Elas vêm à tona como um furúnculo sobre a pele.

Deus consegue se sentar, sem tomar nenhuma atitude, enquanto o pecado envenena o seu filho?

Meu irmão teve um, certa vez. Em seus tempos de ensino fundamental, ele teve um caso de furúnculo. Um pus terrível apareceu-lhe na nuca como um minúsculo vulcão em atividade. Minha mãe, enfermeira, sabia do que o furúnculo precisava — ser bem espremido. Dois dedos, todas as manhãs. Quanto mais ela apertava, mais ele gritava. Mas ela não parou até que o carnicão estourou.

Puxa, Max, obrigado pela bela cena!

Perdão por eu ser tão descritivo, mas preciso enfatizar esse ponto. Se você pensa que minha mãe era dura, experimente as mãos de Deus. Pecados não confessados se acomodam em nosso coração como furúnculos inflamados, envenenando, espalhando-se. E Deus, com dedos delicados, é quem aperta:

> O caminho do infiel é áspero (Provérbios 13:15).
>
> Quem cultiva o mal e semeia maldade, isso também colherá (Jó 4:8).

Deus tira seu sono, sua paz. Tira seu descanso. Quer saber por quê? Porque ele quer levar seu pecado. Uma mãe consegue ficar impassível enquanto substâncias venenosas invadem o corpo de seu filho? Deus consegue se sentar, sem tomar nenhuma atitude, enquanto o pecado envenena o seu? Ele não descansará até que façamos o que Davi fez: confessemos nossa falha. "Então Davi disse a Natã: 'Pequei contra o SENHOR!'. E Natã respondeu: 'O SENHOR perdoou o seu pecado. Você não morrerá'" (2 Samuel 12:13).

Deus não descansará até que façamos o que Davi fez: confessemos nossa falha.

Interessante. Davi sentenciou à morte o ladrão da ovelha imaginário. Deus é muito misericordioso. Ele pôs de lado o pecado de Davi. Em vez de encobri-lo, ele o revelou e o pôs de lado. "Como o Oriente está longe do Ocidente, assim ele afasta para longe de nós as nossas transgressões. Como um pai tem compaixão de seus filhos, assim o SENHOR tem compaixão dos que o temem" (Salmo 103:12,13).

Encontre seu erro antes do julgamento de Deus.
Deixe-o condená-lo, deixe-o perdoá-lo e abandone seu erro.

Davi levou um ano. Foi preciso uma gravidez inesperada, a morte de um soldado, a persuasão de um pregador, a sondagem e a pressão de Deus, mas o coração duro de Davi finalmente amoleceu e ele confessou: "Pequei contra o SENHOR!" (2 Samuel 12:13).

E Deus fez com o pecado de Davi o que ele faz com o seu e com o meu — deixou-o de lado.

É tempo de você pôr fim à sua "terceira semana de março de 1987". Faça uma reunião com três pessoas: você, Deus e sua memória. Coloque o erro diante do tribunal de Deus. Deixe que ele o condene, que ele o perdoe e que ele o ponha de lado.

Ele o fará. E você não precisa ter o nome do papa para que ele faça isso.

Capítulo 17

Questões de família

Davi parece ter mais do que seus sessenta e tantos anos. Seus ombros caem; sua cabeça pende. Ele arrasta os pés feito um velho. Luta para colocar um pé na frente do outro. Muitas vezes ele pára. Em parte porque a montanha é íngreme. Em parte porque ele precisa chorar.

Essa é a estrada mais longa que ele já tomou. Mais longa do que aquela que margeava o córrego que levava a Golias. Mais longa do que a estrada sinuosa do fugitivo que chegou a rei ou do que a estrada da culpa da convicção à confissão. Aquelas estradas têm algumas curvas sinuosas. Mas nenhuma se compara à subida do monte das Oliveiras.

> Davi, porém, continuou subindo o monte das Oliveiras, caminhando e chorando, com a cabeça coberta e os pés descalços. E todos os que iam com ele também tinham a cabeça coberta e subiam chorando (2 Samuel 15:30).

Observe com cuidado e você descobrirá a causa das lágrimas de Davi. Ele não usa a coroa. Absalão, seu filho, foi levado à força. Davi não tem um lar. Aqueles muros altos atrás dele pertencem à cidade de Jerusalém. Ele foge da capital que fundou.

Quem não choraria em um momento como esse? Sem trono. Sem lar. Com Jerusalém na retaguarda e o deserto à frente. O que aconteceu? Ele perdeu uma guerra? Israel foi destruída pela doença? A fome matou seus entes queridos e levou sua força? Como um rei acaba velho e solitário subindo uma estrada íngreme? Vamos ver se Davi conta. Veja como ele responde a duas perguntas simples.

Davi, como vão seus filhos?

Ele assusta-se com o assunto. Catorze anos se passaram desde que Davi seduziu Bate-Seba, 13 anos desde que Natã disse a Davi: "A espada nunca se afastará de sua família" (2 Samuel 12:10).

A profecia de Natã mostrou-se dolorosamente verdadeira. Um dos filhos de Davi, Amnom, cobiçou sua meia-irmã, Tamar, uma das filhas de outro casamento de Davi. Amnom consumiu-se pelo desejo, tramou um plano e a estuprou. Após o estupro, ele descartou Tamar como se ela fosse uma boneca estragada.

Tamar, compreensivelmente, ficou arrasada. Ela pôs cinzas na cabeça e rasgou a túnica colorida usada pelas filhas virgens do rei. "Muito triste, ficou na casa de seu irmão Absalão" (13:20). O versículo seguinte revela-nos a resposta de Davi: "Ao saber de tudo isso, o rei Davi ficou indignado".

Só isso? É tudo? Queremos um versículo maior. Queremos alguns verbos. *Confrontar* serve. *Castigar* seria bom. *Expulsar*, melhor ainda. Esperamos ler: "Davi ficou indignado e... *confrontou* Amnom ou *castigou* Amnom ou *expulsou* Amnom". Mas o que Davi fez com Amnom?

Nada. Nenhum sermão. Nenhum castigo. Nenhuma reclusão. Nenhuma repreensão. Nenhuma censura. Davi não fez nada com Amnom.

E, pior ainda, ele não fez nada por Tamar. Ela precisava de sua proteção, sua afirmação, sua aprovação. Ela precisava de um pai. O que teve foi um silêncio. Por isso Absalão, seu irmão, se pôs na brecha. Ele protegeu sua irmã e tramou um plano contra Amnom: deixá-lo bêbado e matá-lo.

Incesto. Engano. Uma filha estuprada. Um filho morto. Outro com sangue nas mãos. Um palácio em pé de guerra.

Mais uma vez era tempo de Davi dar um passo acima. Mostrar sua coragem que matou Golias, sua misericórdia que perdoou Saul, sua liderança junto ao ribeiro de Besor. A família de Davi precisava ver o que havia de melhor em Davi. Mas eles não viram nada em Davi. Ele não interveio nem respondeu. Ele chorou. Mas chorou sozinho.

Absalão interpretou o silêncio como raiva e fugiu de Jerusalém para se esconder na casa de seu avô. Davi não fez esforço algum para ver seu filho. Por três anos eles viveram em duas cidades separadas. Absalão voltou para Jerusalém, mas Davi ainda se recusava a vê-lo. Absalão casou-se e teve quatro filhos. "Absalão morou dois anos em Jerusalém sem ser recebido pelo rei" (14:28).

É possível que tal afastamento não tenha sido fácil. Jerusalém era uma cidade pequena. Para evitar Absalão era preciso tramar planos e espionar todos os dias. Mas Davi conseguiu ignorar o filho.

Mais precisamente, ele ignorou todos os filhos. Uma passagem de sua vida mais tarde mostra sua filosofia para educar seus filhos. Um deles, Adonias, encenou um golpe. Reuniu carruagens, cavaleiros e seguranças pessoais para assumir o trono. Davi se opôs? Você está brincando? Davi "nunca lhe perguntava: 'Por que você age assim?'" (1 Reis 1:6).

Davi, o Homer (personagem do famoso desenho animado Os Simpsons) dos pais da Bíblia. A imagem da passividade. Quando lhe perguntamos sobre seus filhos, ele apenas suspira. Quando lhe fazemos a segunda pergunta, seu rosto fica branco.

Davi, como está seu casamento?

Começamos a suspeitar de que há problemas no capítulo 3 de 2 Samuel. O que parece uma genealogia chata é, na verdade, um desfile de bandeiras vermelhas.

> Esses foram os filhos de Davi nascidos em Hebrom: o seu filho mais velho era Amnom, filho de Ainoã, de Jezreel; o segundo, Quileabe, de Abigail, viúva de Nabal, de Carmelo; o terceiro, Absalão, de Maaca, filho de Talmai, rei de Gesur; o quarto, Adonias, de Hagite; o quinto, Sefatias, de Abital; e o sexto, Itreão, de sua mulher Eglá. Esses foram os filhos de Davi que lhe nasceram em Hebrom (vs. 2-5).

Contei seis esposas. Acrescente Mical, sua primeira esposa, à lista e Bate-Seba, a mais famosa, e Davi tinha oito esposas — eram tantas que não dava para dar um dia da semana para cada. A situação piora quando descobrimos uma passagem escondida na Bíblia de família de Davi.

Depois de listar o nome dos filhos de Davi, o genealogista acrescenta: "Todos esses foram filhos de Davi, além dos que teve com suas concubinas" (1 Crônicas 3:9).

As concubinas? Davi gerou outros filhos por meio de outras mães, e nem sabemos quantos foram. Nosso lado cínico se pergunta se Davi sabia. O que ele estava pensando? Ele não ficou sabendo da instrução de Deus? "O homem deixará pai e mãe e se unirá à sua mulher" (Gênesis 2:24)? Um homem. Uma mulher. Um casamento. Soma simples. Davi optou pela trigonometria avançada.

Davi fez muita coisa também. Unificou as 12 tribos em uma nação. Idealizou conquistas militares. Fundou a cidade capital e exaltou Deus como o Senhor do povo, levando a arca para Jerusalém e abrindo o caminho para o templo. Escreveu textos poéticos que ainda lemos e salmos que ainda entoamos. Mas, em se tratando de família, Davi foi um desastre.

Ausentar-se de sua família sem ter permissão para isso foi o maior erro de Davi. Seduzir Bate-Seba foi um ato de paixão imperdoável, mas explicável. Assassinar Urias foi um ato cruel, mas previsível, de um coração desesperado. Mas educar os filhos de forma passiva e flertar normalmente? Esses não foram pecados decorrentes de uma tarde preguiçosa ou de reações irracionais de defesa pessoal. A confusão da família de Davi foi um estupor crônico que lhe custou caro.

Alguns anos atrás, um jovem marido veio me procurar, orgulhoso por ter uma esposa em casa e uma amante em um apartamento. Ele usava a infidelidade de Davi para justificar a sua. Até disse que estava cogitando a poligamia. Afinal, Davi foi um polígamo.

A resposta certa para tal burrice é: leia o restante da história.

Você se lembra de Absalão? Davi, por fim, reconciliou-se com ele, mas era tarde demais. As sementes de amargura haviam espalhado raízes profundas. Absalão resolveu arruinar o pai. Recrutou homens do exército de Davi e encenou um golpe.

Sua tomada de poder preparou o terreno para a triste saída de Davi de Jerusalém — para o monte das Oliveiras e para o deserto. Sem coroa. Sem cidade. Simplesmente um homem pesaroso, solitário e velho. "Davi, porém, continuou subindo o monte das Oliveiras, caminhando e chorando, com a cabeça coberta e os pés descalços" (2 Samuel 15:30).

Legalistas, no final, buscaram a queda de Absalão. Quando ele tenta escapar em um cavalo, seus cabelos longos se enroscam em uma árvore e os soldados lhe atravessam uma lança. Davi ouve a notícia e desaba: "Ah, meu filho Absalão! Meu filho, meu filho Absalão! Quem me dera ter morrido em seu lugar! Ah, Absalão, meu filho, meu filho!" (18:33).

Lágrimas tardias. Davi teve êxito em todos os lugares, menos em casa. E se você não se dá bem em casa, será que se dá bem de alguma maneira? Davi teria lucrado com o conselho do apóstolo Paulo: "Pais, não irritem seus filhos" (Efésios 6:4).

Como explicamos o lar desastroso de Davi? Como explicamos o silêncio de Davi em se tratando de sua família? Nenhum salmo escrito sobre seus filhos. Sem dúvida, de todas as suas esposas, uma merecia um soneto ou cântico. Mas ele nunca falou sobre elas.

Com exceção da oração que ele ofereceu pelo bebê de Bate-Seba, as Escrituras não dão indicação de que ele orou alguma vez por sua família. Ele orou acerca dos filisteus, intercedeu por seus guerreiros. Ofereceu orações por Jônatas, seu amigo, e por Saul, seu arquiinimigo. Mas, no que diz respeito à sua família, é como se seus membros nunca tivessem existido.

Davi estava ocupado demais para notá-los? Talvez. Ele tinha uma cidade para fundar e um reino para edificar.

Ele era importante demais para cuidar deles? "Que as mulheres eduquem os filhos; liderarei a nação."

Ele estava se sentindo culpado demais para apascentá-los? Afinal, como Davi, que havia seduzido Bate-Seba e embriagado e assassinado Urias, podia corrigir seus filhos quando eles estupraram e assassinaram?

Ocupado demais. Importante demais. Culpado demais. E agora? Tarde demais. Uma dúzia de saídas por demais demoradas. Mas não é tarde demais para você. Seu lar é um privilégio do tamanho de um gigante, sua principal prioridade. Não cometa o erro trágico de Davi. Como você responderia às perguntas que fizemos para ele?

Seu lar é um privilégio do tamanho de um gigante,
sua principal prioridade.

Como está seu casamento?

Considere-o como um violoncelo da marca Testore. Esse instrumento raramente visto e primorosamente construído chegou à categoria de instrumento raro e está rapidamente ganhando o *status* de um instrumento que não tem preço. Poucos músicos têm o privilégio de tocar um Testore; um número ainda menor deles pode ter um.

Conheço um homem que tem um. Engolindo seco, ele o emprestou para mim para um sermão. Desejando ilustrar a frágil santidade do casamento, pedi a ele que colocasse o instrumento de quase três séculos no púlpito e expliquei seu valor para a igreja.

Como você acha que tratei a relíquia? Eu a girei, atirei para o alto e arranquei as cordas? De forma alguma. O violoncelo é valioso demais para meus dedos desajeitados. Além disso, seu dono o emprestou para mim. Não tive coragem de estragar seu tesouro.

No dia em que você se casou, Deus emprestou sua obra de arte: uma obra-prima feita com esmero e formada com precisão. Ele confiou-lhe uma criação única. Valorize-a. Honre-a. Tendo sido abençoado com um Testore, por que sair por aí tocando outra coisa?

Davi não entendeu isso. Colecionava esposas como quem coleciona troféus. Via as esposas como meios de obter prazer, não como parte do plano de Deus. Não cometa o erro dele.

Seja impetuosamente leal a um cônjuge. *Impetuosamente* leal. Sequer olhe duas vezes para outra pessoa. Sem flertes. Sem provocações. Sem perder tempo na mesa dela ou demorar-se no escritório dele. Quem se importa se você dá a impressão de ser rude ou puritano? Você fez uma promessa. Cumpra-a.

No dia em que você se casou, Deus emprestou sua obra de arte: uma obra-prima feita com esmero e formada com precisão.

E, ao cumpri-la, eduque os filhos que Deus lhe dá.

Como andam as coisas com seus filhos?

Heróis silenciosos ponteiam o panorama de nossa sociedade. Não usam faixas nem beijam troféus; usam babadouros e beijam feridas. Não estão nas manchetes, mas aparecem nos rodapés, nas linhas gerais e nas linhas laterais. Você não encontrará o nome deles na pequena lista do prêmio Nobel, mas nas listas de sala de aula, do "transporte solidário" e de professores da Bíblia.

São pais, tanto de sangue como de gestos, de nome e de datas especiais. Heróis. Programas jornalísticos não os chamam. Mas tudo bem. Porque seus filhos os chamam... Eles os chamam de mãe. Eles os chamam de pai. E essas mães e pais, mais valiosos que todos os executivos e legisladores do oeste do Mississipi, em silêncio, unem o mundo.

Esteja entre eles. Leia livros para seus filhos. Jogue bola se puder, e eles querem que você faça isso. Tenha por objetivo assistir a todos os jogos que eles jogarem, ler todas as histórias que escreverem, ouvir todos os recitais em que se apresentarem.

Filhos soletram amor com cinco letras: T-E-M-P-O. Não só tempo de qualidade, mas tempo à toa, tempo ocioso, qualquer tempo, todo o tempo. Seus filhos não são seu passatempo; são seu chamado.

Seu cônjuge não é seu troféu, mas seu tesouro.

Não pague o preço que Davi pagou. Podemos avançar alguns capítulos até chegarmos às últimas horas de Davi? Para ver o terrível preço de uma família negligenciada, veja como nosso herói morre.

Davi está a algumas horas da sepultura. Começa uma sensação de frio que os cobertores não podem tirar. Os servos concluem que ele precisa de uma pessoa para aquecê-lo, alguém para abraçá-lo firmemente enquanto ele dá seus últimos suspiros.

Filhos soletram amor com cinco letras: T-E-M-P-O.

Eles recorrem a uma das esposas de Davi? Não. Chamam um de seus filhos? Não. Eles procuram "em todo o território de Israel uma jovem que fosse bonita... a jovem, muito bonita, cuidava do rei e o servia, mas o rei não teve relações com ela" (1 Reis 1:3,4).

Acho que Davi teria trocado todas as suas coroas conquistadas pelos braços ternos de uma esposa. Mas era tarde demais. Ele morreu aos cuidados de uma estranha porque fez de sua família pessoas estranhas.

Mas não é tarde demais para você.

Faça de sua esposa o objeto de sua maior devoção. Faça de seu marido o recipiente de sua mais profunda paixão. Ame a pessoa que usa sua aliança.

E cuide das crianças que levam seu nome.

Seja bem-sucedido em casa primeiro.

Capítulo 18

Esperanças frustradas

"Eu tinha no coração o propósito..."

O Davi que profere essas palavras está velho. As mãos que balançaram a funda estão moles. Os pés que dançaram diante da arca agora se arrastam. Embora seus olhos ainda estejam nítidos, seus cabelos estão grisalhos e a pele perde a firmeza sob sua barba.

"Eu tinha no coração o propósito..."

Uma multidão ouve. Cortesãos, conselheiros, camareiros e servos. Eles se reuniram a pedido de Davi. O rei está cansado. O tempo de sua partida está próximo. Eles ouvem enquanto ele fala.

"Eu tinha no coração o propósito de construir..."

Modo estranho de começar um discurso de despedida. Davi não menciona o que fez, mas o que queria fazer, mas não pôde. "Eu tinha no coração o propósito de construir um templo para nele colocar a arca da aliança do SENHOR, o estrado dos pés de nosso Deus" (1 Crônicas 28:2).

Um templo. Davi queria construir um templo. O que havia feito por Israel, ele queria fazer pela arca — protegê-la. O que havia feito com Jerusalém, ele queria fazer com o templo — estabelecê-lo. E quem melhor do que ele para fazer isso? Não foi ele, literalmente, que escreveu o livro sobre adoração? Não foi ele que recuperou a arca da aliança? O templo teria sido seu canto do cisne, a obra assinada por ele. Davi esperara dedicar seus últimos anos à construção de um santuário para Deus.

Pelo menos, essa fora sua intenção. "Eu tinha no coração o propósito de construir um templo para nele colocar a arca da aliança do SENHOR, o estrado dos pés de nosso Deus; fiz planos para construí-lo" (28:2).

Planos. Arquitetos escolhidos. Construtores selecionados. Plantas e projetos, desenhos e números. As colunas do templo traçadas. Os degraus projetados.

"Eu tinha no coração o propósito... fiz planos..."

Intenções. Planos. Mas nenhum templo. Por quê? Davi ficou desanimado? Não. Ele continuava disposto. As pessoas resistiam? Dificilmente. Elas davam com generosidade. Os recursos eram escassos? Longe disso. Davi "providenciou... mais bronze do que se podia pesar... mais toras de cedro do que se podia contar" (1 Crônicas 22:3,4). Então o que aconteceu?

Apareceu uma conjunção.

As conjunções funcionam como as luzes de um farol em sentenças. Algumas, como um *e*, são verdes. Outras, como um *no entanto*, são amarelas. Algumas são vermelhas. Vermelhas ditatoriais. Elas o fazem parar. Davi recebeu uma luz vermelha.

> Fiz planos para construí-lo, *mas* Deus me disse: "Você não construirá um templo em honra ao meu nome, pois você é um guerreiro e matou muita gente... Seu filho Salomão é quem construirá o meu templo e os meus pátios" (1 Crônicas 28:2-3, 6, grifo meu).

O temperamento sanguinário de Davi custou-lhe o privilégio de construir o templo. Tudo o que ele podia dizer era...

Eu tinha no coração o propósito...

Fiz planos...

Mas Deus...

Estou pensando em algumas pessoas que disseram as mesmas palavras. Deus tinha planos diferentes dos delas.

Um homem esperou seus 35 anos para se casar. Decidido a escolher a esposa certa, ele, devotamente, não teve pressa. Quando a encontrou, eles mudaram-se para o oeste, compraram uma fazenda e começaram a vida juntos. Após três curtos anos, ela morreu em um acidente.

Eu tinha no coração o propósito...

Fiz planos...

Mas Deus...

Um jovem casal transformou uma sala em um quarto de bebê. Forraram as paredes com papel decorativo, reformaram o berço, mas, então, a esposa sofreu um aborto.

Eu tinha no coração o propósito...

Fiz planos...

Mas Deus...

Willem queria pregar. Aos 25 anos, ele já havia vivido o suficiente para saber que sua vida era para o ministério. Vendia obras de arte, ensinava línguas, negociava livros; conseguia ganhar a vida, mas não era uma vida. Sua vida era na igreja. Sua paixão estava voltada para as pessoas.

Assim sua paixão o levou para as áreas carboníferas do sul da Bélgica. Lá, na primavera de 1879, esse holandês começou a ministrar para os mineiros simples e trabalhadores de Borinage. Em questão de semanas, sua paixão foi testada. Um desastre na exploração das minas feriu inúmeros aldeãos. Willem trabalhou o dia todo cuidando dos feridos e alimentando os famintos. Ele até escavou as paredes das jazidas para ajudar seu povo.

Depois que o entulho foi limpo e os mortos enterrados, o jovem pregador ganhou um lugar no coração deles. A igrejinha encheu-se de pessoas famintas de suas simples mensagens de amor. O jovem Willem estava fazendo o que sempre sonhou.

Mas...

Certo dia, seu superior veio visitá-lo. O estilo de vida de Willem o deixou chocado. O jovem pregador usava um casaco de soldado velho. Suas calças eram feitas de tecido de saco, e ele vivia em uma cabana simples. Willem dava seu salário às pessoas. O oficial da igreja estava indiferente.

— Você parece mais patético que as pessoas a quem veio ensinar — ele disse.

O que você faz com os momentos da vida
em que os "mas Deus" aparecem?

Willem perguntou se Jesus não teria feito o mesmo. O homem mais velho não concordava com nada. Essa não era a aparência adequada de um ministro. Ele afastou Willem do ministério.

O jovem ficou arrasado.

Ele só queria edificar uma igreja. Ele só queria fazer algo bom. Ele só queria honrar Deus. Por que Deus não o deixava fazer esse trabalho?

Eu tinha no coração o propósito...

Fiz planos...

Mas Deus...

Davi enfrentou o hipopótamo da frustração
com o seu "no entanto, o Senhor". Davi confiou.

O que você faz com os momentos da vida em que os "mas Deus" aparecem?

O homem que perdeu a esposa não tem respondido bem. Enquanto escrevo este livro, ele guarda muita raiva e amargura. O jovem casal está enfrentando melhor a situação. Eles continuam ativos na igreja e oram por um filho. E Willem? Essa é outra história. Mas, antes de compartilhá-la, e Davi? Quando Deus mudou os planos de Davi, como ele respondeu? (Você gostará disso.)

Ele seguiu o "mas Deus" com um "no entanto, o Senhor".

> No entanto, o SENHOR, o Deus de Israel, escolheu-me dentre toda a minha família para ser rei em Israel, para sempre. Ele escolheu Judá como líder, e da tribo de Judá escolheu minha família, e entre os filhos de meu pai ele quis fazer-me rei de todo o Israel (1 Crônicas 28:4).

Reduza o parágrafo a uma frase e você terá: *Quem sou eu para reclamar?* Davi deixou de ser o tampinha para ser rei, de pastorear rebanhos para liderar exércitos, de dormir no pasto para viver no palácio. Ao ganhar um sorvete, você não reclama da cereja que está faltando.

Davi enfrentou o hipopótamo da frustração com o seu "no entanto, o Senhor". Davi confiou.

Willem fez o mesmo. Não no início, lembre-se. A princípio, ficou magoado e irado. Permaneceu na pequena vila durante semanas, sem saber o que fazer. Não sabia para onde se voltar. Mas então aconteceu a coisa mais estranha. Certa tarde, ele percebeu um velho mineiro curvado atrás de uma enorme carga de carvão. Surpreso com a dor e a pungência do momento, Willem colocou a mão no bolso à procura de um pedaço de papel e começou a esboçar a figura cansada. Sua primeira tentativa foi grosseira, mas depois ele tentou novamente. Ele não sabia, os aldeãos não sabiam, o mundo não sabia, mas Willem, naquele momento, descobriu seu verdadeiro chamado.

Não era o hábito do clero, mas a roupa de um artista.

Não era o púlpito de um pastor, mas a palheta de um pintor.

Não era o ministério de palavras, mas o de imagens. O jovem homem que o líder não aceitou tornou-se um artista a quem o mundo não pôde resistir: Vincent Willem van Gogh.[1]

Seu "mas Deus" tornou-se um "no entanto, o Senhor".

Quem dirá que com o seu não ocorrerá o mesmo?

Capítulo 19

Derrube o Golias!

Ele disputa a posição ao lado da cama, esperando ser a primeira voz que você ouve. Cobiça seus pensamentos quando você está acordado, aquelas primeiras emoções que nascem no travesseiro. Ele o desperta com palavras de preocupação, incita-o com pensamentos de tensão. Se você tiver medo do dia antes de começar seu dia, tenha certeza: seu gigante ficou ao lado de sua cama.

E ele está simplesmente se aquecendo. Ele sopra em seu pescoço enquanto você toma seu café da manhã, sussurra em seu ouvido enquanto você sai pela porta, sombreia seus passos e se agarra ao seu quadril. Ele checa sua agenda, lê suas correspondências e fala mais besteira do que jogadores em uma partida de futebol no centro decadente.

"Você não vai conseguir o que precisa."

"Você vem de uma longa linha de perdedores."

"Junte suas cartas e saia da mesa. Você não teve sorte."

Ele é seu gigante, seu Golias. Tendo uma colher de chá, ele transformará seu dia no vale de Elá dele, insultando, provocando, gabando-se e fazendo suas reivindicações ecoarem de um lado a outro da montanha. Você se lembra de como Golias se portou mal? "Durante 40 dias o filisteu aproximou-se, de manhã e de tarde, e tomou posição" (1 Samuel 17:16).

Os Golias ainda vagam por nosso mundo. Dívida. Desastre. Diálise. Perigo. Engano. Doença. Depressão. Grandes desafios ainda andam com ar arrogante e altivo, ainda roubam o sono, tiram a paz e fazem uma lipoaspiração na alegria. Mas eles não podem dominá-lo. Você sabe lidar com eles. Você se põe diante dos gigantes pondo-se, primeiro, diante de Deus.

Concentre-se nos gigantes — você tropeçará.
Concentre-se em Deus — seus gigantes cairão.

Você sabe o que Davi sabia e faz o que ele fez. Você escolhe cinco pedras e toma cinco decisões. Você já se perguntou por que Davi apanhou cinco pedras para a batalha? Por que não duas ou vinte? Reler sua história revela cinco respostas. Use seus cinco dedos para lembrar-se das cinco pedras de que você precisa para derrubar seu Golias. Deixe que seu polegar traga à sua memória...

1. A pedra do passado

Golias refrescou a memória de Davi. Ela era um *déjà vu*. Enquanto todos os outros tremiam, Davi se lembrava. Deus deu-lhe força para lutar contra um leão e atacar um urso. Não faria o mesmo com o gigante?

> Davi, entretanto, disse a Saul: "Teu servo toma conta das ovelhas de seu pai. Quando aparece um leão ou um urso e leva uma ovelha do rebanho, eu vou atrás dele, dou-lhe golpes e livro a ovelha de sua boca. Quando se vira contra mim, eu o pego pela juba e lhe dou golpes até matá-lo. Teu servo pôde matar um leão e um urso; esse filisteu incircunciso será como um deles, pois desafiou os exércitos do Deus vivo" (17:34-36).

Uma boa memória faz heróis. Uma péssima memória faz covardes. A amnésia fez de mim um frouxo na semana passada. Meu Golias acordou-me às 4 horas da madrugada com uma lamentável lista de preocupações.

Escreva as preocupações de hoje na areia.
Grave as vitórias de ontem na pedra.

Nossa igreja estava tentando levantar verba para um prédio para os jovens, mais dinheiro do que jamais havíamos arrecadado.

O gigante acordou-me para escarnecer de mim. *Caras, vocês são loucos. Vocês nunca vão juntar esse dinheiro.* Eu não podia argumentar. *A economia está quebrada. As pessoas estão estressadas. Talvez não levantemos o suficiente para comprar um tijolo.* Golias estava me colocando em uma situação difícil.

Mas então me lembrei de Davi, das 9 chances contra 2, da história do leão e do urso. Por isso decidi fazer o que Davi fez: cravar os olhos nas vitórias de Deus. Saí da cama, fui para a sala de estar, acendi a luz, peguei meu diário e comecei a fazer uma lista de conquistas do tamanho de leões e de ursos.

Nos cinco anos anteriores, Deus havia levado...

- um empresário a doar vários acres de terra para a igreja;
- outra igreja a comprar nosso antigo prédio;
- membros a ir além das necessidades em suas doações, permitindo à igreja saldar 80% de suas dívidas.

Deus fez isso antes, sussurrei. A cabeça de um leão está pendurada no saguão de entrada da igreja e um tapete de pele de urso estendido no chão do templo. Nesse momento ouvi uma batida. Bem ali na sala de estar! Virei-me a tempo de ver os olhos de Golias entortarem, os joelhos dobrarem-se e o corpo cair no tapete com a cara no chão. Levantei-me e coloquei um pé sobre as costas dele e ri: *Tome isso, meninão.*[1]

"Lembrem-se das maravilhas que ele fez" (1 Crônicas 16:12). Relacione os sucessos de Deus. Faça uma lista de seus registros mundiais. Ele não o fez andar sobre as muitas águas? Não se mostrou fiel? Você não conheceu a provisão de Deus? Quantas noites você foi para a cama com fome? Quantas manhãs você acordou no frio? Ele transformou seus inimigos em animais mortos ao longo de uma estrada. Escreva as preocupações de hoje na areia. Grave as vitórias de ontem na pedra. Apanhe a pedra do passado. Depois escolha...

2. A pedra da oração

Observe o vale entre seu polegar e o indicador. Para passar de um para o outro, você tem de atravessá-lo. Deixe que ele o faça se lembrar da queda de Davi. Antes de subir, Davi desceu; antes de subir para lutar, Davi desceu para se preparar. Não enfrente seu gigante sem, primeiro, fazer o mesmo. Dedique tempo à oração.

A paz é prometida àquele que fixa os pensamentos e os desejos no rei.

O apóstolo Paulo escreveu: "Orem no Espírito em todas as ocasiões, com toda oração e súplica; tendo isso em mente, estejam atentos e perseverem na oração" (Efésios 6:18).

A oração gerou os sucessos de Davi. Sua sabedoria junto ao ribeiro de Besor brotou do momento em que ele "[se fortaleceu] no SENHOR, o seu Deus" (1 Samuel 30:6). Quando os soldados de Saul tentaram capturá-lo, Davi voltou-se para Deus: "Tu és o meu alto refúgio, abrigo seguro nos tempos difíceis" (Salmo 59:16).

Como você sobrevive a uma vida de fugitivo nas cavernas? Davi sobreviveu com orações desse tipo: "Misericórdia, ó Deus; misericórdia, pois em ti a minha alma se refugia. Eu me refugiarei à sombra das tuas asas, até que passe o perigo. Clamo ao Deus Altíssimo, a Deus, que para comigo cumpre o seu propósito" (Salmo 57:1,2).

Quando Davi mergulhava sua mente em Deus, ele levantava-se. Quando não, ele caía. Você acha que ele passou muito tempo em oração na noite em que seduziu Bate-Seba? Que ele escreveu um salmo no dia em que assassinou Urias? Improvável.

Marque bem essa promessa: "Tu, SENHOR, guardarás em perfeita paz aquele cujo propósito está firme, porque em ti confia" (Isaías 26:3). Deus não promete apenas paz, mas perfeita paz. A paz não adulterada, não manchada, não impedida. Para quem? Para aqueles cuja mente está "concentrada" em Deus. Esqueça as espiadas ocasionais. Ponha de lado as reflexões feitas ao acaso. A paz é prometida àquele que fixa os pensamentos e os desejos no rei.

Peça a ajuda de Deus. Escolha a pedra da oração. E não negligencie...

3. A pedra da prioridade

Deixe que o seu dedo mais comprido o faça se lembrar de sua prioridade mais importante: a reputação de Deus. Davi, zelosamente, a preservou. Ninguém difamaria seu Senhor. Davi lutou para que "toda a terra [saiba] que há Deus em Israel. Todos os que estão aqui saberão que não é por espada ou por lança que o SENHOR concede vitória; pois a batalha é do SENHOR" (1 Samuel 17:46,47).

Veja sua luta como a tela de Deus. Nela,
ele pintará sua supremacia multicolorida.

Davi via Golias como uma chance de Deus se mostrar! Davi sabia que ele sairia vivo da batalha? Não. Mas ele estava disposto a entregar a vida pela reputação de Deus.

O que aconteceria se você visse seu gigante da mesma forma? Em vez de invejá-lo, dê-lhe as boas-vindas. Seu câncer é a chance de Deus flexionar os músculos de cura dele. Seu pecado é a oportunidade de Deus mostrar graça. Seu casamento em conflito pode estampar o poder de Deus. Veja sua luta como a tela de Deus. Nela, ele pintará sua supremacia multicolorida. Anuncie o nome de Deus e depois estenda a mão para apanhar...

4. A pedra da paixão

> Quando o filisteu [Golias] começou a vir na direção de Davi, este correu para a linha de batalha para enfrentá-lo. Tirando

> uma pedra de seu alforje, arremessou-a com a atiradeira e atingiu o filisteu na testa, de tal modo que ela ficou encravada, e ele caiu, dando com o rosto no chão (17:48,49).

Davi correu, não para longe, mas em direção ao seu gigante. De um lado do campo da batalha, Saul e seu covarde exército engoliam seco. Do outro, Golias e seus rachadores de esqueletos zombavam.

Davi anestesiou o gigante porque provocou o Senhor.

No meio, o menino-pastor corria com suas pernas finas. Quem aposta em Davi? Quem aposta no menino de Belém? Não são os filisteus. Não são os hebreus. Não são os irmãos de Davi ou o rei de Davi. Mas Deus.

E, uma vez que Deus apostou, e uma vez que Davi soube disso, o tampinha magricela tornou-se um vulto movendo os joelhos para cima e para baixo e fazendo girar sua funda. Ele correu em direção ao seu gigante.

Faça o mesmo! O que pensar em seus problemas trouxe de bom para você? Você olhou por tanto tempo para Golias que pôde contar os pêlos no peito dele. Isso ajudou?

Não. Ouvir mágoas não irá curá-las. Detalhar problemas não irá resolvê-los. Classificar rejeições não irá removê-las. Davi anestesiou o gigante porque provocou o Senhor. Deixe o seu dedo anular lembrá-lo de apanhar a pedra da paixão.

Resta mais uma pedra e um dedo:

5. A pedra da persistência

Davi não pensou no que uma pedra faria. Ele sabia que Golias tinha quatro parentes hipopótamos. "Isbi-Benobe, descendente de Rafa... a ponta de bronze da lança de Isbi-Benobe pesava três quilos e 600 gramas" (2 Samuel 21:16). Safe fez a lista, descrita como "um dos descendentes de Rafa" (v. 18). Houve depois "[Elanã]... matou Golias, de Gate, que possuía uma lança cuja haste parecia uma lançadeira de tecelão" (v. 19). Esses três pareciam inofensivos comparados ao King Kong.

> [Em Gate,] havia um homem de grande estatura e que tinha seis dedos em cada mão e seis dedos em cada pé, vinte e quatro dedos ao todo. Ele também era descendente de Rafa...
> Esses quatro eram descendentes de Rafa, em Gate (vs. 20, 22).

Por que Davi procurou cinco pedras? Talvez porque Golias tivesse quatro parentes do tamanho de um tiranossauro?

Nunca desista.

Pelo que Davi sabia, eles vinham correndo pela montanha para defender o parente. Davi estava pronto para esvaziar a alcova se fosse preciso.

Imite-o. Nunca desista. Talvez uma oração seja suficiente. Talvez uma desculpa não resolva. Talvez um dia (ou mês) de decisões não seja suficiente. Talvez você seja derrubado uma ou duas vezes... mas não desista. Continue a carregar as pedras. Continue a balançar a funda.

Davi apanhou cinco pedras. Ele tomou cinco decisões. Faça o mesmo. Passado. Oração. Prioridade. Paixão. E persistência.

Da próxima vez em que Golias acordar você, pegue uma pedra. É provável que ele saia do quarto antes que você ponha a pedra na funda.

Epílogo

O que começou em Belém

A história de Davi começou em um pasto com ovelhas. Cabeças cobertas de lã testemunharam seus primeiros dias. Campos tranqüilos acolheram seus olhos de criança. Antes que as pessoas dessem atenção à sua mensagem, as ovelhas voltavam-se para seu grito. Faça uma fila com os bilhões de criaturas que ouviram a voz de Davi, e os comedores de pasto reivindicarão os primeiros lugares.

A história de Davi começou em um pasto.

Um pasto de Belém. Um pequeno vilarejo repousando nas suaves encostas. O lar dos pastores. A terra dos figos, das azeitonas e das vinhas. Não era exuberante, mas era suficiente. Não era conhecida pelo mundo, mas era conhecida por Deus, que, por suas razões, escolheu Belém como a incubadora deste filho escolhido.

Escolhido, de fato. Escolhido por Deus. Ungido do alto, separado pelo céu. O profeta declarou o chamado. A família ouviu. O rapaz das ovelhas seria um pastor de almas. O menino de Belém seria rei de Israel.

Mas não antes de se tornar o alvo do inferno.

A estrada fora de Belém era escarpada e perigosa. Levou-o a passar por um deserto cheio de lagartos, uma Jerusalém inflamada; conflito e perigo. Líderes resolveram matá-lo. Seu povo tentou apedrejá-lo. Sua própria família preferiu ridicularizá-lo.

Algumas pessoas o exaltaram como rei, outras o subjugaram. Os portões de Jerusalém viram-no entrar como um soberano e sair como um fugitivo. Ele, por fim, teve uma morte solitária na capital hebraica.

Mas ele está longe de estar morto.

Suas palavras ainda falam. Seu legado ainda vive. Quer o ame ou o odeie, a sociedade continua se voltando para ele, lendo seus pensamentos, refletindo sobre seus feitos, imaginando seu rosto. As Escrituras apresentam poucas frases sobre sua aparência, por isso escultores e artistas têm enchido galerias com suas especulações. Michelângelo. Rembrandt. Da Vinci. Telas. Pedras. Pinturas. Esculturas.

E livros. Livros! Mais páginas foram dedicadas ao prodígio de Belém do que a qualquer outra figura na história. Não podemos parar de falar sobre ele. A areia já preencheu suas pegadas na Judéia milhares de vezes durante milhares de anos — mas ainda nos reunimos para refletir sobre sua vida.

Você sabe quem estou descrevendo.

Sabe, não sabe? O pasto. A unção. O chamado na infância. Os inimigos de toda a vida. O deserto. Jerusalém. Judéia. A morte solitária. O legado interminável. Quem é este menino de Belém?

Davi, é claro.

Ou Jesus, talvez.

Ou... os dois?

Liste vários fatos e, em cada um deles, descreva características idênticas de Davi e de Jesus. Surpreendente. Ainda mais idêntico é o fato de que podemos fazer o mesmo com a sua vida. Leia essas verdades e me diga: Quem estou descrevendo? Jesus... ou você?

Nasceu de uma mãe.
Conheceu a dor física.
Gosta de uma boa festa.
Rejeitado por amigos.
Acusado injustamente.
Adora histórias.
Paga impostos com relutância.
Canta.
Afasta-se da religião gananciosa.
Sente muito pelos solitários.

Menosprezado pelos irmãos.
Defende os pobres-coitados.
Fica acordado à noite por conta de preocupações.
Conhecido por cochilar no meio de viagens.
Acusado de ser arruaceiro demais.
Tem medo da morte.

Você?

Jesus?

Os dois?

Parece que você, como Davi, tem muita coisa em comum com Jesus.

Grande coisa? Acho que sim. Jesus entende você. Entende o anonimato da cidadezinha e a pressão da cidade grande. Andou por pastos de ovelhas e palácios de reis. Enfrentou a fome, o sofrimento e a morte, e quer enfrentá-los com você.

Cristo fez-se um de nós para remir todos nós.

Não temos em Jesus um sumo sacerdote que não possa "compadecer-se das nossas fraquezas, mas sim alguém que, como nós, passou por todo tipo de tentação, porém sem pecado. Assim, aproximemo-nos do trono da graça com toda a confiança, a fim de recebermos misericórdia e encontrarmos graça que nos ajude no momento da necessidade" (Hebreus 4:15,16).

Ele fez-se um de nós. E fez isso para remir todos nós.

As histórias de Davi e de Jesus compartilham muitos nomes: Belém, Judéia, Jerusalém. O monte das Oliveiras. O Mar Morto. En-Gedi. Embora as histórias deles sejam semelhantes, não pense, nem por um instante, que eles são idênticos.

Jesus não caiu com Bate-Seba, não assassinou Urias ou encobriu o adultério. Jesus nunca saqueou uma vila, acampou com o inimigo ou negligenciou um filho. Ninguém acusou o filho mais justo de Belém de poligamia, crueldade ou adultério. Na verdade, ninguém conseguiu acusar Jesus de coisa alguma.

Eles tentaram. Meu Deus! Como tentaram. Contudo, quando seus acusadores o chamaram de filho de Satanás, Jesus pediu que provassem. "Qual de vocês pode me acusar de algum pecado? Se estou falando a verdade, por que vocês não crêem em mim?" (João 8:46). Ninguém pôde. Os discípulos viajaram com ele. Os inimigos sondaram-no. Os admiradores examinaram-no. Mas ninguém pôde comprovar um só pecado seu.

Ninguém o identificou no lugar errado, ouviu-o dizer as palavras erradas ou viu-o responder da maneira errada. Pedro, três anos na companhia de Jesus, disse: "Ele não comete pecado algum, e nenhum engano foi encontrado em sua boca" (1 Pedro 2:22). Pilatos foi o líder da versão romana da CIA, mas, quando tentou encontrar falta em Jesus, não conseguiu (João 18:38). Até os demônios chamavam Jesus de "o Santo de Deus" (Lucas 4:34).

Jesus nunca errou o alvo.

Igualmente surpreendente é o fato de que ele nunca se distancia daqueles que o fazem.

Leia o primeiro versículo do evangelho de Mateus. Jesus conheceu os caminhos de Davi. Testemunhou o adultério, assustou-se com os assassinatos e sofreu com a desonestidade. Mas as falhas de Davi não mudaram a relação de Jesus com ele. O primeiro versículo do primeiro capítulo do primeiro evangelho chama Cristo de "filho de Davi" (Mateus 1:1). O título não traz negações, explicações ou asteriscos. Acrescentei uma nota de rodapé: "Essa conexão, de forma alguma, oferece uma tácita aprovação do comportamento de Davi". Tais palavras não aparecem. Davi foi um desastre. Jesus sabia. Mas, mesmo assim, ele reivindicou Davi.

Ele fez por Davi o que meu pai fez por meu irmão e por mim.

De volta aos nossos dias na escola primária, meu irmão ganhou uma pistola de ar comprimido no Natal. No mesmo instante, montamos um estande de tiro ao alvo no quintal e passamos a tarde atirando contra ele. Cansando-se da facilidade com que acertava o círculo, meu irmão mandou-me buscar um espelho de mão. De costas para o alvo, pôs a arma sobre o ombro, localizou pelo espelho o pontinho preto no estande e fez a melhor imitação de um herói do faroeste. Mas errou o alvo. Também errou o depósito atrás do alvo e a cerca atrás do depósito. Não tínhamos a menor idéia de onde o chumbinho da pistola havia parado. No entanto, nosso vizinho do outro lado da viela soube. Ele logo apareceu na cerca do quintal dos fundos perguntando quem havia atirado com a pistola e quem iria pagar pela porta de correr de vidro.

Nesse momento, fingi não conhecer meu irmão. Mudei meu último nome e aleguei ser uma visita do Canadá que viera passar as férias ali. Meu pai foi mais nobre do que eu. Ouvindo o barulho, ele apareceu no quintal, acabando de acordar de sua soneca no dia de Natal, e conversou com o vizinho.

Entre suas palavras estavam as seguintes:

— Sim, são meus filhos.

— Sim, vou pagar pelos erros deles.

Cristo diz o mesmo a seu respeito. Ele sabe que você erra o alvo. Ele sabe que você não pode pagar por seus erros. Mas ele pode. "Deus o ofereceu como sacrifício para propiciação mediante a fé" (Romanos 3:25).

Uma vez que não pecou, ele pôde.

Uma vez que o ama, ele o fez. "Nisso consiste o amor: não em que nós tenhamos amado a Deus, mas em que ele nos amou e enviou seu Filho como propiciação pelos nossos pecados" (1 João 4:10).

Jesus chama-o de irmão; ele chama-a de irmã.
A pergunta é: você chama-o de Salvador?

Ele se fez um de nós para remir todos nós. "Tanto o que santifica quanto os que são santificados provêm de um só. Por isso Jesus não se envergonha de chamá-los irmãos" (Hebreus 2:11).

Ele não teve vergonha de Davi. Ele não tem vergonha de você. Ele chama-o de irmão; ele chama-a de irmã. A pergunta é: você chama-o de Salvador?

Reserve um momento para responder a essa pergunta. Talvez você nunca o tenha chamado. Talvez você nunca tenha sabido o quanto Cristo o ama. Agora você sabe. Jesus não renegou Davi. Ele não irá renegá-lo. Ele simplesmente espera seu convite. Uma palavra sua e Deus fará novamente o que fez com Davi e com milhões como ele: ele irá reivindicá-lo, salvá-lo e usá-lo. Qualquer palavra servirá, mas essas parecem apropriadas:

Jesus, confio minha vida a ti. Quero tornar-te meu Mestre,

Salvador e Matador de gigantes. Confio meu coração a ti e entrego minha vida a ti. Amém.

Faça uma oração dizendo essas palavras com um coração sincero e tenha certeza disso: seu maior Golias caiu. Suas falhas foram lavadas e a morte anulada. O poder que transformou os gigantes de Davi em pigmeus fez o mesmo com você.

Você pode encarar os seus gigantes! Por quê? Porque você, antes, se deparou com Deus.

MAX LUCADO

Autor best-seller do The New York Times

Dias Melhores Virão

Como curar a dor e reconquistar a esperança quando nada parece dar certo

THOMAS NELSON BRASIL

Para Doug Kostowski, *que é alguém importante.*

SUMÁRIO

Introdução 175
Quando os fundamentos estão sendo destruídos

CAPÍTULO 1 Onde está Deus? 179
CAPÍTULO 2 O grande amor de Deus 187
CAPÍTULO 3 Com os olhos no Pai 201
CAPÍTULO 4 O bem triunfa 209
CAPÍTULO 5 O gosto amargo da vingança 223
CAPÍTULO 6 No silêncio, Deus fala 231
CAPÍTULO 7 Na tempestade, oramos 241
CAPÍTULO 8 Pela perspectiva de Deus 249

Faze-o novamente, Senhor 257
Uma oração para os momentos de aflição

Notas 261

INTRODUÇÃO

Quando os fundamentos estão sendo destruídos

"O que pode fazer a pessoa honesta quando as leis e os bons costumes são desprezados?"
O SENHOR Deus está no seu santo Templo; o seu trono está no céu. Ele vê todas as pessoas e sabe o que elas *fazem.*

Salmo 11:3,4
(Nova Tradução na Linguagem de Hoje)

A pergunta de Davi não é nossa também? — Quando os fundamentos estão sendo destruídos, que pode fazer o justo? Quando a doença ataca, quando o casamento acaba, quando os filhos sofrem e quando a morte nos assalta, o que devemos fazer?

Curiosamente, Davi não responde à sua pergunta com uma resposta, mas com uma declaração: "O SENHOR Deus está no seu santo Templo; o seu trono está no céu."

Sua intenção é inconfundível: Deus não muda por causa de nossas tempestades. Ele não recua diante de nossos problemas. Ele não se espanta com esses problemas. Ele está no seu santo templo. Ele está no seu trono nos céus.

Prédios podem cair, carreiras podem desmoronar, mas Deus, não. Destroços e escombros nunca o desanimaram. Deus sempre transformou a tragédia em triunfo.

Não foi isso que ele fez com José? Observe José na prisão no Egito — seus irmãos o venderam; a esposa de Potifar o entregou. Se o seu mundo está desabando, o mesmo aconteceu com José.

Ou considere Moisés, cuidando dos rebanhos no deserto. Era isso que ele pretendia fazer com sua vida? Dificilmente. Seu coração batia com o sangue judeu; sua paixão era liderar os escravos. Por que então Deus o deixou conduzindo ovelhas?

E Daniel. O que dizer de Daniel? Ele estava entre os mais brilhantes e melhores jovens de Israel, o que equivalia a ser um cadete de uma famosa academia militar ou estudante de uma faculdade de altíssimo nível. Mas ele e toda a sua geração foram levados de Jerusalém. A cidade estava destruída. O templo estava em ruínas.

José estava na prisão. Moisés estava no deserto. Daniel estava preso. Esses eram momentos tenebrosos. Quem poderia ver algo de bom neles? Quem poderia imaginar que a prisão de José era apenas um estímulo para transformá-lo no primeiro-ministro? Quem teria imaginado que Deus estava dando a Moisés um treinamento de quarenta anos no deserto por meio do qual ele lideraria o povo? E quem poderia ter imaginado que Daniel, o prisioneiro, logo seria o conselheiro do rei?

Deus faz coisas assim. Ele fez com José, com Moisés, com Daniel, e, principalmente, ele fez com Jesus.

Em nossos momentos mais difíceis, talvez vejamos o que os seguidores de Cristo viram na cruz. A inocência sacrificada. A bondade assassinada. A fortaleza dos céus atravessada. Mães choravam, o mal dançava e os apóstolos tinham de se perguntar: *O que pode fazer a pessoa honesta quando a lei e os bons costumes são desprezados?*

Deus respondeu à pergunta deles com uma declaração. Com o rumor da terra e o rolar da pedra, ele os fez se lembrar: "O SENHOR Deus está no seu santo Templo; o seu trono está no céu."

E, hoje, devemos lembrar que ele ainda está lá. Ele ainda está no seu templo, ainda está no seu trono, ainda está no controle. E ele ainda converte prisioneiros em príncipes, cativos em conselheiros, e transforma dias difíceis em tempos de descanso. O que ele fez em situações como essas, ele voltará a fazer.

Cabe a nós pedir que ele o faça.

Nestas páginas, faremos perguntas que nos afligem durante momentos difíceis: Quem é o nosso Deus? Onde está Deus em tudo isso? O bem pode resultar do mal? E a oração — será que Deus realmente está nos ouvindo? Enquanto examinamos juntos essas perguntas, oro para que a paz e o entendimento de Deus toquem o seu coração e tragam cura ao seu espírito.

Max Lucado

CAPÍTULO 1

ONDE ESTÁ DEUS?

Quando acontece uma tragédia, seja pessoal, nacional ou global, as pessoas se perguntam como Deus pôde permitir que tais coisas acontecessem. No que ele estava pensando? Ele realmente está no controle? Podemos confiar a condução do universo a alguém que permite *isso*?

É importante reconhecer que Deus habita uma esfera diferente. Ele ocupa outra dimensão. "Os meus pensamentos não são os pensamentos de vocês, nem os seus caminhos são os meus caminhos... Assim como os céus são mais altos do que a terra, também os meus caminhos são mais altos do que os seus caminhos, e os meus pensamentos, mais altos do que os seus pensamentos" (Isaías 55:8,9).

Dê uma atenção especial à comparação implícita. Os pensamentos de Deus não são os nossos pensamentos, nem são *como* os nossos. Nem estamos na mesma vizinhança. Estamos pensando: *preserve o corpo*; ele está pensando: *preserve a alma*. Sonhamos com um aumento de salário; ele sonha ressuscitar os mortos. Evitamos a dor e procuramos paz; Deus usa a dor para trazer paz. "Vou viver antes de morrer", decidimos; "Morra para que você possa viver", ele instrui. Gostamos do que enferruja; ele gosta do que dura. Alegramo-nos com nossos sucessos; ele se alegra com nossas confissões. Mostramos aos nossos filhos o astro da *Nike* exibindo um sorriso de um milhão de dólares e dizemos: "Seja como Ronaldo"; Deus aponta para o carpinteiro crucificado que tem os lábios manchados de sangue e um dos lados dilacerado e diz: "Seja como Cristo".

Nossos pensamentos não são como os pensamentos de Deus. Nossos caminhos não são como os seus caminhos. Ele tem uma agenda diferente. Habita uma outra dimensão; vive em outro plano.

> Os céus declaram a glória de Deus;
> o firmamento proclama a obra de suas mãos.
> Um dia fala disso a outro dia;
> uma noite o revela a outra noite.

> Sem discurso nem palavras,
> não se ouve a sua voz.
> Mas a sua voz ressoa por toda a terra,
> e as suas palavras, até os confins do mundo.
> (Salmo 19:1-4)

A natureza é a oficina de Deus. O céu é o seu currículo. O universo é seu cartão de visita. Você quer saber quem é Deus? Veja o que ele fez. Você quer conhecer o poder de Deus? Dê uma olhada em sua criação. Está curioso para saber sobre a força de Deus? Faça uma visita à sua casa: avenida Um Bilhão de Estrelas do Céu. Quer saber qual é o tamanho de Deus? Saia à noite e olhe para a luz das estrelas emitida há um milhão de anos e depois leia *2 Crônicas 2:6*: "Quem é capaz de construir um templo para ele [Deus], visto que os céus não podem contê-lo, nem mesmo os mais altos céus?"

> Ele não se contamina com a atmosfera do pecado,
> não é controlado pela linha do tempo da história,
> não é impedido pelo cansaço do corpo.

O que controla você não controla Deus. O que preocupa você não preocupa Deus. O que cansa você não cansa Deus. A águia se incomoda com o tráfego?

Não, ela voa acima dele. A baleia fica inquieta com um furacão? É claro que não; ela mergulha abaixo dele. O leão se agita com um rato no meio de seu caminho? Não, ele pisa no rato.

E quão mais Deus é capaz de voar acima e mergulhar abaixo de nossos problemas e pisar neles? "O que é impossível para o homem é possível para Deus" (veja Mateus 19:26). Nossas perguntas traem nosso entendimento:

Como Deus pode estar em todos os lugares ao mesmo tempo? (Quem diz que Deus está preso ao corpo?)

Como Deus pode ouvir todas as orações que chegam até ele? (Talvez os ouvidos de Deus sejam diferentes dos seus).

Como Deus pode ser o Pai, o Filho e o Espírito Santo? (É possível que o céu tenha um conjunto de leis físicas diferente do da terra?)

Se as pessoas aqui da terra não me perdoarem, até que ponto serei eu culpado diante de um Deus santo? (Oh, é exatamente o contrário. Deus sempre pode conceder graça quando nós, humanos, não podemos — foi ele quem a inventou.)

Como é vital que oremos munidos do conhecimento de que Deus está no céu. Oremos com uma convicção um pouco menor e nossas orações serão tímidas, superficiais e vazias. Erga os olhos, veja o que Deus fez e observe como suas orações são estimuladas.

Esse conhecimento nos dá confiança enquanto enfrentamos o futuro incerto. Sabemos que Deus está no controle do universo e, por isso, podemos descansar seguros. Mas também é importante o conhecimento de que este Deus que está no céu escolheu se inclinar para a terra para ver a nossa aflição e ouvir as nossas orações. Ele não está tão acima de nós a ponto de não ser tocado por nossas lágrimas.

Embora não possamos ver seu propósito ou seu plano, o Senhor do céu está no seu trono e no firme controle do universo e de nossa vida. Assim, nós lhe confiamos o nosso futuro. Nós lhe confiamos a nossa vida.

CAPÍTULO 2

O GRANDE AMOR DE DEUS

Seu canto fez com que aquilo acontecesse. Inicialmente, não notei; não havia motivos para que eu percebesse algo. As circunstâncias eram comuns: um pai buscava a filha de seis anos em uma reunião de escoteiras. Sara gosta da Associação de Escoteiros; ela gosta dos prêmios que ganha e do uniforme que usa. Ela entrou no carro e me mostrou seu novo distintivo e alguns biscoitos que haviam acabado de sair do forno. Virei a rua, coloquei sua música preferida e voltei minha atenção para questões mais complicadas que envolviam agendas e obrigações.

Mas, pouco depois de entrar no labirinto do pensamento, voltei. Sara estava cantando. Cantando sobre Deus. Cantando para Deus. Cabeça para trás, queixo levantado e pulmões cheios; ela enchia o carro de música. As harpas do céu pararam para ouvir.

Aquela é minha filha? Ela parece mais velha. Parece mais velha, mais alta e até mais bonita. Será que dormi e perdi alguma coisa? O que aconteceu com as bochechas gorduchas? O que aconteceu com o rostinho e os dedinhos grossos? Ela está se tornando uma jovem. Cabelos loiros caem sobre seus ombros. Os pés estão balançando sobre o banco. Em algum lugar, durante a noite, uma página foi virada e... — bem, olhe para ela!

Se você é pai ou mãe, sabe o que quero dizer. Ainda ontem, seu filho usava fraldas. Hoje, ele quer as chaves do carro? De repente, seu filho está na metade do caminho para ir para a faculdade e estão acabando suas chances de demonstrar seu amor por ele; e por isso você fala.

Foi o que fiz. A música parou, e Sara parou. Eu ejetei a fita, pus minha mão no ombro dela e disse:

— Sara, você é muito especial.

Ela se virou e sorriu de modo tolerante.

— Algum dia, um rapaz de pernas peludas vai

roubar seu coração e levá-la para o próximo século. Mas, neste momento, você é minha.

Ela inclinou a cabeça, olhou para fora por um minuto, depois olhou para mim novamente e perguntou:

— Pai, por que você está tão estranho?

Acho que essas palavras pareciam esquisitas para uma menina de seis anos. O amor de um pai ou de uma mãe soa estranho aos ouvidos de uma criança. Meu acesso de emoção estava além da compreensão de Sara; mas isso não me impediu de falar.

Não há como nossa mente pequena compreender o amor de Deus; mas isso não o impede de vir até nós.

E nós, também, inclinamos nossa cabeça. Como Sara, nos perguntamos o que o nosso Pai estava fazendo. Do berço em Belém à cruz em Jerusalém, pensamos no amor do nosso Pai. O que você pode dizer para esse tipo de emoção? Ao descobrir que Deus preferiria morrer a viver sem você, qual é a sua reação? Como você pode começar a explicar tal paixão? Se você fosse o apóstolo Paulo, não poderia. Você não faz afirmações; não dá explicações. Você faz algumas perguntas.

Essas perguntas não são novas para você. Você já as fez antes. À noite, você as fez; nos momentos de raiva, você as fez. O diagnóstico de um médico as trouxe à tona, assim como a decisão no tribunal, o telefonema do banco e as tragédias incompreensíveis que ocorrem em nosso mundo. As perguntas são exames da dor, do problema e da circunstância. Não, as perguntas não são coisas novas, mas talvez as respostas sejam.

> Se Deus é por nós, quem será contra nós?
> (Romanos 8:31)

A pergunta não é simplesmente: "Quem será contra nós?" Você poderia responder a essa pergunta. Quem é contra você? A doença, a inflação, a corrupção, a exaustão. As calamidades confrontam e os medos aprisionam. Se a pergunta de Paulo fosse: "Quem será contra nós?", poderíamos listar nossos inimigos com muito mais facilidade do que lutar contra eles. Mas essa não é a pergunta. A pergunta é: Se Deus é por nós, quem será contra nós?

Perdoe-me por um momento. Quatro palavras neste versículo merecem sua atenção. Leia lentamente a frase: "Deus é por nós". Por favor, pare por um instante antes de continuar. Leia-o novamente, em voz alta. (Peço desculpas à pessoa que está ao seu lado). *Deus é por nós.* Repita a frase quatro vezes, desta vez enfatizando cada palavra. (Vamos lá, você não está com tanta pressa assim!)

Deus é por nós.

Deus *é* por nós.

Deus é *por* nós.

Deus é por *nós*.

Deus é por você. Seus pais podem ter se esquecido de você, seus professores podem tê-lo ignorado, seus irmãos podem ter vergonha de você, mas ao alcance de suas orações está o Criador dos oceanos — Deus!

Deus *é* por você. Não "pode ser", não "foi", não "era", não "seria", mas "Deus é!" Ele *é* por você. Hoje. Neste momento. Neste minuto. Enquanto você lê esta frase. Não é preciso esperar em uma fila ou voltar amanhã. Ele está com você. Ele não poderia estar mais perto do que está neste segundo. A lealdade de Deus não será maior se você for melhor nem menor se você for pior. Ele *é* por você.

Deus é *por* você. Vire-se para a linha lateral; lá está Deus torcendo pela sua corrida. Olhe para a linha de chegada; lá está Deus aplaudindo seus passos. Ouça-o nas arquibancadas, gritando seu nome. Cansado demais para continuar? Ele irá carregá-lo. Desanimado demais para lutar? Ele o está levantando. Deus é *por* você.

Deus é por *você*. Se ele tivesse um calendário, o dia do seu aniversário estaria destacado por um círculo. Se ele dirigisse um carro, seu nome estaria no párachoque. Se houvesse uma árvore no céu, ele gravaria seu nome em sua casca. Sabemos que ele tem uma tatuagem e sabemos o que ela diz. "Eu gravei você nas palmas das minhas mãos" (Isaías 49:16).

"Haverá mãe que possa esquecer seu bebê que ainda mama e não ter compaixão do filho que gerou?", pergunta Deus em Isaías 49:15. Que pergunta estranha! Você, mãe, consegue imaginar seu filho mamando e, depois, mais tarde, perguntar: "Qual era o nome dessa criança?" Não. Eu a vejo cuidar de seu filho. Você acaricia seus cabelos, toca-lhe o rosto, cantarola o nome dele repetidas vezes. Uma mãe consegue se esquecer? De modo algum. Contudo, "embora ela possa esquecê-lo, eu não me esquecerei de você!", promete Deus (Isaías 49:15).

Deus está com você. E, sabendo disso, quem é contra você? A morte pode prejudicá-lo agora? A doença pode roubar sua vida? Seu objetivo pode ser levado ou seu valor diminuído? Não. Ainda que o próprio inferno possa se pôr contra você, ninguém pode derrotá-lo. Você está protegido. Deus está com você.

> Aquele que não poupou seu próprio Filho, — mas o entregou por todos nós, — como não nos dará juntamente com ele, e de graça, todas as coisas?
> (Romanos 8:32).

Imagine um homem que se depara com uma criança sendo espancada por delinqüentes.

Ele se atira no meio da confusão, salva o menino e o leva para um hospital. O garoto recebe cuidados até se restabelecer. O homem paga o tratamento da criança. Descobre que a criança é órfã, a adota e lhe dá o seu nome. E então, certa noite, depois de meses, o pai ouve o filho chorando no travesseiro. Ele vai até o filho e pergunta o motivo de sua tristeza.

— Estou preocupado, pai. Estou preocupado com o dia de amanhã. Onde vou conseguir comida para comer? Como vou comprar roupas para continuar aquecido? E onde vou dormir?

Com toda a razão, o pai fica preocupado.

— Eu não lhe mostrei? Você não entende? Arrisquei minha vida para salvá-lo. Dei meu dinheiro para tratá-lo. Você usa meu nome. Eu o chamei de meu filho. Eu faria tudo isso e depois não supriria suas necessidades?

Esta é a pergunta de Paulo. *Aquele que entregou seu Filho não supriria nossas necessidades?*

Mas, ainda assim, nos *preocupamos*. Preocupamo-nos com a Receita Federal, com o vestibular e com o FBI. Preocupamo-nos com a educação, a recreação e com um resfriado. Preocupamo-nos com a possibilidade de não termos dinheiro suficiente e, quando o temos, nos preocupamos porque não estamos certos de que conseguiremos administrá-lo bem. Preocupamo-nos porque o mundo acabará antes de o parquímetro vencer. Preocupamo-nos com o que o cachorro pensará se ele nos vir quando estivermos saindo do chuveiro. Preocupamo-nos porque, algum dia, descobriremos que aquele iogurte *light* engordava.

Agora, me diga honestamente: Deus salvou você para que você se preocupasse? Ele o ensinaria a andar só para vê-lo cair? Ele seria pregado na cruz por seus pecados e, depois, desprezaria suas orações? Vamos lá! As Escrituras estão nos provocando quando dizem: "Porque a seus anjos ele dará ordens a seu respeito, para que o protejam em todos os seus caminhos" (Salmo 91:11)?

Não creio que estejam.

> Quem nos separará do amor de Cristo?
> (Romanos 8:35)

Aí está. Esta é a pergunta. Aqui está o que queremos saber. Queremos saber até quando o amor de Deus durará. Deus realmente nos ama para sempre? Não só no domingo de Páscoa, quando nossos sapatos estão lustrados e nosso cabelo arrumado. Quero saber (lá no íntimo, todos queremos saber, não é mesmo?) como Deus se sente em relação a mim quando sou um idiota? Não quando estou animado, confiante e pronto para lidar com a fome do mundo; nessa hora, não. Sei como ele se sente com relação a mim em momentos como esses — até eu gosto de mim nessas ocasiões.

Quero saber como ele se sente com relação a mim quando sou ríspido com qualquer coisa que se move, quando meus pensamentos são terríveis, quando minha língua está afiada o suficiente para cortar uma pedra. Como ele se sente em relação a mim nesses momentos?

E quando coisas ruins acontecem — Deus se preocupa? Ele me ama em meio ao medo? Ele está comigo quando o perigo está à espreita? Deus deixará de me amar?

Esta é a questão. Esta é a preocupação. Oh, você não diz; você nem pode saber. Mas eu posso vê-lo em seu rosto. Posso ouvi-lo em suas palavras. Será que exagerei nesta semana? Na última terça-feira, quando bebi vodca até não conseguir andar... na última quinta-feira, quando meus negócios me levaram a um lugar que não tinha nada a ver... no último verão, quando amaldiçoei o Deus que me criou enquanto eu estava em pé ao lado do túmulo do filho que ele me deu?

Será que fui longe demais? Esperei demais? Falhei demais? Estava duvidoso demais? Com medo demais? Irado demais com a dor neste mundo?

É isso que queremos saber.

Quem nos separará do amor de Cristo?

Deus respondeu à nossa pergunta antes que a formulássemos. Para que víssemos sua resposta, ele iluminou o céu com uma estrela. Para que a ouvíssemos, ele encheu a noite de um coral. E para que crêssemos, ele fez o que nenhum homem jamais sonhou — ele se fez carne e habitou entre nós.

Ele pôs sua mão no ombro da humanidade e disse: "Você é muito especial".

Sem estar limitado pelo tempo, ele nos vê a todos. Desde o lugar mais remoto da Virgínia ao centro empresarial de Londres; desde os *vikings* aos astronautas; desde os moradores de cavernas aos reis; desde os construtores de cabanas aos mestres-de-obras; ele nos vê. Errantes e maltrapilhos, ele nos viu antes de nascermos.

Ele ama o que vê. Transbordando de emoção, vencendo o orgulho, o Criador das estrelas se vira para nós, um por um, e diz: "Você é meu filho. Eu o amo muito. Sei que, algum dia, você se afastará de mim e irá embora. Mas quero que você saiba que já estabeleci um caminho de volta".

E para provar, ele fez algo extraordinário.

Deixando seu trono, ele tirou seu manto de luz e se revestiu de pele: da pele humana pigmentada. A luz do universo entrou em um ventre escuro e molhado. Aquele a quem os anjos adoram aconchegou-se na placenta de uma camponesa, nasceu na noite fria e, depois, dormiu sobre o feno destinado a uma vaca.

Maria não sabia se lhe dava leite ou louvor, mas lhe deu ambas as coisas, uma vez que ele estava, até onde ela podia imaginar, com fome e era santo.

José não sabia se o chamava de Júnior ou Pai. Mas, no final, ele o chamou de Jesus, seguindo as palavras do anjo e reconhecendo não ter a mínima idéia do nome que deveria dar a um Deus que ele poderia embalar nos braços.

Nem Maria nem José foram tão diretos como minha Sara em suas palavras, mas você não acha que a cabeça deles se inclinou e a mente se perguntou: *Afinal, o que você está fazendo, Deus?* Ou, melhor: *Deus, o que você está fazendo no mundo?*

— Alguma coisa pode me fazer parar de amar você? — pergunta Deus. — Escuta falar a sua língua, dormir na sua terra e sentir as suas dores. Veja o Criador da visão e do som enquanto ele espirra, tosse e assoa o nariz. Você me pergunta se eu entendo como você se sente? Olhe nos olhos alegres da criança em Nazaré; é Deus indo para a escola. Pense na criancinha à mesa de Maria; é Deus derramando o leite.

— Você se pergunta até quando meu amor durará? Encontre sua resposta em uma cruz cheia de lascas, em uma colina escarpada. Sou eu, seu Criador, seu Deus, que você vê lá em cima. Transpassado por cravos e jorrando sangue; todo cuspido e molhado pelo pecado. É o seu pecado que estou sentindo. É a sua morte que estou morrendo. É a sua ressurreição que estou vivendo. Isso é o quanto eu amo você.

— Alguma coisa pode nos separar? — pergunta o Filho primogênito.

Ouça a resposta e firme seu futuro nas palavras de Paulo: "Estou convencido de que nem morte nem vida, nem anjos nem demônios, nem o presente nem o futuro, nem quaisquer poderes, nem altura nem profundidade, nem qualquer outra coisa na criação será capaz de nos separar do amor de Deus que está em Cristo Jesus, nosso Senhor" (Romanos 8:38,39).

CAPÍTULO 3

COM OS OLHOS NO PAI

É duas vezes melhor para nós pensarmos em Deus do que pensarmos em qualquer outra pessoa ou coisa. Deus quer que comecemos e terminemos nossas orações pensando nele. Quanto mais focados estivermos nas coisas lá do alto, mais inspirados estaremos aqui na terra.

Ampliar. Ao ampliar um objeto, você o aumenta para que possa entendê-lo. Quando ampliamos Deus, fazemos o mesmo. Aumentamos nossa consciência acerca dele para que possamos entendê-lo melhor. É exatamente isso o que acontece quando adoramos

— tiramos nossa mente de nós mesmos e a colocamos em Deus; a ênfase está nele.

Gosto do modo como a última frase da Oração do Senhor é traduzida na *The Message* [A mensagem] (Mateus 6:13):

> Você está no comando!
> Você pode fazer o que quiser!
> Você resplandece na beleza!
> Sim. Sim. Sim.

Poderia ser mais simples? Deus está no comado! Este conceito não é estranho para nós. Quando o garçom do restaurante lhe traz um hambúrguer frio e um refrigerante quente, você quer saber quem é o chefe dele. Quando um camarada jovem quer impressionar sua namorada, ele a leva à loja de conveniência onde ele trabalha e diz, com orgulho: "Toda noite, das cinco às dez, eu sou o chefe aqui". Sabemos o que significa estar no comando de um restaurante ou de uma loja. Mas e estar no comando do universo? É isso que Jesus declara.

> Esse poder ele [Deus] exerceu em Cristo, ressuscitando-o dos mortos e fazendo-o assentar-se à sua direita, nas regiões celestiais, muito acima de todo governo e autoridade, poder e domínio, e de todo nome que se possa mencionar, não ape-

> nas nesta era, mas também na que há de vir. ***Deus colocou todas as coisas debaixo de seus pés*** e o designou cabeça de todas as coisas para a igreja.
> (Efésios 1:20-22, ênfase minha)

Há muitos exemplos acerca da autoridade de Jesus, mas só mencionarei um de meus favoritos. Jesus e os discípulos estão em um barco atravessando o mar da Galiléia. Uma tempestade surge de repente, e o que era calmo fica violento — ondas terríveis se levantam do mar e batem na embarcação. Marcos descreve claramente a cena: "Levantou-se um forte vendaval, e as ondas se lançavam sobre o barco, de forma que este foi se enchendo de água" (Marcos 4:37).

É muito importante que você tenha uma imagem precisa, por isso vou pedir que se imagine no barco. Trata-se de um barco forte, mas não propício para essas ondas de três metros de altura. Ele lança a proa, primeiro, em direção à parede de água. A força das ondas inclina perigosamente o barco até a proa parecer apontada para o céu. E quando você começa a temer que o barco vire para trás, ele se lança para a frente e cai no vale de outra onda. Inúmeras mãos se unem às suas para agarrar o mastro. Todos os seus companheiros de barco estão com a cabeça molhada e os olhos arregalados. Você tenta ouvir uma voz que traga calma, mas tudo o que ouve são gritos e preces. De repente, lhe ocorre uma coisa — falta alguém. Onde está Jesus? Ele não está no mastro. Ele também não está agarrado a canto algum. Onde ele está? Então você ouve algo — um barulho..., um som deslocado... Era como se alguém estivesse roncando. Você se vira e olha, e lá está Jesus, enrolado na popa do barco, dormindo!

Você não sabe se fica surpreso ou furioso, então sente ambas as coisas. Como ele pode dormir em um momento como esse? Ou, como perguntaram os discípulos: "Mestre, não te importas que morramos?" (Marcos 4:38).

A tempestade que deixou os discípulos em pânico o deixa com sono. O que pôs medo nos olhos deles o pôs para dormir. O barco era um túmulo para os seguidores de Jesus e um berço para Cristo. Como ele podia dormir durante a tempestade? Simples — ele estava no comando do barco.

> Ele se levantou, repreendeu o vento e disse ao mar: "Aquiete-se! Acalme-se!" O vento se aquietou, e fez-se completa bonança. Então perguntou aos seus discípulos: "Por que vocês estão com tanto medo? Ainda não têm fé?"
> (Marcos 4:39,40)

Incrível. Ele não entoa um mantra ou balança uma varinha mágica. Nenhum anjo é chamado; nenhuma ajuda é necessária. O mar enfurecido se acalma no mesmo instante. Uma calma imediata. Nem uma onda. Nem uma gota. Nem uma rajada de vento. Em um instante, o mar deixa de ser uma torrente agitada para ser um lago tranqüilo. Qual a reação dos discípulos? Leia no versículo 41: "Eles estavam apavorados e perguntavam uns aos outros: 'Quem é este que até o vento e o mar lhe obedecem?'"

Eles nunca conheceram um homem como aquele. As ondas estavam sujeitas a ele, e os ventos eram seus servos. E isso era apenas o começo daquilo que os companheiros de mar de Jesus testemunhariam. Antes de tudo acabar, eles veriam peixes pularem para dentro do barco; demônios se precipitarem em porcos; paralíticos passarem a dançar e cadáveres se tornarem pessoas vivas e com fôlego de vida. "Até aos espíritos imundos ele dá ordens, e eles lhe obedecem!" (Marcos 1:27).

É de admirar que os discípulos estivessem dispostos a morrer por Jesus? Eles nunca haviam visto tal poder; nunca haviam visto tal glória. Era como ... Bem, era como se todo o universo fosse o reino de Jesus. Você não teria necessidade de explicar esse versículo para eles; eles saberiam o que ele significava: "Porque teu é o Reino, o poder e a glória para sempre" (Mateus 6:13).

Na verdade, seriam dois desses pescadores resgatados a declarar a autoridade de Jesus mais claramente. Veja o que diz João: "Aquele que está em vocês é maior do que aquele que está no mundo" (1 João 4:4). Veja o que diz Pedro: "[Jesus] subiu aos céus e está à direita de Deus; a ele estão sujeitos anjos, autoridades e poderes" (1 Pedro 3:22).

É justo que eles declarem a autoridade de Jesus. É justo que façamos o mesmo. E, quando o fazemos, declaramos sem dúvida: o governador do universo governa o nosso coração.

CAPÍTULO 4

O BEM TRIUNFA

Como Deus pode permitir que o mal traga destruição e perda à nossa vida? Por que ele não nos protege dos que cometem atos pecaminosos e maus? Nosso coração dói, nossas perguntas se agitam. E, não obstante, vimos a bondade surgir da tragédia e da dor — feitos heróicos, a compaixão abnegada, um senso de comunidade do tipo "todos por um". De algum modo, em meio a algo mau, a bondade luta para prevalecer.

É, de fato, possível que algo mau pudesse acabar por ser usado para o bem? Para responder a essa pergunta, temos de olhar para trás — para o começo do próprio Mal.

Duas vezes, nas Escrituras, a cortina do tempo se abre e nos é concedido um vislumbre da aposta mais insensata da história. Satanás era um anjo que não estava contente de estar perto de Deus; ele tinha de estar acima de Deus. Lúcifer não estava satisfeito em prestar adoração a Deus; queria ocupar o trono de Deus.

De acordo com Ezequiel, não havia entre os anjos alguém que tivesse a beleza e a maldade de Satanás:

> Você era o modelo da perfeição,
> cheio de sabedoria e de perfeita beleza.
> Você estava no Éden,
> no jardim de Deus;
> todas as pedras preciosas o enfeitavam...
> Caminhava entre as pedras fulgurantes.
> Você era inculpável em seus caminhos
> desde o dia em que foi criado
> até que se achou maldade em você.
> (Ezequiel 28:12-15)

Os anjos, como os humanos, foram criados para servir e adorar a Deus. Foi dado aos anjos, como aos humanos, o livre-arbítrio. Do contrário, como eles poderiam adorar? Tanto Isaías como Ezequiel descrevem um anjo mais poderoso do que qualquer humano, mais belo do que qualquer criatura, porém mais tolo do que qualquer ser que já tenha existido. Seu orgulho foi a razão de sua queda.

A maioria dos estudiosos aponta Isaías 14:13,14 como a descrição da queda de Lúcifer:

> Subirei aos céus;
> erguerei o meu trono
> acima das estrelas de Deus;
> Eu me assentarei no monte da assembléia,
> no ponto mais elevado do monte santo.
> Subirei mais alto que as mais altas nuvens;
> serei como o Altíssimo.

Você não pode perder a cadência de arrogância nas palavras: "Subirei... erguerei... me assentarei... subirei... serei". Uma vez que tentou ser como Deus, Satanás se afastou de Deus e passou a história tentando convencer-nos a fazer o mesmo. Não foi essa a estratégia que ele usou com Eva? "Vocês [serão] como Deus", ele prometeu (Gênesis 3:5).

Ele não mudou. É tão egocêntrico agora como era naquele tempo. É tão tolo agora como era naquele tempo. E é simplesmente tão limitado agora como era naquele tempo. Mesmo quando o coração de Lúcifer era bom, ele era inferior a Deus. Todos os anjos são inferiores a Deus. Deus conhece tudo; eles só conhecem o que Deus revela. Deus está em todos os lugares; eles só podem estar em um único lugar. Deus é todo-poderoso; os anjos só são poderosos até onde Deus lhes permite ser. Todos os anjos, incluindo Satanás, são inferiores a Deus. E isso talvez surpreenda você: Satanás ainda é um servo de Deus.

Ele não quer ser. Não pretende ser. Não gostaria de nada menos do que construir seu próprio reino, mas ele não pode. Toda vez que tenta promover sua causa, ele acaba por promover a causa de Deus.

Erwin Lutzer articula este pensamento em seu livro *A serpente do paraíso*:

> O diabo é tão servo de Deus em sua rebelião quanto era nos dias de sua doce obediência... Não podemos citar Lutero com muita freqüência: o diabo é o diabo de Deus.
> Satanás tem papéis diferentes a desempenhar, dependendo do conselho e dos propósitos de Deus. Ele tem por obrigação o serviço de cumprir a vontade de Deus no mundo; ele deve fazer o que o todo-poderoso disser. Devemos lembrar que ele tem poderes terríveis; mas saber que esses poderes só podem ser exercidos sob a direção e o agrado de Deus nos dá esperanças. Satanás não está simplesmente livre para devastar as pessoas à vontade.[1]

Satanás está fazendo o que o todo-poderoso diz? Está buscando a permissão de Deus? Tal linguagem soa estranha aos seus ouvidos? Talvez. Se for o caso, você pode estar certo de que Satanás preferiria que você não ouvisse o que estou para dizer. Ele preferiria certamente que você fosse enganado a pensar nele como uma força independente com poder ilimitado. Satanás não tem nenhum poder, exceto o poder que Deus permite.

Ele preferiria que você nunca ouvisse as palavras de João: "Aquele que está em você [o Espírito de Deus] é maior do que aquele que está no mundo [o diabo]" (1 João 4:4). E ele, certamente, preferiria que você nunca descobrisse como Deus usa o diabo como um instrumento para promover a causa de Cristo.

Como Deus usa Satanás para fazer a obra do céu? Deus usa Satanás para:

1. *Aperfeiçoar os fiéis*. Todos temos a doença do mal. Até o mais manso entre nós tem uma tendência a se admirar excessivamente. Ao que parece, o apóstolo Paulo também. Seu currículo impressionava: uma audiência pessoal com Jesus, um participante das visões celestiais, um apóstolo escolhido por Deus, um autor da Bíblia. Ele curou os doentes, viajou pelo mundo e escreveu alguns dos maiores documentos da história. Poucos poderiam se igualar a ele em termos de realizações. E talvez ele soubesse disso. Talvez tenha havido um momento em que Paulo começou a se fazer elogios. Deus, que amava Paulo e odiava o orgulho, protegeu Paulo contra o pecado. E ele usou Satanás para isso.

> Para impedir que eu me exaltasse por causa da grandeza dessas revelações, foi-me dado um espinho na carne, um mensageiro de Satanás, para me atormentar.
> (2 Coríntios 12:7)

Não nos é dito qual é a natureza do espinho, mas nos é dito qual é o seu propósito — manter Paulo humilde. Também nos é revelada a sua origem — um mensageiro de Satanás. O mensageiro poderia ter sido uma dor, um problema ou uma pessoa que fosse um tormento. Não sabemos. Mas sabemos que o mensageiro estava sob o controle de Deus. Por favor, observe o que Paulo diz a seguir:

> Três vezes roguei ao Senhor que o tirasse de mim. Mas ele me disse: "Minha graça é suficiente para você, pois o meu poder se aperfeiçoa na fraqueza" .
> (vs. 8,9)

Satanás e suas forças foram simplesmente ferramentas nas mãos de Deus para fortalecer um servo.

Outro exemplo do diabo como servo de Deus é a tentação de Jó. O diabo ousa questionar a estabilidade da fé de Jó, e Deus lhe dá permissão para testá-la. "Pois bem", diz Deus, "tudo o que ele possui está nas suas mãos; apenas não toque nele" (Jó 1:12). Observe que Deus dá a permissão e estabelece os parâmetros da luta. Jó passa no teste e Satanás se queixa, afirmando que Jó teria caído se fosse forçado a enfrentar a dor. Mais uma vez, Deus dá permissão e, novamente, dá os parâmetros: "Ele está nas suas mãos", diz para Satanás, "apenas poupe a vida dele" (2:6).

Embora a dor e as perguntas sejam abundantes, no final, a fé e a saúde de Jó são maiores do que nunca. Mais uma vez, talvez não entendamos a razão para o teste, mas conhecemos a sua fonte. Leia este versículo do último capítulo. Os familiares de Jó "o consolaram e o confortaram por todas as tribulações que *o SENHOR* tinha trazido sobre ele" (42:11, ênfase minha).

Satanás não tem poder, exceto aquele que Deus lhe dá.

Mesmo quando parece vencer, Satanás perde. Martinho Lutero acertou em cheio quando descreveu o diabo como ferramenta de Deus, uma enxada usada para cuidar do jardim de Deus. A enxada nunca corta o que o Jardineiro pretende preservar e nunca preserva o que o Jardineiro pretende arrancar. Com certeza, uma parte do castigo de Satanás é a frustração que ele sente em servir, sem querer, como uma ferramenta para criar um jardim para Deus. Satanás é usado por Deus para aperfeiçoar os fiéis.

Deus também usa o diabo para:

2. *Despertar os que dormem*. Centenas de anos antes de Paulo, outro líder judeu lutou contra seu ego, mas perdeu. Saul, o primeiro rei de Israel, se consumiu de ciúmes. Davi, o filho mais novo de uma família que cuidava de ovelhas, roubou a cena. Tudo em Davi era melhor do que em Saul: ele cantava melhor, impressionava mais as mulheres e até matou os gigantes que Saul temia. Mas, em vez de comemorar as habilidades dadas por Deus a Davi, Saul ficou loucamente hostil. Deus, em um visível esforço para despertá-lo desta névoa de ciúmes, recrutou a ajuda de seu relutante servo, Satanás. "No dia seguinte, um espírito maligno mandado por Deus apoderou-se de Saul e ele entrou em transe em sua casa" (1 Samuel 18:10).

Observe um princípio sério: há momentos em que o coração fica tão duro e os ouvidos tão insensíveis que Deus nos leva a sofrer as conseqüências de nossas escolhas. Nesse caso, o demônio foi liberado para atormentar Saul. Se Saul não bebia do cálice da bondade de Deus, que passasse então um tempo bebendo do cálice da fúria do inferno: "Que ele seja levado ao desespero para que possa ser trazido novamente para os braços de Deus".[2]

O Novo Testamento refere-se a incidentes em que a mesma disciplina foi aplicada. Paulo castiga a igreja em Corinto por tolerar a imoralidade. Sobre um adúltero na igreja, ele diz: "Entreguem esse homem a Satanás, para que o corpo seja destruído, e seu espírito seja salvo no dia do Senhor" (1 Coríntios 5:5).

Outro exemplo de tal ação é o caso de Himeneu e Alexandre, dois discípulos que naufragaram na fé e influenciaram os outros de modo negativo. "Os quais entreguei a Satanás", diz Paulo para Timóteo, "para que aprendam a não blasfemar" (1 Timóteo 1:20).

Por mais drástico que pareça, Deus, na verdade, permitirá que uma pessoa vivencie o inferno na terra, na esperança de despertar a fé dessa pessoa. O amor santo faz a escolha difícil que consiste em levar o filho a sofrer as conseqüências de sua rebeldia.

A propósito, será que isso não ajuda a explicar o mal desenfreado que existe no mundo? Se Deus nos permite sofrer as conseqüências de nosso pecado e o mundo está cheio de pecadores, então o mundo será repleto de pecados. Não era isso o que Paulo queria dizer no primeiro capítulo de Romanos? Depois de descrever aqueles que adoram a criação, e não o Criador, Paulo diz: "Deus os entregou a paixões vergonhosas" (Romanos 1:26). Deus gosta de ver a angústia e os vícios de seus filhos? Não mais que um pai gosta de disciplinar um filho. Mas o amor santo faz escolhas difíceis.

Lembre-se de que a disciplina deveria resultar em misericórdia, não em miséria. Alguns santos são despertados por um tapinha no ombro, enquanto outros precisam de um safanão na cabeça. Satanás recebe o chamado.

E ele também é convocado para:

3. *Ensinar a igreja.* Talvez a ilustração mais clara de como Deus usa Satanás para cumprir seus propósitos seja encontrada na vida de Pedro. Veja a advertência que Jesus lhe faz: "Simão, Simão, Satanás pediu vocês para peneirá-los como trigo. Mas eu orei por você, para que a sua fé não desfaleça. E quando você se converter, fortaleça os seus irmãos" (Lucas 22:31,32).

Mais uma vez, observe quem está no controle. Mesmo tendo um plano, Satanás teve de obter permissão. "Foi-me dada toda a autoridade nos céus e na terra", explicou Jesus, e esta é a prova (Mateus 28:18). O lobo não pode chegar à ovelha sem a permissão do Pastor, e o Pastor só permitirá o ataque se, a longo prazo, a dor compensar o ganho.

O propósito deste teste é prover um testemunho para a igreja. Jesus estava permitindo que Pedro passasse por uma provação para que ele pudesse encorajar seus irmãos. Talvez Deus esteja fazendo o mesmo com você. Deus sabe que a igreja precisa de testemunhos vivos do seu poder. Sua dificuldade, sua doença, seu conflito estão preparando você para que seja uma voz de encorajamento para seus irmãos. Tudo de que você precisa é lembrar destas palavras:

> Não sobreveio a vocês tentação que não fosse comum aos homens. E Deus é fiel; ele não permitirá que vocês sejam tentados além do que podem suportar. Mas, quando forem tentados, ele mesmo lhes providenciará um escape, para que o possam suportar.
> (1 Coríntios 10:13)

> Vocês planejaram o mal contra mim, mas Deus o tornou em bem.
> (Gênesis 50:20)

CAPÍTULO 5

O GOSTO AMARGO DA VINGANÇA

Justiça ou vingança? É a justiça que exige que aqueles que fazem o mal contra nossa sociedade devam ser punidos por esta mesma sociedade. Mas justiça é muito diferente de vingança. Vingança é uma questão de coração. A vingança diz: "Espere. Vou pegar você!"

Quando somos magoados ou ofendidos, não demora muito para que nos vejamos querendo acertar as contas com aqueles que estão em dívida conosco.

Não há alguém que lhe deva algo? Uma desculpa? Uma segunda chance? Um novo começo? Uma explicação? Um agradecimento? Uma infância? Um casamento? Pare e pense nisso (o que não o incentivo a fazer por muito tempo), e você poderá fazer uma lista de muita gente que está em dívida para com você. Seus pais deveriam ter sido mais protetores. Seus filhos deveriam ter sido mais gratos. Seu cônjuge deveria ser mais sensível. Seu pastor deveria ter sido mais atencioso.

O que você vai fazer com os que estão em dívida com você? As pessoas de seu passado meteram as mãos no seu bolso e levaram o que era seu. O que você vai fazer? Poucas perguntas são mais importantes; lidar com a dívida é algo que está na essência de sua felicidade.

Jesus disse: "Pois se perdoarem as ofensas uns dos outros, o Pai celestial também lhes perdoará. Mas se não perdoarem uns aos outros, o Pai celestial não lhes perdoará as ofensas" (Mateus 6:14,15).

Jesus não questiona a realidade de suas feridas. Ele não duvida que tenham pecado contra você. A questão não é a existência da dor; a questão é o tratamento da dor. O que você vai fazer com suas dívidas?

O escritor Dale Carnegie fala sobre uma visita ao Yellowstone Park em que viu um urso pardo. O grande animal estava no centro de uma clareira, alimentando-se de coisas que eram deixadas no campo. Por vários minutos, ele se regalou sozinho; nenhuma criatura ousava se aproximar. Alguns minutos depois, um gambá atravessou a campina em direção à comida e se acomodou ao seu lado. O urso não protestou, e Carnegie soube por quê. "O urso pardo", disse ele, "sabia como era alto o preço de se vingar".[1]

Seríamos inteligentes se aprendêssemos a fazer o mesmo. Ajustar contas é algo que custa caro.

Para começar, você paga um preço que envolve seu relacionamento com outras pessoas.

Você já percebeu nos filmes de faroeste como o caça-recompensas viaja sozinho? Não é difícil entender por que isso acontece. Quem quer andar com um sujeito que ajusta contas para ganhar a vida? Quem quer se arriscar a tê-lo como inimigo? Mais de uma vez, ouvi um homem despejar a sua raiva. Ele achava que eu estava ouvindo, quando, na verdade, eu estava pensando: *Espero nunca fazer parte de sua lista*. Que tipos briguentos esses caça-recompensas! Melhor deixá-los sozinhos. Ande com gente irritada e você poderá ser atingido por uma bala perdida. Acertar dívidas é uma ocupação solitária. É também uma ocupação prejudicial à saúde.

Você paga um preço alto fisicamente.

A Bíblia coloca ainda mais claramente esta questão: "O ressentimento mata o insensato" (Jó 5:2).

Isso me faz lembrar de uma velha conversa de Amos e Andy. Amos pergunta o que é aquela garrafinha que Andy está usando em volta do pescoço.

— Nitroglicerina — ele responde.

Espantado por ver que Andy estava usando um colar de nitroglicerina, Amos pede uma explicação. Andy fala sobre um colega que tinha o péssimo hábito de bater no peito das pessoas enquanto estava falando.

— Isso me deixa louco — diz Andy. — Estou usando essa nitroglicerina porque, da próxima vez em que ele me bater, vou explodir seu dedo.

Andy não é o primeiro a se esquecer que, ao tentar se vingar, você se machuca. Jó estava certo quando disse: "Você, que se dilacera de ira!" (Jó 18:4). Você já percebeu que descrevemos as pessoas que nos aborrecem como pessoas que "enchem a paciência"? A que paciência estamos nos referindo? Com certeza, não a delas. Somos nós que sofremos.

Se estiver interessado em ajustar contas, você nunca descansará. Como isso se dá? Para começar, seu inimigo talvez nunca chegue a pagar o que deve. Por mais que você pense que mereça uma desculpa, pode ser que quem lhe deve desculpa não concorde com tal avaliação. O racista talvez nunca se arrependa. O chauvinista talvez nunca mude. Por mais que você tenha argumentos em sua busca por vingança, talvez essa justiça nunca lhe dê nada. E, se você ganhar algo, isso lhe bastará?

Pensemos, de fato, nisso. Até onde a justiça é suficiente? Imagine seu inimigo por um instante. Imagine-o amarrado a uma coluna para ser chicoteado. O homem de braços fortes que está com o chicote se vira para você e pergunta: "Quantas chicotadas?" E você dá um número. O chicote bate, o sangue se espalha e o castigo é infligido. Seu inimigo cai ao chão e você vai embora.

Você está feliz agora? Sente-se melhor? Está em paz? Talvez por um tempo sim; mas logo outra lembrança virá à tona e outra chicotada será necessária. Quando tudo isso termina?

Isso pára quando você leva a sério as palavras de Jesus: "Pois se perdoarem as ofensas uns dos outros, o Pai celestial também lhes perdoará. Mas se não perdoarem uns aos outros, o Pai celestial não lhes perdoará as ofensas" (Mateus 6:14,15).

"Trata-me como trato o meu próximo." Você está ciente de que é isso que está dizendo para o seu Pai? "Dá-me o que dou a ele. Concede-me a mesma paz que concedo aos outros. Deixa-me desfrutar da mesma tolerância que ofereço." Deus irá tratá-lo como você trata os outros.

Você gostaria de ter paz? Então, pare de infernizar o seu próximo. Quer desfrutar da generosidade de Deus? Então deixe que os outros desfrutem da sua. Gostaria de ter convicção de que Deus o perdoa? Acho que você sabe o que precisa fazer.

CAPÍTULO 6

NO SILÊNCIO, DEUS FALA

Quando estamos magoados, às vezes encontramos a cura falando sobre essa mágoa — com um amigo, com um conselheiro, com Deus. Mas, por fim, chega o momento de parar de falar e começar a ouvir.

Há vezes em que falar é violar o momento... Nesses casos, o silêncio representa o maior respeito. O termo que mais bem define instantes como esses é *reverência*.

Essa foi uma lição que Jó, — o homem na Bíblia mais tocado pela tragédia e pelo desespero — aprendeu. Se Jó tinha um defeito, seu defeito era a língua. Ele falava demais.

Não que alguém pudesse culpá-lo; a calamidade lançou-se sobre o homem como uma leoa sobre um bando de gazelas, e, quando o alvoroço passou, mal havia restado uma parede em pé ou um ente querido com vida. Os inimigos mataram o gado de Jó, e relâmpagos destruíram suas ovelhas. Ventos fortes deixaram sob os escombros seus filhos que faziam festa.

Jó sabia como era perder aqueles a quem amava quando a casa veio abaixo.

Jó nem teve tempo de enterrar seus filhos antes de ver a lepra em suas mãos e as terríveis feridas em sua pele. Sua esposa, ainda que muito compassiva, lhe disse: "Amaldiçoe a Deus, e morra". Seus quatro amigos se aproximaram de seu leito como sargentos instrutores, dizendo-lhe que Deus é justo e que a dor é conseqüência do pecado, e que, tão certo quanto dois mais dois são quatro, Jó devia ter algum antecedente criminal em seu passado para sofrer assim.

Cada um tinha sua própria interpretação de Deus, e cada um falava em alto e bom som sobre quem é Deus e por que Deus fizera aquilo tudo. Eles não foram os únicos a falar sobre Deus. Quando os acusadores de Jó pararam, Jó deu sua resposta. De um lado para o outro eles andavam...

> Jó abriu a boca... (3:1)
>
> Então respondeu Elifaz, de Temã... (4:1)
>
> Então Jó respondeu... (6:1)
>
> Então Bildade, de Suá, respondeu... (8:1)
>
> Então Jó respondeu... (9:1)
>
> Então Zofar, de Naamate, respondeu... (11:1)

Este pingue-pongue verbal se estende por 23 capítulos. Por fim, Jó fica cheio dessas "respostas". Chega de conversa fiada em grupo! É hora de fazer um discurso importante. Ele segura o microfone com uma mão e o púlpito com a outra, e começa. Por seis capítulos, Jó dá suas opiniões sobre Deus. Desta vez, o capítulo começa com: "E Jó prosseguiu", "E Jó prosseguiu", "E Jó prosseguiu". Ele define Deus, explica Deus e examina Deus. Tem-se a impressão de que Jó sabe mais sobre Deus do que o próprio Deus!

Chegamos ao capítulo 37 do livro antes de Deus limpar a garganta para falar. O capítulo 38 começa com estas palavras: "Então o SENHOR respondeu a Jó".

Se a sua Bíblia for igual à minha, há um erro nesse versículo. As palavras estão perfeitas, mas o tamanho da fonte está errado. As palavras deveriam ser assim:

ENTÃO O SENHOR RESPONDEU A JÓ!

Deus fala. Rostos se voltam para o céu. Ventos inclinam as árvores. Os vizinhos se lançam nos abrigos para tempestades. Gatos sobem correndo nas árvores e cachorros se enfiam no meio das moitas. "Está ventando, querido. Melhor tirar os lençóis do varal." Deus não precisou abrir mais a sua boca para que Jó soubesse que deveria manter a sua fechada.

> Vou fazer-lhe perguntas,
> e você me responderá.
> "Onde você estava quando lancei os alicerces da terra?
> Responda-me, se é que você sabe tanto.
> Quem marcou os limites das suas dimensões?
> Talvez você saiba!
> E quem estendeu sobre ela a linha de medir?
> E os seus fundamentos, sobre o que foram postos?
> E quem colocou sua pedra de esquina,
> enquanto as estrelas matutinas juntas cantavam
> e todos os anjos se regozijavam?"
> (38:3-7)

Deus inunda o céu de perguntas e Jó não pode deixar de fazer outra coisa senão entender: somente Deus define Deus. Você precisa conhecer o alfabeto antes de poder ler; e Deus diz para Jó: "Você nem conhece o ABC do céu, muito menos todo o vocabulário". Pela primeira vez, Jó fica quieto. Silenciado pela enxurrada de perguntas.

> Você já foi até as nascentes do mar,
> já passeou pelas obscuras profundezas do abismo?
> Acaso você entrou nos reservatórios de neve,
> já viu os depósitos de saraiva?
> É você que dá força ao cavalo
> ou veste o seu pescoço com sua crina tremulante?
> Você o faz saltar como gafanhoto?
> É graças à inteligência que você tem que o falcão alça vôo
> e estende as asas rumo ao sul?
> (38:16, 22; 39:19,20, 26)

Jó mal tem tempo para balançar a cabeça em resposta a uma pergunta antes de outra lhe ser feita. A implicação do Pai é clara: "Assim que você for capaz de lidar com estas simples questões relacionadas a armazenar estrelas e esticar o pescoço do avestruz, teremos uma conversa sobre dor e sofrimento. Mas, até lá, não precisamos de seus comentários".

Jó entendeu a mensagem? Acho que sim. Ouça a resposta de Jó:

> Sou indigno; como posso responder-te? Ponho a mão sobre a minha boca.
> (40:4)

Observe a mudança. Antes de ouvir Deus, Jó não conseguia falar o suficiente. Depois de ouvir Deus, ele não conseguia falar nada.

O silêncio era a única resposta adequada. Houve um tempo na vida de Thomas Kempis em que ele, também, cobriu sua boca. Ele havia escrito muita coisa sobre o caráter de Deus. Mas, um dia, Deus o confrontou com tamanha graça santa que, daquele momento em diante, todas as palavras de Kempis "passaram a parecer palha". Ele deixou de lado a caneta e nunca mais escreveu outra linha. Ele pôs a mão sobre sua boca.

O termo usado para tais momentos é *reverência.*

Jesus ensinou-nos a orar com reverência ao exemplificar para nós o "Santificado seja o teu nome". Essa frase é uma petição, não uma declaração. Um pedido, não um anúncio. "Sê santificado, Senhor. Faze o que for preciso para ser santo em minha vida. Ocupa o teu legítimo lugar no trono. Exalta-te. Engrandece-te. Glorifica-te. Sê Senhor, e eu ficarei em silêncio."

A palavra *santificado* vem da palavra *santo*, e a palavra *santo* significa "separar". A origem da palavra pode ser remontada a uma palavra antiga que significa "cortar". Ser santo, então, é estar acima da norma, ser superior, ser extraordinário. O Santo habita um nível diferente daquele em que o restante de nós vive. O que nos assusta não o assusta. O que nos preocupa não o preocupa.

Sou mais um apreciador da terra firme do que um marinheiro, mas já andei de barco o suficiente para saber qual é o segredo para encontrar terra em meio a uma tempestade... Você não mira outro barco; é claro que não fita as ondas; tem em perspectiva um objeto não afetado pelo vento — uma luz na praia — e vai em direção a ela. A luz não é afetada pela tempestade.

Ao buscar Deus, você faz o mesmo. Quando você tem em perspectiva o nosso Deus, se concentra naquele que vence qualquer tempestade que a vida pode trazer.

Como Jó, você encontra paz na dor.

Como Jó, você cobre sua boca e fica quieto.

"Parem de lutar! Saibam que eu sou Deus!" (Salmo 46:10). Esse versículo contém um mandamento com uma promessa.

Qual o mandamento? *Parem de lutar. Cubram a boca. Dobrem os joelhos.*

Qual a promessa? *Vocês saberão que eu sou Deus.*

O barco da fé viaja em águas tranqüilas. A crença anda nas asas da espera.

Em meio às suas tempestades diárias, e nesta tempestade que assolou nosso país e até o mundo inteiro, faça questão de ficar quieto e de ter Deus em perspectiva. Deixe que Deus seja Deus. Deixe que ele o banhe em sua glória para que tanto seu fôlego como seus problemas sejam absorvidos de sua alma. Fique quieto. Fique em silêncio. Esteja aberto e disposto. Reserve um momento para ficar quieto e saber que ele é Deus.

CAPÍTULO 7

NA TEMPESTADE, ORAMOS

Quando acontecem desastres, o espírito humano responde estendendo a mão para ajudar aqueles que são afetados. As pessoas ficam em filas para doar sangue. Milhões de dólares são doados para ajudar vítimas e suas famílias. Equipes de resgate trabalham por horas intermináveis. Mas o esforço mais essencial é realizado por outra equipe valente. Sua tarefa? Guardar e envolver o mundo com oração. Aqueles que oram mantêm vivas as fogueiras da fé. Na maioria dos casos, nem sabemos seus nomes. Foi o que aconteceu com uma pessoa que orou em um certo dia, há muito tempo.

Seu nome não é importante. Seu aspecto é imaterial. Seu sexo não vem ao caso. Seu título é irrelevante. Essa pessoa é importante não por conta de quem foi, mas sim pelo que fez.

Ela foi até Jesus em nome de um amigo. Seu amigo estava doente, e Jesus poderia ajudar. Era preciso que alguém fosse até Jesus, por isso esse alguém foi. Outros se preocupavam com o homem doente em outros sentidos. Alguns levavam comida, outros ofereciam tratamento; outros ainda consolavam a família. Cada papel foi importante. Cada pessoa foi útil, mas ninguém foi mais vital do que aquele que foi até Jesus.

João escreve: "Então as irmãs de Lázaro mandaram *[alguém]* dizer a Jesus: 'Senhor, aquele a quem amas está doente'" (João 11:3, ênfase minha).

Alguém levou o pedido. Alguém percorreu o caminho. Alguém foi até Jesus em nome de Lázaro. E, uma vez que alguém foi até ele, Jesus respondeu.

Na economia do céu, as orações dos santos são itens valiosos. O apóstolo João concordaria. Ele escreveu a história de Lázaro e foi cuidadoso ao mostrar a seqüência: a cura começou quando o pedido foi feito.

Vale notar a frase que o amigo de Lázaro usou. Ao falar para Jesus sobre a doença, ele disse: "Senhor, aquele a quem amas está doente". Ele não baseou seu apelo no amor imperfeito de quem estava necessitado, mas no amor perfeito do Salvador. Ele não disse: "Aquele *que o ama* está doente". Ele disse: "Aquele *a quem amas* está doente". O poder da oração, em outras palavras, não depende daquele que faz a oração, mas daquele que a escuta.

Podemos e devemos repetir a frase de diversas formas. "Aquele a quem amas está cansado, triste, com fome, sozinho, com medo, deprimido". As palavras da oração variam, mas a resposta nunca muda. O Salvador ouve a oração. Ele silencia o céu para não perder uma palavra. Ele ouve a oração. Você se lembra da frase do Evangelho de João? "Ao *ouvir* isso, Jesus disse: 'Essa doença não acabará em morte'" (João 11:4, ênfase minha).

O Mestre ouviu o pedido. Jesus parou tudo o que estava fazendo e prestou atenção nas palavras do homem. Esse mensageiro anônimo foi ouvido por Deus.

Você e eu vivemos em um mundo barulhento. Conseguir a atenção de alguém não é uma tarefa fácil. A pessoa deve estar disposta a pôr tudo de lado para ouvir: abaixar o rádio, afastar-se do monitor, dobrar a beira da página e deixar o livro de lado. Quando alguém está disposto a silenciar qualquer outra coisa para poder nos ouvir claramente, isso é um privilégio. Na verdade, um raro privilégio.

Por isso, a mensagem de João é importante. Você pode conversar com Deus porque ele ouve. Sua voz é importante no céu. Ele o leva muito a sério. Quando você está na presença de Deus, os servos se viram para você para ouvir sua voz. Você não precisa ter medo de ser ignorado. Ainda que você gagueje ou tropece, ainda que o que tenha a dizer não impressione ninguém, Deus irá se impressionar — ele vai ouvir. Ele ouve a súplica aflita dos idosos na casa de repouso; ouve a confissão brusca de um prisioneiro no corredor da morte. Quando os alcoólatras pedem misericórdia, quando o cônjuge procura direção, quando o empresário sai da rua e entra na capela, Deus ouve.

Com atenção. Com cuidado. As orações são estimadas como jóias preciosas. Purificadas e capacitadas, as palavras sobem em uma deliciosa fragrância até o nosso Senhor. "Da mão do anjo subiu diante de Deus a fumaça do incenso" (Apocalipse 8:4). Incrível. Suas palavras não param até que cheguem ao trono de Deus.

Basta um chamado e a esquadrilha do céu aparece. Sua oração na terra aciona o poder de Deus no céu.

Você é este alguém no reino de Deus. Suas orações levam Deus a transformar o mundo. Você talvez não entenda o mistério da oração — não precisa entendê-lo. Mas tudo isso está claro: as ações no céu começam quando alguém ora na terra. Que pensamento maravilhoso!

Quando você fala, Jesus ouve.

E quando Jesus ouve, o mundo é transformado.

Tudo porque alguém orou.

CAPÍTULO 8

PELA PERSPECTIVA DE DEUS

Não gostamos de dizer adeus a quem amamos. Mas temos de fazê-lo. Por mais que tentemos evitá-lo, por mais relutantes que estejamos para discutir a questão, a morte é uma parte muito real da vida. No final, todos nós devemos soltar a mão dos que amamos, deixando-os nas mãos daquele que não vimos.

Você consegue se lembrar da primeira vez em que a morte o forçou a dizer adeus? A maioria de nós consegue. Eu consigo. Quando eu estava na terceira série, cheguei da escola, um dia, surpreso ao ver o caminhão de meu pai na entrada de casa. Eu o encontrei em seu banheiro, fazendo a barba.

— Seu tio Buck faleceu hoje — ele disse. A notícia fez com que eu me sentisse triste. Eu gostava do meu tio. Eu não o conhecia bem, mas gostava dele. O acontecimento também me deixou curioso.

No funeral, ouvi palavras do tipo *partiu, passou dessa para melhor, se foi.* Esses eram termos estranhos. Eu me perguntava: *Partiu para onde? Passou dessa para quê? Foi-se por muito tempo?*

Sem dúvida, descobri desde então que não sou o único que tem perguntas sobre a morte. Ouça qualquer discussão sobre a volta de Cristo e alguém perguntará: "Mas e aqueles que já morreram? O que acontece com os cristãos entre a sua morte e a volta de Jesus?".

Ao que parece, a igreja em Tessalônica fez a mesma pergunta. Veja as palavras do apóstolo Paulo para ela em 1 Tessalonicenses: "Irmãos, não queremos que vocês sejam ignorantes quanto aos que dormem, para que não se entristeçam como os outros que não têm esperança" (4:13).

A igreja em Tessalônica já havia enterrado sua parcela de entes queridos. E o apóstolo queria que os membros que restaram estivessem em paz com relação àqueles que se foram. Muitos de vocês já enterraram entes queridos também. E assim como Deus falou com eles, ele fala com vocês.

Se, neste ano, você comemorar o aniversário de casamento sozinho, Deus falará com você.

Se seu filho foi para o céu antes de ir para o jardim de infância, Deus falará com você.

Se você perdeu um ente querido, vítima da violência, se aprendeu mais do que gostaria de saber sobre uma doença, se seus sonhos foram enterrados enquanto o caixão descia à terra, Deus falará com você.

Ele fala com todos nós que ficamos ou ficaremos em pé na terra fofa ao lado de um túmulo aberto. E, para nós, ele dá esta palavra de confiança: "Não queremos que vocês sejam ignorantes quanto aos que dormem, para que não se entristeçam como os outros que não têm esperança. Se cremos que Jesus morreu e ressurgiu, cremos também que Deus trará, mediante Jesus e com ele, aqueles que nele dormiram" (1 Tessalonicenses 4:13,14).

Deus transforma nosso sofrimento desesperado em um sofrimento cheio de esperança. Como? Dizendo que veremos nossos entes queridos novamente.

Não é nisso que queremos acreditar? Desejamos saber que nossos entes queridos estão seguros com a morte. Desejamos a certeza restabelecida de que a alma vai imediatamente ficar com Deus. Mas temos coragem de acreditar nisso? Podemos acreditar nisso? Segundo a Bíblia, podemos.

A Bíblia, surpreendentemente, é reservada com relação a esta fase de nossa vida. Ao falar sobre o período entre a morte e a ressurreição do corpo, a Bíblia não grita; ela apenas sussurra. Mas, na confluência desses sussurros, ouve-se uma voz firme. Essa voz autoritária assegura-nos que, na morte, o cristão imediatamente entra na presença de Deus e desfruta de uma comunhão consciente com o Pai e com aqueles que foram antes dele.

De onde tiro estas idéias? Veja alguns dos sussurros:

> Porque para mim o viver é Cristo e o morrer é lucro. Caso continue vivendo no corpo, terei fruto do meu trabalho. E já não sei o que escolher! Estou pressionado dos dois lados: desejo partir e estar com Cristo, o que é muito melhor. (Filipenses 1:21-23)

A linguagem aqui sugere uma partida imediata da alma após a morte. Os detalhes gramaticais são um pouco entediantes, mas levaram um estudioso a sugerir: "O que Paulo está dizendo aqui é que, no momento em que ele parte ou morre, nesse momento ele está com o Cristo".[1]

Outra dica vem da carta que Paulo escreveu aos coríntios. Talvez você já tenha ouvido a frase "estar ausentes do corpo e habitar com o Senhor". Paulo usou-a pela primeira vez em 2 Coríntios 5:8: "Preferimos estar ausentes do corpo e habitar com o Senhor".

Não gostamos de dizer adeus àqueles a quem amamos. Mas, se o que a Bíblia diz sobre o céu for verdade — e eu creio que seja — então a oração final, a última oração respondida, é o céu.

É justo que choremos, mas não há necessidade de nos desesperarmos. Eles tiveram dor aqui; não têm dor lá. Eles lutaram aqui, não têm lutas lá. Você e eu talvez estejamos curiosos para saber por que Deus os levou para casa; mas eles não estão. Eles entendem. Estão, neste momento, em paz na presença de Deus.

FAZE-O NOVAMENTE, SENHOR

Uma oração para os momentos de aflição

QUERIDO SENHOR,

A nossa esperança ainda é a de despertarmos. A nossa esperança ainda é a de abrirmos os olhos sonolentos e pensarmos: *Que sonho horrível. Como isso pôde ter acontecido?*

Estamos tristes, Pai.

E por isso nos achegamos a ti. Não pedimos ajuda a ti; nós a suplicamos. Não pedimos; imploramos. Sabemos o que tu podes fazer. Lemos as histórias. Refletimos nas histórias e agora suplicamos: "Faze-o novamente, Senhor. Faze-o novamente".

Tu te lembras de José? Tu o resgataste do poço. Tu podes fazer o mesmo por nós. Faze-o novamente, Senhor.

Tu te lembras dos hebreus no Egito? Tu protegeste seus filhos contra o anjo da morte. Temos filhos também, Senhor. Faze-o novamente.

E Sara? Tu te lembras de suas orações? Tu as ouviste. Josué? Tu te lembras de seus medos? Tu o inspiraste. E as mulheres no túmulo? Tu ressuscitaste sua esperança. As dúvidas de Tomé? Tu as levaste embora. Faze-o novamente, Senhor. Faze-o novamente.

De cativo, tu transformaste Daniel em um conselheiro do rei. Tomaste Pedro, o pescador, e o fizeste Pedro, o apóstolo. Por causa de ti, Davi deixou de conduzir ovelhas para conduzir exércitos. Faze-o novamente, Senhor, pois precisamos de conselheiros hoje; precisamos de apóstolos; precisamos de líderes. Faze-o novamente, querido Senhor.

Sobretudo, faze novamente o que fizeste no Calvário. O que vimos nesta tragédia, tu viste ali naquela sexta-feira. A inocência acabou. Deus estava sofrendo. Mães estavam chorando. O mal estava dançando. Assim como as sombras caíram sobre nossos filhos, a escuridão caiu sobre o teu Filho. Assim como nosso mundo se despedaçou, o filho da Eternidade foi traspassado.

E, ao anoitecer, a canção mais doce do céu foi o silêncio, enterrado atrás de uma pedra.

Mas tu não hesitaste, ó Senhor. Tu não hesitaste. Depois de seu Filho permanecer por três dias em um buraco escuro, tu rolaste a pedra, bradaste na terra e transformaste a sexta-feira mais escura no domingo mais brilhante. Faze-o novamente, Senhor. Transforma este Calvário em Páscoa.

Obrigado por estas horas de oração.

Que a tua misericórdia seja sobre todos os que sofrem. Concede àqueles que nos conduzem uma sabedoria que vá além de seus anos e experiência. Tem misericórdia das almas que partiram e dos feridos que ficaram. Dá-nos graça para que possamos perdoar e fé para que possamos crer.

E olha com bondade para a tua igreja. Por dois mil anos tu a tens usado para curar um mundo ferido.

Faze-o novamente, Senhor. Faze-o novamente.

Por meio de Cristo, amém.[1]

NOTAS

Capítulo 4: *O bem triunfa*

1. LUTZER, Erwin. *A serpente do paraíso*. Vida, 2ª ed., São Paulo, 1998, 102.
2. Ibid., 111.

Capítulo 5: *O gosto amargo da vingança*

1. MacARTHUR, John. *The Pardon of Prayer*, fita de áudio. Panorama City, Calif.: Word of Grace, 1980.

Capítulo 8: *Pela perspectiva de Deus*

1. HOEKEMA, Anthony. *A Bíblia e o futuro*. Cultura Cristã, São Paulo, 1989, 104.

Faze-o novamente, Senhor: *Uma oração para os momentos de aflição*

1. Adaptado de uma oração escrita para a America Prays, uma vigília de oração pelo país em 15 de setembro de 2001.

MAX LUCADO

AUTOR COM MAIS DE **50 MILHÕES DE EXEMPLARES** VENDIDOS

3:16

O TEXTO DA ESPERANÇA

THOMAS NELSON BRASIL

Com um orgulho tão profundo e poderoso quanto a Corrente do Golfo, Denalyn e eu dedicamos este livro à nossa filha, Sara, em seu décimo oitavo aniversário. Se sentir a metade da alegria que nos tem dado, você brilhará por toda a sua vida.

Amamos você.

Sumário

Agradecimentos 269

CAPÍTULO 1 271
A conversa mais famosa da Bíblia

CAPÍTULO 2 279
NINGUÉM GOSTA DELE
"Porque Deus amou o mundo de tal maneira..."

CAPÍTULO 3 287
ESPERANÇA PARA O CORAÇÃO DE PEDRA
"Porque Deus amou o mundo de tal maneira..."

CAPÍTULO 4 293
QUANDO VOCÊ LEVA UM CHUTE
"Porque Deus amou o mundo de tal maneira..."

CAPÍTULO 5 301
O UNIGÊNITO
"...deu o seu Filho unigênito..."

CAPÍTULO 6 309
O coração que ele oferece
"...deu o seu Filho unigênito..."

CAPÍTULO 7 317
A política do céu que consiste no "todo aquele que"
"...todo aquele que nele crê não pereça..."

CAPÍTULO 8 325
Creia e receba
"...todo aquele que nele crê não pereça..."

CAPÍTULO 9 331
O domínio gracioso de Deus
"...todo aquele que nele crê não pereça..."

CAPÍTULO 10 339
A maior surpresa do inferno
"...todo aquele que nele crê não pereça..."

CAPÍTULO 11 349
O que faz do céu um lugar celestial
"...não pereça, mas tenha a vida eterna"

CAPÍTULO 12 357
Uma última palavra sobre vida
"...não pereça, mas tenha a vida eterna"

Conclusão 367
A vida baseada em João 3:16

Notas 371

Agradecimentos

POSSO AGRADECER A ALGUMAS PESSOAS QUE AJUDARAM A FAZER COM QUE este livro fosse uma coisa só?

Liz Heaney e Karen Hill foram, como sempre, editoras competentes: igualmente habilidosas com lâminas cirúrgicas e bálsamos relaxantes.

Steve e Cheryl Green pastorearam incansavelmente estas idéias e supervisionaram o processo agitado de publicação.

Carol "Cão de Caça" Bartley não deixou nenhum erro passar sem ser corrigido.

Susan e Greg Ligon e toda a equipe da Thomas Nelson foram um "Forte Knox" da criatividade.

Dave Drury contribuiu com inúmeras idéias e sugestões úteis.

Davi Treat ofereceu horas de intercessões atendidas pelo céu.

A equipe da UpWords facilitou a vida de todos nós.

A Oak Hills Church há duas décadas suporta meus ensinos e perdoa minhas falhas. Sou grato a cada um de vocês.

Jenna, Andrea e Sara. Que pai merece filhas tão maravilhosas? (Voltem para o ninho sempre que quiserem).

Denalyn, estou confuso. Pensei que nossa lua-de-mel fosse para durar dez dias. Meu Deus! Já se passaram vinte e cinco anos, e ainda estamos comemorando! Você fez reserva para esta viagem?

E uma oração final ao Doador de todas as palavras. Um obrigado eterno, querido Rei. Você convenceria aqueles que lêem este livro de que o melhor da vida ainda está por vir?

1

A conversa mais famosa da Bíblia

Ele está esperando pelas sombras. A escuridão dará o abrigo que ele deseja. Por isso, ele espera a segurança do anoitecer. Senta-se perto da janela do segundo andar de sua casa, tomando um chá de folhas de oliveira, vendo o pôr-do-sol, esperando o momento propício. Jerusalém é fascinante nesta hora. A luz do sol desaparecendo, tinge as ruas de pedra, dá um tom dourado às casas brancas e realça o templo que lembra um bloco.

Nicodemos passa os olhos nos telhados de ardósia na enorme praça: brilhantes e resplandecentes. Ele andou pelo pátio da praça nesta manhã. Fará a mesma coisa de novo, amanhã. Ele irá se reunir com os líderes religiosos e fazer o que líderes religiosos fazem: discutir sobre Deus. Discutir sobre como alcançar Deus, agradar a Deus, satisfazer a Deus.

Deus.

Os fariseus conversam sobre Deus. E Nicodemos senta-se entre eles. Debatendo. Ponderando. Solucionando enigmas. Resolvendo dilemas. *Amarrando sandálias no sábado. Alimentando pessoas que não trabalham. Divorciando-se de sua esposa. Desonrando os pais.*

O que Deus diz? Nicodemos precisa saber. É seu trabalho. Ele é um homem santo e lidera homens santos. Seu nome aparece no grupo de elite dos estudiosos da Torá. Ele dedicou sua vida à lei e ocupa um dos setenta e um assentos da suprema corte da Judéia. Tem credenciais, influência e perguntas.

Perguntas para este galileu que pára multidões. Este mestre lá do fim do mundo que não tem diplomas, mas atrai pessoas. Que tem tempo de sobra para um *happy hour* com a multidão, mas pouco tempo para os sacerdotes e a casta seleta de santos. Expulsa demônios, dizem alguns; perdoa pecados, alegam outros; que limpa templos, Nicodemos não tem dúvida. Ele viu Jesus purificar o pórtico de Salomão.[1] Viu a fúria. Açoite trançado, pombas voando. "Ninguém encherá os bolsos em minha casa", explodiu Jesus. Assim que a poeira baixou e as coisas se acalmaram, sacerdotes em um empurra-empurra correram para investigar o passado de Jesus. O homem de Nazaré não foi elogiado no templo naquele dia.

Por isso, Nicodemos apareceu à noite. Seus colegas não podem saber do encontro. Não entenderiam. Mas Nicodemos não pode esperar até que entendam. Quando as sombras escurecem a cidade, ele sai e passa despercebido pelas sinuosas ruas de pedras. Passa pelos escravos que estão acendendo lâmpadas nos pátios e pega um caminho que acaba na porta de uma casa simples. Jesus e seus seguidores estão aqui, disseram para ele. Nicodemos bate na porta.

A sala barulhenta fica em silêncio quando ele entra. São homens do mar e coletores de impostos, não acostumados com o mundo intelectual de um estudioso. Eles se agitam onde estão sentados. Jesus faz um sinal para que o convidado se sente. Nicodemos obedece e começa a conversa mais famosa da Bíblia: "Rabi, bem sabemos que és mestre vindo de Deus, porque ninguém pode fazer estes sinais que tu fazes, se Deus não for com ele" (João 3:2).

Nicodemos começa com o que ele "sabe". *Eu me preparei*, sugere ele. *Sua obra me impressiona.*

Ouvimos um cumprimento parecido da parte de Jesus: "E eu ouvi falar de você, Nicodemos." Nós esperamos, e Nicodemos também esperava, um bate-papo amigável.

Ninguém se manifesta. Jesus não faz menção à posição importante, às boas intenções ou às credenciais acadêmicas de Nicodemos, não porque não existam, mas porque, no algoritmo de Jesus, elas não têm importância. Ele simplesmente faz esta declaração: "Aquele que não nascer de novo não pode ver o Reino de Deus" (v. 3).

Repare a divisão continental das Escrituras, a linha internacional de data da fé. Nicodemos está de um lado, Jesus do outro, e Cristo não faz rodeios acerca das diferenças entre eles.

Nicodemos mora em uma terra de bons resultados, tem gestos sinceros e trabalho árduo. Dê o melhor para Deus, diz sua filosofia, e Deus fará o resto.

A resposta de Jesus? O melhor que você tem não serve para nada. Suas obras não funcionam. Seus melhores resultados não significam nada. Se você não nascer de novo, nem poderá ver o que Deus é capaz de fazer.

Nicodemos hesita em nome de todos nós. Nascer de novo? "Como pode um homem nascer, sendo velho?" (v. 4). Você está brincando. Fazer a vida voltar para trás? Voltar a fita? Começar tudo de novo? Não podemos nascer de novo.

Ah, mas será que não gostaríamos? Refazer. Tentar de novo. Recarregar. Corações partidos e oportunidades perdidas aparecem em nosso rastro. Uma *canja* seria legal. Quem não gostaria de uma segunda chance? Mas quem pode consegui-la? Nicodemos coça o queixo e dá uma risadinha disfarçada. "É... um sujeito com barba grisalha como eu tem uma boa lembrança da ala da maternidade."

Jesus não abre um sorriso. "Em verdade, em verdade te digo: quem não nascer da água e do Espírito não pode entrar no Reino de Deus" (v. 5). Neste momento, uma rajada de vento faz algumas folhas passarem pela porta ainda aberta. Jesus pega uma folha do chão e a segura. O poder de Deus funciona como esse vento, explica Jesus. Os corações recém-nascidos nascem do céu. Você não pode desejar, ganhar ou criar um. O novo nascimento? Inconcebível. É Deus quem cuida da tarefa, do começo ao fim.

Nicodemos olha ao redor da sala para os seguidores de Jesus. A expressão vaga no rosto deles revela o mesmo espanto.

O velho Nico não tem um cabide no qual possa pendurar esses pensamentos. Ele fala de consertar-se a si mesmo. Mas Jesus fala — na verdade, apresenta — uma linguagem diferente. Não de obras que nasceram de homens e mulheres, mas de uma obra realizada por Deus.

Nascer de novo. Nascimento, por definição, é um ato passivo. A criança no ventre em nada contribui para o parto. As comemorações após o parto aplaudem o trabalho da mãe. Ninguém trata a criança como uma celebridade ("Bom trabalho, pequenino!"). Dão à criancinha uma chupeta e não uma medalha. A mãe merece o ouro. É ela que faz o esforço. Ela faz força, sofre dores e dá à luz.

Quando minha sobrinha deu à luz seu primeiro filho, ela convidou o irmão e a mãe para ficarem na sala de parto. Depois de testemunhar três horas de esforço físico, quando o bebê finalmente apareceu, meu sobrinho virou-se para a mãe e disse: "Desculpe todas as vezes que respondi mal para você."

A mãe paga o preço do nascimento. Ela não procura a ajuda da criança nem pede seu conselho. Por que faria isso? O bebê nem pode respirar sem a ajuda do cordão umbilical, muito menos percorrer um caminho em direção à nova vida. Tampouco nós, Jesus está dizendo. O renascimento espiritual requer um pai ou uma mãe, e não uma criança capaz.

Quem é esse pai ou essa mãe? Examine a expressão estrategicamente selecionada — *de novo*. A língua grega oferece duas opções para *de novo*.[2]

1. *Palin*, que significa a repetição de um ato; refazer o que foi feito antes.[3]
2. *Anothen*, que também descreve um ato repetido, mas exige que a fonte original o repita. Significa "do alto, de um lugar mais alto, coisas que vêm do céu ou de Deus".[4] Em outras palavras, aquele que fez o trabalho da primeira vez o faz novamente. Esta é a palavra que Jesus escolheu.

A diferença entre os dois termos é a diferença entre uma pintura de Leonardo da Vinci e uma feita por mim. Suponha que você e eu estejamos no museu do Louvre, admirando a *Mona Lisa*. Inspirado pela obra, eu pego um cavalete e uma tela e anuncio: "Vou pintar este belo retrato de novo."

E pinto! Bem ali, na Sala dos Estados, exibo minha paleta, molho o pincel na tinta e recrio a *Mona Lisa*. Mas... Lucado não é nenhum Leonardo. A senhorita Lisa tem um desequilíbrio *à la* Picasso — um nariz torto e um olho mais alto do que o outro. Tecnicamente, no entanto, mantenho minha palavra e pinto a *Mona Lisa novamente*.

Jesus quer dizer algo mais. Ele usa o segundo termo grego, exigindo ação da fonte original. Ele usa o termo *anothen*, que, se considerado no museu de Paris, exigiria a presença do próprio da Vinci. *Anothen* exclui:

Réplicas modernas.

Tentativas de segunda geração.

Imitações bem-intencionadas.

Aquele que o fez pela primeira vez deve fazê-lo novamente. O criador original recria sua criação. Este é o ato que Jesus descreve.

> *Nascer:* Deus faz o esforço.
> *De novo:* Deus restaura a beleza.

Não *tentamos* novamente. Precisamos, não da força do eu, mas de um milagre de Deus.

O pensamento surpreende Nicodemos: "Como pode ser isso?" (v. 9). Jesus responde com o maior diamante de esperança de toda a Bíblia.

> Porque Deus
> amou o mundo de tal maneira
> que deu o seu Filho unigênito,
> para que todo aquele que nele crê
> não pereça, mas tenha
> a vida eterna.

Uma exposição de 28 palavras de esperança: começando com Deus, terminando com a vida e encorajando-nos a fazer o mesmo. Conciso o suficiente para ser escrito em um guardanapo ou memorizado em um instante, porém sólido o suficiente para superar dois mil anos de tempestades e dúvidas. Se você não sabe nada da Bíblia, comece por aqui. Se você sabe tudo da Bíblia, volte para este texto. Todos nós precisamos do lembrete. A essência do problema humano é o coração do ser humano. E o tratamento de Deus está prescrito em João 3:16.

Ele ama.
Ele se deu.
Nós cremos.
Nós vivemos.

As palavras são para as Escrituras o que o rio Amazonas é para o Brasil — uma entrada que leva ao coração do território. Acredite nelas ou descarte-as, aceite-as ou rejeite-as; qualquer reflexão séria acerca de Cristo deve incluí-las. Um historiador inglês descartaria a Carta Magna? Egiptólogos ignorariam a pedra de Roseta? Você conseguiria meditar nas palavras de Cristo e jamais imergir em João 3:16?

O versículo é um alfabeto da graça, um sumário da esperança cristã, cada palavra é um cofre com jóias. Leia-o novamente, devagar e em voz alta, e observe a palavra que prende sua atenção. "Porque Deus amou o mundo de tal maneira que deu o seu Filho unigênito, para que todo aquele que nele crê não pereça, mas tenha a vida eterna."

"Deus *amou* o mundo de tal maneira..." Esperaríamos um Deus motivado pela raiva. Um Deus que castiga o mundo, recicla o mundo, abandona o mundo... mas um Deus que ama o mundo?

O *mundo*? Este mundo? Pessoas que partem o coração, que roubam a esperança e que acabam com sonhos vagueiam por este mundo. Ditadores ficam furiosos. Os que abusam impõem sua vontade. Reverendos pensam que merecem o título. Mas Deus ama. E ele ama o mundo de tal maneira que deu suas:

Declarações?

Regras?

Sentenças?

Ordens?

Não. A declaração de João 3:16 que acalma o coração, que é difícil de entender, e que faz ou quebra acordos é esta: *Deus deu o seu Filho... o seu Filho unigênito.* Não há idéias abstratas, mas um Deus envolto em carne. As Escrituras igualam Jesus a Deus. Deus, então, se entregou. Por quê? Para que "*todo aquele que* nele crê não pereça".

John Newton, que pôs a fé em forma de música em *Amazing Grace* [Preciosa Graça], adorava esta expressão que quebra barreiras. Ele disse: "Se eu lesse: 'Deus amou o mundo de tal maneira que deu o seu Filho unigênito, para que, quando cresse, John tivesse a vida eterna', eu deveria dizer, talvez, que existe algum outro John Newton; mas 'todo aquele que' significa este John Newton e o outro John Newton, e todos os demais, seja qual for o nome."[5]

Todo aquele que... uma expressão universal.

E *pereça...* uma palavra séria. Gostaríamos de amenizar, se não apagar, o termo. Não Jesus. Ele põe placas que dizem "Não Entre" em cada milímetro do portão de Satanás e diz para aqueles que estão propensos a entrar no inferno que o façam sobre seu cadáver. Ainda assim, algumas almas insistem.

No final, algumas perecem e outras vivem. E o que determina a diferença? Não são obras ou talentos, origens ou bens. Nicodemos tinha essas coisas aos montes. A diferença é determinada por nossa crença. "Todo aquele que nele *crê* não pereça, mas tenha a vida eterna."

Os tradutores da Bíblia nas ilhas Novas Hébridas se esforçaram para encontrar um verbo apropriado para *crer*. Este foi um problema sério, uma vez que o termo e o conceito são essenciais para as Escrituras.

John G. Paton, um tradutor da Bíblia, encontrou, por acaso, uma solução enquanto estava caçando com o membro de uma tribo. Os dois apanharam um grande veado e o levaram preso em um varal até a casa de Paton pela trilha escarpada de uma montanha. Quando chegaram à varanda, os dois soltaram a carga e se jogaram nas cadeiras da varanda. Ao fazerem isso, o nativo exclamou na língua de seu povo: "Meu Deus, é bom se estender aqui e descansar." Paton imediatamente pegou um papel e um lápis e anotou a frase.

Assim, sua tradução final de João 3:16 poderia ser expressa desta forma: "Porque Deus amou o mundo de tal maneira que deu o seu Filho unigênito, para que todo aquele que nele se estende não pereça, mas tenha a vida eterna."[6]

Estenda-se sobre Cristo e descanse.

Foi o que Martinho Lutero fez. Quando o grande reformador estava morrendo, dores de cabeça intensas o deixaram de cama, abatido pela dor. Ofereceram-lhe um medicamento para aliviar o sofrimento. Lutero recusou e explicou: "Minha melhor prescrição para a cabeça e o coração é que *Deus amou o mundo de tal maneira que deu o seu Filho unigênito, para que todo aquele que nele crê não pereça, mas tenha a vida eterna.*"[7]

A melhor prescrição para a cabeça e o coração. Quem não se beneficiaria com uma dose? Aconteceu que Nicodemos teve a sua parte. Quando Jesus foi crucificado, o teólogo apareceu com José de Arimatéia. Os dois deram os pêsames e participaram do enterro de Jesus. Não foi um pequeno gesto, diante da atmosfera contrária a Cristo naquele dia. Você não acha que Nicodemos sorriu e pensou na conversa que tiveram, assim que chegou às ruas a notícia de que Jesus estava fora do túmulo e em pé novamente?

Nascer de novo, é? Quem teria imaginado que ele começaria consigo mesmo.

2

Ninguém gosta dele

"Porque Deus amou o mundo de tal maneira..."

Se eu tão-somente pudesse falar com o piloto. Trinta segundos seriam suficientes. Frente a frente. Apenas uma explicação. Afinal de contas, era ele quem estava tirando minha esposa e eu de seu avião.

Não que eu pudesse culpá-lo. Denalyn tinha pegado mais do que *souvenirs* em Hong Kong. Ela estava sentindo tanta náusea que tive de empurrá-la em uma cadeira de rodas no aeroporto. Ela se jogou em seu assento e apoiou a cabeça contra a janela, e eu prometi deixá-la em paz durante as catorze horas de vôo.

Eu tinha apenas um objetivo: colocar Denalyn no avião.

A tripulação da companhia aérea tinha um objetivo oposto: tirar Denalyn do avião.

Culpe-me pelo medo deles. Quando um comissário de bordo preocupado perguntou sobre o estado de minha esposa, produzi ondas de choque na fuselagem com minha resposta: "Vírus". Os comissários aglomeraram-se em nossos assentos como policiais em uma cena de crime. Entrevistas coletivas com o presidente despertariam menos perguntas.

— Há quanto tempo ela está doente?

— O senhor procurou um médico?

— O senhor já pensou em voltar para casa nadando?

Subestimei o estado de Denalyn.

— Dê-nos um saquinho para caso de vômito, e viajaremos felizes.

Ninguém riu. Pelo visto, passageiros doentes competem com terroristas pelo título "Passageiro menos desejado". A palavra "vírus" chegou aos ouvidos do piloto, e o piloto deu seu veredicto:

— Não no meu avião.

— Vocês têm de sair — informou seu leão-de-chácara, sem rodeios.

— Quem disse?

— O piloto.

Inclinei-me para o lado e olhei para o corredor à procura do homem que estava no comando, mas a porta da cabine estava fechada. *Covarde.* Se eu tão-somente pudesse falar com ele, dar minha versão. Não merecíamos ser expulsos. Pagamos nossos impostos, votamos nas eleições, damos gorjetas para garçons. Eu queria defender minha causa, mas o homem no comando não estava a fim de ouvir explicações. Ele tinha um 747 para colocar no ar, quase 112 mil quilômetros para pilotar... e não tinha tempo para nós.

Depois de alguns minutos desanimadores, Denalyn e eu nos vimos de volta no portão do aeroporto, fazendo planos para passar mais uma noite na China. Enquanto um funcionário da companhia aérea procurava números de telefone de hotéis, vi o avião decolando. Correndo em direção à janela do aeroporto, encarei a cabine, esperando olhar de relance o piloto misterioso. Acenei com os dois braços e fiz meu pedido: "Podemos conversar?" Ele não parou. Nunca vi seu rosto. (Mas se você estiver lendo esta página, senhor ou senhora, talvez possamos conversar, certo?)

Você consegue se identificar comigo? Talvez tenha os mesmos sentimentos com relação ao piloto do universo. Deus: o comandante supremo que está extremamente ocupado para você, o capitão anônimo que comunica decisões inegociáveis. O universo dele zune como um Rolls-Royce, mas passageiros doentes nunca aparecem na tela de seu radar. Pior ainda é que você talvez desconfie que o assento do capitão esteja vazio. Como sabemos que uma mão segura os controles? Como presumimos que há um piloto por trás da porta de aço?

Cristo intervém categoricamente nesta discussão. Acompanha os passageiros até a cabine do piloto, digita 3:16 no teclado e abre a porta que leva a Deus. Nenhum versículo bíblico expressa melhor sua natureza. (Devemos sugeri-lo aos dicionários). Cada palavra da passagem explica a que vem em seguida. "Porque *Deus* amou o mundo de tal maneira..."

Jesus acredita no que as Escrituras declaram: *Deus existe*.

Para ter uma prova, afaste-se das luzes da cidade em uma noite clara e olhe para o céu. Aquele emaranhado de luz branca é nossa galáxia, a Via Láctea. Cem bilhões de estrelas.[1] Nossa galáxia é uma dentre bilhões de outras![2] Quem pode conceber tal universo, sem falar em seus números infinitos?

Ninguém. Mas vamos tentar mesmo assim. Suponhamos que você tente chegar ao sol. Uma agência lhe oferece um ótimo negócio em um automóvel espacial (sem dúvida, movido a energia solar) que faz em média 240 km/h. Você entra nele, abre o teto lunar e vai embora. Você dirige sem parar, vinte e quatro horas por dia, 365 dias por ano. Algum palpite quanto à duração de sua viagem? Que tal 70 anos? Suponha que, depois de esticar suas pernas e tomar um pouco de sol, você encha o tanque e dispare para Alfa Centauri, o sistema estelar mais próximo. Faça um bom estoque de comida e deixe sua agenda em branco. Você precisará de 15 milhões de anos para fazer a viagem.[3]

Não gosta de dirigir, você diz? Entre em um jato e atravesse nosso sistema solar a uma velocidade alucinante de 965 km/h. Em 16,5 dias você chegará à lua, em 17 anos passará pelo sol e em 690 anos poderá desfrutar de um jantar em Plutão. Depois de sete séculos, você nem terá deixado ainda nosso sistema solar, muito menos nossa galáxia.[4]

Nosso universo é o missionário ilustre de Deus. "Os céus manifestam a glória de Deus" (Salmo 19:1). Uma casa implica um construtor; uma pintura sugere um pintor. As estrelas não sugerem alguém que as criou? A criação não implica um criador? "Os céus anunciam a sua justiça" (Salmo 97:6). Olhe para o céu que está acima de você.

Agora, olhe para dentro de você. Observe seu senso de certo e de errado, seu código de ética. De algum modo, mesmo quando criança, você sabia que era errado magoar as pessoas e certo ajudá-las. Quem lhe disse? Quem diz? O que é este pólo magnético que faz as agulhas na bússola de sua consciência se moverem senão Deus?

Você não é o único que tem seus princípios. Virtudes comuns nos unem. Toda cultura não vê com bons olhos o egoísmo e celebra a coragem; pune a desonestidade e recompensa a nobreza. Até os canibais exibem os princípios rudimentares da justiça, normalmente recusando-se a comer seus filhos.[5] Existe um padrão universal. Assim como um código conecta computadores com pacotes de *software* comuns, um código comum conecta as pessoas. Talvez violemos ou ignoremos o código, mas não podemos negá-lo. Até as pessoas que nunca ouviram o nome de Deus sentem sua lei dentro delas. "A própria consciência deles [da humanidade] mostra que isso é verdade, e os seus pensamentos, que às vezes os acusam e às vezes os defendem, também mostram isso" (Romanos 2:15, NTLH). Ao denunciarem a injustiça, os ateus podem agradecer a Deus pela capacidade de discerni-la. A consciência é a impressão digital de Deus, a prova de sua existência.

Os céus lá no alto, o código moral lá dentro — sinais que indicam que a cabine está ocupada. Alguém pôs este avião no ar, e não foi nenhum de nós. Há um piloto, e ele é diferente de qualquer pessoa que vimos.

"A quem, pois, fareis semelhante a Deus ou com que o comparareis?" (Isaías 40:18). A quem, de fato? "Nem tampouco é servido por mãos de homens, como que necessitando de alguma coisa" (Atos 17:25). Você e eu começamos nossos dias com necessidades.

Na verdade, as necessidades básicas nos levam a sair da cama. Isso não acontece com Deus. Como um ser que não foi criado e que se sustenta, ele não depende de nada e de ninguém. Nunca tira uma soneca ou deixa de respirar. Não precisa de alimento, de conselhos, de um médico. "O Pai tem a vida em si mesmo" (João 5:26). A vida é para Deus o que a umidade é para a água, e o ar para o vento. Ele não tem simplesmente a vida, mas é a própria vida. Deus existe, sem ajuda.

Portanto, ele sempre existiu. "Antes que os montes nascessem, ou que tu formasses a terra e o mundo, sim, de eternidade a eternidade, tu és Deus" (Salmo 90:2).

Deus nunca começou e nunca deixará de existir. Ele existe eternamente, sempre. "O número dos seus anos não se pode calcular" (Jó 36:26).

Ainda assim, vamos tentar calculá-lo. Imaginemos que cada grão de areia, do Saara a Copacabana, no Rio de Janeiro, represente um bilhão de anos de existência de Deus. Com um aspirador de pó potente, aspire e depois ponha todas as partículas em uma montanha, e, então, conte quantas você tem. Multiplique seu total por um bilhão e escute Deus lhe dizer o seguinte: "Elas não representam uma fração de minha existência."

Ele é "o Deus eterno" (Romanos 16:26). Ele inventou o tempo e tem a patente. "Teu é o dia e tua é a noite" (Salmo 74:16). Ele já era algo antes que qualquer coisa viesse a ser. Quando o primeiro anjo levantou a primeira asa, Deus já existia, sempre.

O mais incrível de tudo é que ele nunca cometeu um erro. Nem uma vez. O profeta Isaías descreveu seu vislumbre de Deus. Ele viu anjos que tinham seis asas. Embora sem pecado algum, eles se cobriam na presença de Deus. Com duas asas cobriam os olhos, com duas asas cobriam os pés e com duas asas os anjos voavam. Eles diziam uma frase de um lado para outro: "Santo, Santo, Santo é o SENHOR dos Exércitos" (Isaías 6:3).

Deus é santo. Toda decisão, exata. Cada palavra, apropriada. Nunca proibida ou inadequada. Ele nem mesmo é tentado a cometer um erro. "Deus não pode ser tentado pelo mal" (Tiago 1:13).

Faça esta conta. Sem necessidades. Sem idade. Sem pecado. Não é de admirar que ele diga: "Eu sou Deus... não há outro semelhante a mim" (Isaías 46:9).

Mas a boa notícia é a grandeza de Deus? Quando Isaías a viu, sua ficha caiu: "Ai de mim! Estou perdido!" (Isaías 6:5, NTLH). Pilotos competentes põem pessoas doentes para fora do avião. Um Deus Todo-poderoso poderia fazer a mesma coisa. A imensidão do universo de Deus não deveria nos intimidar? Foi o que aconteceu com Carl Sagan. Uma vida inteira dedicada ao estudo dos céus levou o astrônomo a concluir: "*Nosso planeta é um pontinho solitário na grande escuridão cósmica circundante.* Em nossa obscuridade, no meio de toda esta vastidão, não há nenhum indício de que, de algum outro lugar, virá socorro que nos salve de nós mesmos."[6]

Trata-se de um pessimismo compreensível. Na cabine: Deus, que não tem necessidades, idade ou pecado. Saltando no fundo do avião: Max. Dependente de hambúrgueres. Meio acordado. Comparado com Deus, tenho a expectativa de vida de uma daquelas mosquinhas que ficam nas frutas. E sem pecado? Não consigo pensar em algo santo nos dois minutos que levo para chegar ao trabalho de manhã. A grandeza de Deus é a boa notícia? Não sem as oito palavras seguintes de João 3:16: "Porque Deus amou *o mundo de tal maneira*."

Use este mantra como experiência. Aquele que detém os trunfos tem seu coração. Aquele que formou você torce por você. O poder que não pode ser vencido, atiçado pelo amor que não pode ser detido. "Se Deus é por nós, quem será contra nós?" (Romanos 8:31).

Deus faz por você o que o pai de Bill Tucker fez por ele. Bill tinha 16 anos de idade quando seu pai teve um problema sério de saúde e, conseqüentemente, teve de sair de sua empresa. Mesmo depois de o Sr. Tucker estar com a saúde restabelecida, a família Tucker sofreu graves problemas financeiros, mal dando para sobreviver.

Tucker, um homem do tipo empresarial, teve uma idéia. Ele ganhou a licitação para revestir os assentos da sala de cinema local. Isso impressionou sua família. Ele nunca tinha costurado um assento. Nem tinha o aparato de costura. Entretanto, encontrou alguém para ensiná-lo a costurar e descobriu uma máquina de uso industrial. A família juntou cada centavo que tinha para comprar a máquina. Eles esvaziaram sua poupança e caçaram moedas que poderiam ter caído no sofá. Por fim, conseguiram o suficiente.

O dia estava lindo quando Bill foi com o pai pegar o equipamento. Bill lembra-se de uma viagem alegre e de longas horas discutindo os horizontes promissores que esta nova oportunidade lhes dava. Eles colocaram a máquina na parte traseira do caminhão e amarram-na logo atrás da cabine. O Sr. Tucker, então, pediu ao filho que dirigisse de volta para casa. Deixarei que Bill conte o que aconteceu:

> Enquanto seguíamos viagem, estávamos entusiasmados, e eu, como qualquer motorista de 16 anos, provavelmente não estava prestando muita atenção na velocidade. Assim que pegamos o trevo para entrar na via expressa, nunca me esquecerei da cena em que vi aquela máquina de costura, que já era extremamente pesada, começar a tombar. Pisei no freio, mas já era tarde demais. Eu a vi cair para o lado. Pulei para fora do caminhão e corri para a parte de trás. Ao dar a volta, vi nossa esperança e nosso sonho em pedaços ao lado do caminhão. E, depois, vi meu pai simplesmente olhando. Todo o seu risco, seu empenho, seu esforço, todo o seu sonho e sua esperança de cuidar da família estavam ali, destruídos.
>
> Você sabe o que acontece em seguida, não sabe? "Seu moleque estúpido e inútil. Viu no que deu dirigir rápido demais, sem prestar atenção? Você arruinou nossa família, levando embora nosso sustento." Mas não foi isso que ele disse. Ele olhou para mim. "Ah, Bill, sinto muito!" E veio até mim, pôs os braços ao meu redor e disse: "Filho, tudo vai ficar bem'."[7]

Deus está sussurrando o mesmo para você. Estes braços que você sente são os braços de Deus. Confie nele. É a voz dele que você está ouvindo. Creia nele. Deixe que o único ser do universo a tomar decisões console você. A vida, às vezes, parece estar em pedaços, parece irremediável. Mas tudo vai ficar bem. Como você sabe? Eu sei, porque *Deus* amou o mundo de tal maneira... E...

Uma vez que ele não tem necessidades, você não pode cansá-lo.

Uma vez que ele não tem idade, você não pode perdê-lo.

Uma vez que ele não tem pecado, você não pode corrompê-lo.

Se Deus pode criar um bilhão de galáxias, ele não pode transformar em bem nosso mal e dar sentido à nossa vida incerta? É claro que ele pode. Ele é Deus. Ele não somente pilota o avião, mas conhece os passageiros e tem um lugar especial para aqueles que estão doentes e querendo ir para casa.

3

Esperança para o coração de pedra

"Porque Deus amou o mundo de tal maneira..."

"Vi uma mulher hoje que, por fim, ficou completamente dura como um pedaço de madeira." O médico francês Guy Patin escreveu estas palavras em 1692, a primeira descrição clínica de fibrodisplasia ossificante progressiva ou FOP.

Sem saber, ele apresentou ao mundo uma doença misteriosa que transforma suas vítimas, lenta e irreversivelmente, em uma massa de osso sólido.

Sistemas esqueléticos saudáveis se unem graças a ligamentos e tendões. A figura esquelética que fica suspensa nas aulas de Ciências ensina isso. Remova os tecidos conectivos, e a estrutura cai, formando uma pilha de ossos soltos.

A FOP, no entanto, enrijece os tecidos finos, como músculos e tendões, dando ao corpo uma espécie de armadura de ossos.

Considere o caso de Nancy Sando, vítima da FOP. Quando ela tinha 5 anos de idade, os médicos diagnosticaram um nódulo na parte de trás de seu pescoço como um câncer terminal e lhe deram três meses de vida. Mas ela não morreu. Nenhum tumor cresceu.

No entanto, seus ossos cresceram. Os médicos começaram a suspeitar de uma enfermidade nos ossos. Quando ela estava com 35 anos, sua estrutura ficou em uma postura semi-ereta, inclinada levemente na altura da cintura. Seu pescoço ficou travado, a mandíbula fechada e os cotovelos fixos em ângulos retos.

Ferimentos muitas vezes fazem com que a FOP se propague. Os ossos reagem de forma exagerada a uma contusão ou fratura, espalhando-se como cimento pelo sistema. O padrão é previsível: o pescoço e a espinha são os primeiros a endurecer, depois os ombros, o quadril e os cotovelos. Ao longo dos anos, a doença pode prender o corpo inteiro: de trás para frente, da cabeça aos pés, de modo proximal a distal. O gene anormal da FOP tem um objetivo: enrijecer o corpo um pouco mais a cada dia.[1]

Por mais trágica que seja esta doença, as Escrituras descrevem uma doença ainda pior. A calcificação, não dos ossos, mas da vontade.

"Tenho visto a este povo, e eis que é povo obstinado" (Êxodo 32:9). Deus falou estas palavras para Moisés no monte Sinai. A deslealdade dos hebreus adoradores do bezerro deixou Deus impressionado. Ele lhes tinha dado um lugar de honra em seu grande espetáculo no êxodo. Eles viram a água se transformar em sangue, o céu do meio-dia passar a ser o céu da meia-noite, o mar Vermelho se transformar em um tapete vermelho e o exército egípcio tornar-se isca para peixe. Deus dava o maná com o orvalho da manhã, codornizes com o sol do entardecer. Ele ganhou a confiança do povo. Os ex-escravos testemunharam um milênio de milagres em questão de dias.

E, não obstante, quando Deus chamou Moisés para uma reunião de cúpula, o povo entrou em pânico como pintinhos sem a mãe. "Ajuntou-se o povo a Arão e disseram-lhe: Levanta-te, faze-nos deuses que vão adiante de nós; porque quanto a este Moisés, a este homem que nos tirou da terra do Egito, não sabemos o que lhe sucedeu" (Êxodo 32:1).

O escorbuto do medo contagiou todos que estavam no acampamento. Eles fizeram uma vaca de metal e conversaram com ela. Deus, escandalizado com o culto de louvor ao animal, ordenou a

Moisés: "Vai, desce... [o povo] se tem desviado do caminho que eu lhes tinha ordenado... eis que é povo de dura cerviz" (vs. 7-9).

Você se lembra de como a FOP se espalha em uma resposta doentia à dor? Nosso coração endurece em uma reação doentia ao medo. Observe: A presença do medo nos hebreus não incomodou Deus; o que incomodou foi a resposta deles ao medo. Nada os convencia a confiar em Deus. As pragas não convenceram. A libertação da escravidão não convenceu. Deus lançava luz no caminho deles e fazia cair comida no colo deles, e, ainda assim, não creram em Deus. Nada penetrava o coração deles. Eles estavam duros como pedras. Eram teimosos. O Pão de Açúcar é mais flexível, uma bigorna é mais macia. O povo era tão sensível quanto a imagem de ouro que ele adorava.

Mais de três mil anos passados e nós entendemos a frustração de Deus. Voltar-se para uma imagem em busca de ajuda? Que estupidez! Enfrentar seus temores pondo-se diante de uma vaca? Uma *grande* estupidez!

Optamos por terapias mais sofisticadas: ir a festas para tirar a barriga da miséria ou sair às compras para estourar o orçamento. Curvamo-nos diante de uma garrafa de uísque ou nos atiramos em uma semana de trabalho de oitenta horas. Progresso? Dificilmente. Ainda enfrentamos os temores sem nos colocarmos diante de Deus.

Ele envia manifestações de poder que se assemelham às do Êxodo: pores-do-sol, noites estreladas, oceanos imensuráveis. Ele resolve problemas como os do mar Vermelho e faz cair bênçãos do céu como o maná da manhã. Contudo, basta surgir uma crise, basta Moisés desaparecer por algumas horas, e nós criamos uma tempestade que se transforma em caos. Em vez de nos voltarmos para Deus, nos desviamos dele, endurecendo nosso coração. O resultado? A insensatez de adorar a vaca.

Segundo o diagnóstico médico do céu:

> [Os de coração duro] andam [...] na vaidade do seu sentido, entenebrecidos no entendimento, separados da vida de Deus, pela ignorância que há neles, *pela dureza do seu coração,*

> os quais, havendo perdido todo o sentimento, se entregaram à dissolução, para, com avidez, cometerem toda impureza (Efésios 4.17-19).

Meça o pulso irregular do coração de pedra:

- "Na vaidade do seu sentido"
- "Entenebrecidos no entendimento"
- "Havendo perdido todo o sentimento"
- "Se entregaram à dissolução"
- "Para [...] cometerem toda impureza"

Os agentes funerários dariam um diagnóstico bem claro. Não é de admirar que as Escrituras digam: "O que endurece o seu coração virá a cair no mal" (Provérbios 28:14).

Mas as coisas pioram. O coração endurecido arruína, não somente sua vida, mas a vida de seus familiares. Como um exemplo, Jesus identificou o coração endurecido como a seta demolidora de um casamento. Quando perguntado sobre o divórcio, Jesus disse: "Moisés, por causa da dureza do vosso coração, vos permitiu repudiar vossa mulher; mas, ao princípio, não foi assim" (Mateus 19.8). Quando uma ou as duas pessoas no casamento deixam de confiar em Deus para salvá-lo, elas assinam a certidão de óbito do casamento. Elas rejeitam Aquele que pode ajudá-las.

Karen Hill, minha assistente executiva, viu o resultado de tal teimosia em um pasto. Uma vaca meteu o focinho em uma lata de tinta e não conseguiu tirá-lo. As vacas com o focinho preso em latas não conseguem respirar bem e não conseguem beber ou comer. A vaca e seu bezerro estavam em perigo. Uma séria situação de ordem bovina.

A família de Karen saiu para ajudar. Mas, quando viu o grupo que iria resgatá-la se aproximando, a vaca correu para o pasto. Eles foram atrás dela, mas ela escapou. Perseguiram aquela vaca por três dias! Toda vez que o grupo se aproximava, a vaca corria. Por fim, usando caminhonetes e cordas, eles a encurralaram e tiraram a lata de seu focinho.

Você viu alguma pessoa com o nariz na lata recentemente? Almas desnutridas? Corações desidratados? Pessoas que não podem respirar fundo? Tudo porque elas metem o nariz onde não deveriam e, quando Deus vem para ajudar, elas fogem.

Quando bilhões de nós imitam a vaca, o caos vem à tona. Nações de pessoas teimosas esquivando-se de Deus e chocando-se umas nas outras. Corremos, morremos de fome e lutamos.

A loucura decorrente de narizes presos nas latas. Não é este o mundo que vemos? Este é o mundo que Deus vê.

Contudo, este é o mundo que Deus ama. "Porque Deus amou o mundo de tal maneira..." Este mundo de coração duro e de dura cerviz. Curvamo-nos diante de bezerros folheados a ouro; não obstante, ele nos ama. Metemos o nariz onde não deveríamos; ainda assim, ele vem atrás de nós. Corremos daquele que pode ajudar, mas ele não desiste. Ele ama. Ele vem atrás de nós. Ele persiste. E, de vez em quando, um coração começa a amolecer.

Que seu coração seja um deles. Eis como:

Não esqueça o que Deus tem feito por você. Jesus realizou dois milagres de multiplicação do pão: em um deles, ele alimentou cinco mil pessoas e, no outro, quatro mil pessoas. Não obstante, seus discípulos, que testemunharam os dois banquetes, se preocuparam com despensas vazias. Frustrado, Jesus os repreendeu: "Tendes ainda o vosso coração endurecido... não vos lembrais?" (Marcos 8:17,18).

Memórias curtas endurecem o coração. Anote com cuidado as bênçãos de Deus. Declare com Davi: "[Eu] te louvarei cada vez mais. A minha boca relatará as bênçãos da tua justiça e da tua salvação todo o dia, posto que não conheça o seu número" (Salmo 71:14,15).

Faça um catálogo dos atos de bondade de Deus. Medite neles. Ele tem alimentado você, tem conduzido você e ganhado sua confiança. Lembre-se do que Deus tem feito por você. E:

Reconheça o que você tem feito contra Deus. "Se dissermos que não pecamos, fazemo-lo mentiroso, e a sua palavra não está em nós" (1 João 1:10).

Amontoar pecados é algo que nos endurece. Confessá-los nos amolece.

Quando eram pequenas, minhas filhas gostavam de brincar com massinha. Faziam figuras com a argila mole. Se elas se esqueciam de fechar a lata com a tampa, a substância endurecia. Quando isso acontecia, elas traziam a lata para mim. Minhas mãos eram maiores. Meus dedos, mais fortes. Eu conseguia amolecer a massa empedrada.

Seu coração está duro? Leve-o ao seu Pai. Você está apenas a uma oração de distância da ternura. Você vive em um mundo endurecido, mas não precisa viver com um coração de pedra.

4

Quando você leva um chute

"Porque Deus amou o mundo de tal maneira..."

Plutão levou um chute, foi cortado da equipe principal e rebaixado do grupo dos nove mais importantes. Segundo um comitê de cientistas reunidos em Praga, esse planeta distante não corresponde aos padrões do sistema solar. Eles reduziram o planeta ao asteróide número 134340.[1] Acredite, Plutão não estava feliz. Encontrei o viajante celeste humilhado em um lugar badalado do espaço, o Night Sky Lounge.

Max:

Diga-me, Plutão, como você se sente em relação à decisão do comitê?

Plutão:

Você se refere àqueles sujeitos de Praga que escolhem planetas?

Max:

Sim.

Plutão:

Digo que nenhum planeta é perfeito. Marte parece um viciado em câmaras de bronzeamento artificial. Saturno tem anéis em volta do colarinho e Júpiter se exibe para todo mundo que passa.

Max:

Então, você não aprova a decisão?

Plutão:

(*Resmungando e folheando um jornal*) Quem propõe estas regras? *Pequeno demais. O tamanho da lua está errado. O impacto não foi suficiente.* Será que eles sabem como é difícil ser o último do sistema solar? Eles acham que estou desnorteado. Que experimentem ficar se desviando de meteoros vindo a milhares de quilômetros por hora por alguns milênios, e depois vejam a quem chamam de planeta. Saí de cena. Entendi a indireta. Sei quando não sou desejado. Walt Disney deu meu nome em inglês, Pluto, para um cachorro. Os professores sempre me colocam em último lugar no exame de ciências. Darth Vader me respeita mais. Estou me juntando a uma chuva de meteoros. Diga para aquele comitê que fique de olho no céu da noite. Eu sei onde eles moram.

Não podemos culpar Plutão por estar irritado. Um dia, ele está dentro, no outro, está fora; um dia, ele faz parte do time, no dia seguinte, está fora. Podemos entender a frustração dele. Alguns de nós entendem isso muito bem. Sabemos como é ser derrotado nas eleições. Tamanho errado. Pessoas erradas. Endereço errado.

Ficar como Plutão.

É para os rebaixados e humilhados que Jesus endereça seu verbo inicial. "Porque Deus *amou* o mundo de tal maneira..." *Amor.* Quase desgastamos a palavra. Hoje de manhã, usei a palavra *amor* para descrever meus sentimentos por minha esposa e pela geléia de frutas.

Longe de serem emoções idênticas. Nunca me declarei a um pote de geléia de frutas (embora tenha deixado um no meu colo durante um programa de televisão). O uso exagerado fragilizou a palavra, deixando-a com a força da asa de uma borboleta.

As opções bíblicas ainda mantêm seu vigor. As Escrituras usam uma artilharia de termos para amor, ajustando cada um deles a fim de atingir sempre um alvo diferente. Considere o termo que Moisés usou com seus seguidores: "O SENHOR tomou prazer em teus pais para os amar" (Deuteronômio 10:15).

Essa passagem acalenta nosso coração. Mas balançou o mundo dos hebreus. Eles ouviram isto: "O Senhor une-se [*hasaq*] ao seu povo." *Hasaq* fala de um amor amarrado, um amor ligado a algo ou alguém.[2] Estou descrevendo a mãe presa por uma correia ao filho travesso de 5 anos enquanto os dois andam pelo mercado. (Antes, eu achava cruel o uso daquelas correias que prendem os filhos às mães; até que me tornei pai). A correia tem duas funções: puxar e afirmar. Você arranca seu filho de um problema e, ao fazê-lo, declara: "Sim, ele parece um selvagenzinho. Mas é meu."

Neste caso, Deus acorrentou-se a Israel. Por que o povo era adorável? Não. "O SENHOR não tomou prazer em vós, nem vos escolheu, porque a vossa multidão era mais do que a de todos os outros povos, pois vós éreis menos em número do que todos os povos, mas porque o SENHOR vos amava; e, para guardar o juramento que jurara a vossos pais" (Deuteronômio 7:7,8). Deus ama Israel e o restante de nós, Plutões, porque esta é uma escolha dele. "Este é o amor que não abrirá mão do objeto de amor."[3]

George Matheson aprendeu a depender deste amor. Ele era apenas um adolescente quando os médicos lhe disseram que ficaria cego. Para não ser rejeitado, ele continuou seus estudos, formando-se na Universidade de Glasgow, em 1861, aos 19 anos. Quando concluiu o seminário, estava cego.

Sua noiva devolveu o anel de noivado com um bilhete: "Não consigo ver meu caminho com clareza para atravessar a vida presa, pelos laços do casamento, a um homem cego."

Matheson nunca se casou. Adaptou-se ao seu mundo cego, mas nunca se recuperou do coração partido. Tornou-se um pastor poderoso e poético, levou uma vida plena e inspiradora. Contudo, de vez em quando, a dor de seu afeto não correspondido reaparecia, como aconteceu décadas depois, no casamento de sua irmã. A cerimônia trouxe de volta lembranças do amor que ele havia perdido. Em resposta, ele se voltou para o amor inesgotável de Deus em busca de consolo e escreveu estas palavras, em 6 de junho de 1882:

> Ó amor que jamais me deixará, descanso em ti minha alma aflita; devolvo-te a vida que é tua, para que, nas profundezas de teu oceano, seu fluxo possa ser mais rico e mais pleno.[4]

Deus não irá deixá-lo. Ele está algemado a você com amor. E ele tem a única chave. Você não precisa conquistar o amor de Deus. Você já o tem. E, uma vez que não pode conquistá-lo, você não pode perdê-lo.

Como prova, considere a melhor: o amor persistente de Oséias por Gômer. Gômer era uma mulher irascível, casada com um homem admirável chamado Oséias. Ela tinha o código de fidelidade de uma coelha selvagem, seduzindo e passando de um amante para outro. Arruinou sua vida e partiu o coração de Oséias. Desamparada, colocou-se à venda em um mercado de escravos. Adivinhe quem apareceu para comprá-la? Oséias, que nunca havia tirado sua aliança. Pelo modo como ele a tratava, você imaginaria que ela jamais amaria outro homem. Deus usa esta história — na verdade, orquestrou este drama — para ilustrar seu amor leal por aquele povo inconstante.

> E o SENHOR me disse [a Oséias]: Vai outra vez, ama uma mulher, amada de seu amigo e adúltera,
> como o SENHOR ama os filhos de Israel,
> embora eles olhem para outros deuses e amem os bolos de uvas (Oséias 3:1).

Este é o amor descrito em João 3:16. *Hasaq* é substituído pelo termo grego *agape*, mas o significado é igualmente forte. "Deus amou [*agapao*] o mundo de tal maneira..."

O amor ágape. Tem menos a ver com um afeto, mais a ver com uma decisão; tem menos a ver com um sentimento, mais a ver com uma ação. Como descreve um lingüista, "[o amor ágape é] um exercício da vontade divina em uma escolha deliberada, feita sem uma causa atribuível, a não ser aquela que está na natureza do próprio Deus".[5]

Em termos mais simples, ferros-velhos e modelos para exposição dividem o mesmo espaço na garagem de Deus.

Vi uma fração deste amor acontecer entre uma senhora e um senhor idosos que foram casados por cinqüenta anos. A última década foi frustrada por causa da demência dela. O marido fez o possível para cuidar da esposa em casa, mas ela ficou mais doente e ele mais velho. Por isso, ele a colocou em um tratamento de tempo integral.

Um dia, ele me pediu para visitá-la. O quarto dela estava impecável, graças ao zelo do marido. Ela, deitada na cama, tinha tomado banho e estava vestida, embora não fosse a lugar algum.

— Chego às 6h15 — ele disse sorrindo. — Dou comida para ela, dou banho e fico com ela. Farei isso até que um de nós morra.

Este é o amor ágape.

Conheço um pai que, por causa do amor por seu filho, passa toda noite em uma cadeira reclinável, sem dormir mais do que algumas horas seguidas. Um acidente de carro paralisou o adolescente. Para manter a circulação do garoto, os terapeutas massageiam seus membros de hora em hora. À noite, o pai assume o lugar dos terapeutas. Embora tenha trabalhado o dia todo e vá trabalhar novamente no dia seguinte, ele põe o relógio para despertá-lo de hora em hora até o nascer do sol.

Depois, temos a história que Dan Mazzeo conta sobre seu pai: "Pop", um norte-americano de descendência italiana da primeira geração que está lutando contra uma metástase no fígado e um câncer de pulmão. Quando os médicos lhe deram menos de um ano de vida, Pop corajosamente disse que não tinha medo de morrer. Afinal de contas, sua esposa já havia partido e seus filhos eram adultos. Mas, então, ele descobriu que seu único filho, Don, seria pai. Quando Pop ficou sabendo da notícia, ele se sentou e tomou uma decisão: "Vou sair dessa."

A quimioterapia torturava seu corpo. Durante alguns dias, tudo o que ele podia fazer era resmungar para aqueles que telefonavam: "Péssimo dia." Mas quando sua neta nasceu, ele insistiu em ir ao hospital. O percurso de noventa minutos o afligiu. Dan levou-o até a ala da maternidade em uma cadeira de rodas. Os braços de Pop fizeram aquilo que ele tinha vindo fazer. Ele se inclinou, a beijou e disse: "Sheila Mary, o vovô ama muito você."

Em questão de segundos, Pop cochilou. Em uma hora, estava de volta ao carro. Em questão de dias, ele morreu.[6]

O que é este amor que suporta décadas, passa por cima do sono e resiste à morte para dar um beijo? Chame-o de amor ágape, um amor que parece o amor de Deus.

Mas, preste atenção, apenas parece; nunca é uma réplica. Nosso amor mais belo é uma aquarela pré-escolar do Rembrandt de Deus, um dente-de-leão ao lado da rosa de seu jardim. Seu amor continua forte como uma sequóia; nossas melhores tentativas dobram-se como salgueiros-chorões.

Podemos dar banho em uma esposa idosa, massagear um menino ou dar uma última bênção, mas comparar nosso amor com o de Deus? Observe a barriga redonda da camponesinha de Belém. Deus está lá dentro; o mesmo Deus que pode equilibrar o universo na ponta de seu dedo flutua no ventre de Maria. Por quê? Por causa do amor.

Dê uma olhada pela janela da oficina de Nazaré. Você vê o jovem franzino varrendo a serragem do chão? Certa vez, ele lançou um devaneio ao céu da noite. Por que trocar o céu por uma carpintaria? Só uma resposta: amor.

O amor explica por que ele veio.

O amor explica como ele suportou.

Sua cidade natal o expulsou. Um assim chamado amigo o entregou. Mercenários chamavam Deus de hipócrita. Pecadores fizeram Deus culpado. Os cupins podem zombar de uma águia ou as pererecas desprezar a beleza de um cisne? Como Jesus suportou tamanha humilhação? "Porque Deus amou o mundo de tal maneira..."

"Cristo vos amou e se entregou a si mesmo por nós" (Efésios 5:2).

Sua bondade não pode conquistar o amor de Deus. Nem sua maldade pode perdê-lo. Mas você pode resistir a esse amor. Honestamente, temos uma tendência a fazê-lo. Estando na situação de Plutão tantas vezes, tememos que Deus possa fazer conosco o que fizeram com Plutão. As rejeições nos deixaram volúveis e apreensivos. Como meu cachorro Salty.

Ele dorme ao meu lado no sofá enquanto escrevo. Ele é um "tipo" esquisito, mas gosto dele. Envelhecemos juntos nos últimos quinze anos, e ele parece esgotado. Ele é um cão forte por natureza; raspe o pêlo branco e preto dele, e ele passa por um chihuahua bulímico. Para começar, ele já não tem muito; agora, o tempo levou sua energia, dentes, audição e quase metade da sua visão.

Jogue para ele um biscoito de cachorro, e ele simplesmente fica olhando para o chão através daquelas cataratas. Ele é nervoso e irritável, não demora para rosnar e custa para confiar. Quando estendo a mão para acariciá-lo, ele recua. Entretanto, acaricio o tonto. Sei que ele não pode ver, e só posso me perguntar até onde seu mundo ficou escuro.

Somos muito parecidos com Salty. Tenho a sensação de que a maioria das pessoas que desafiam e negam a Deus, agem assim mais por medo do que por convicção. Quanto ao fato de estufarmos o peito e nos gabarmos, é porque somos pessoas ansiosas — não podemos enxergar um passo na direção do futuro, não podemos ouvir aquele que nos tem. Não é de admirar que tentemos barrar a mão que nos alimenta.

Mas Deus estende a mão e toca. Ele fala por meio da imensidão da planície russa e da densidade da floresta amazônica. Por meio do toque de um médico na África, de um prato de arroz na Índia. Por meio de uma saudação japonesa ou de um abraço sul-americano. Ele até ficou conhecido por tocar pessoas por meio de frases como as que você está lendo. Se ele o estiver tocando, deixe.

Anote isto: Deus ama você com um amor sobrenatural. Você não pode ganhá-lo sendo simpático. Você não pode perdê-lo sendo um perdedor. Mas você pode ser cego o suficiente para resistir a esse amor.

Não. Pelo amor de Deus, não. Por amor a você, não.

"Poderdes perfeitamente compreender, com todos os santos, qual seja a largura, e o comprimento, e a altura, e a profundidade e conhecer o amor de Cristo, que excede todo entendimento, para que sejais cheios de toda a plenitude de Deus" (Efésios 3:18,19). Outros rebaixam você. Deus sustenta você. Deixe que a voz definitiva do universo diga: "Você ainda é uma parte do meu plano."

5

O Unigênito

"...deu o seu Filho unigênito..."

Duas de nossas três filhas nasceram na zona sul do Rio de Janeiro, no Brasil. Morávamos na zona norte, separados do consultório médico e do hospital por uma cordilheira aberta por um túnel. Durante os meses de gravidez de Denalyn, fizemos o trajeto com freqüência.

Não nos queixávamos. Sinais de vida fazem um samba na esquina de cada rua. Copacabana e seus banhistas. Ipanema e suas cafeterias. A Gávea e seu *glamour*. Nunca desprezamos as incursões pela zona sul. Mas elas me deixavam desnorteado. Eu vivia perdido. De qualquer forma, sou desafiado quando o assunto é direção, propenso a virar para o lado errado entre o quarto e o banheiro. Complique minha falta de direção com ruas de trezentos anos mapeadas aleatoriamente, e não terei chance alguma.

Eu tinha uma salvação. Jesus. Literalmente, Jesus. A estátua do Cristo Redentor. A imagem fica de guarda sobre a cidade, tendo 38 metros de altura, com uma distância de quase 30 metros de um braço a outro. Mais de mil toneladas de aço reforçado. Só a cabeça mede 3 metros do queixo para cima. Empoleirado a aproximadamente 700 metros acima do nível do mar, no morro do Corcovado, o Jesus elevado está sempre visível. Principalmente para aqueles que o estão procurando. Quando estava perdido, muitas vezes o procurei. Assim como um marinheiro procura terra firme, eu procurava a estátua, olhando por entre as linhas telefônicas e os telhados das casas na tentativa de achar o rosto familiar. Encontrá-lo era o mesmo que saber onde eu estava.

João 3:16 lhe oferece uma promessa idêntica. O versículo eleva Cristo às alturas, coroando-o com o mais régio dos títulos: "Unigênito".

O termo grego para "unigênito" é *monogenes*,[1] um adjetivo composto de *monos* ("único") e *genes* ("espécie, raça, família, descendência, tipo"). Quando usado na Bíblia, o termo "unigênito" quase sempre descreve um relacionamento entre pai e filho. Lucas usa-o para identificar o filho da viúva: "Filho único de sua mãe" (Lucas 7:12). O escritor de Hebreus afirma: "Abraão [...] ofereceu o seu unigênito" (Hebreus 11:17).

João emprega o termo cinco vezes, em cada caso enfatizando o relacionamento incomparável entre Jesus e Deus:

1. E o Verbo se fez carne e habitou entre nós, e vimos a sua glória, como a glória do *Unigênito* do Pai, cheio de graça e de verdade (João 1:14).
2. Deus nunca foi visto por alguém. O Filho *unigênito*, que está no seio do Pai, este o fez conhecer (João 1:18).
3. Porque Deus amou o mundo de tal maneira que deu o seu Filho *unigênito* (João 3:16).
4. Quem crê nele não é condenado; mas quem não crê já está condenado, porquanto não crê no nome do *unigênito* Filho de Deus (João 3:18).
5. Nisto se manifestou o amor de Deus para conosco: que Deus enviou seu Filho *unigênito* ao mundo, para que por ele vivamos (1 João 4:9).

Em quatro das cinco ocorrências, o termo modifica o substantivo *Filho*. No único caso em que isso não acontece, o Filho era "do Pai" (João 1:14).

Monogenes, então, enfatiza o relacionamento especial entre Jesus e Deus. Embora Deus seja o Pai de toda a humanidade, somente Jesus é o Filho *monogenético* de Deus, porque somente Cristo tem os genes ou a constituição genética de Deus.

A conhecida tradução "Filho unigênito" (João 3:16) transmite esta verdade. Quando os pais geram ou concebem um filho, eles transferem seu DNA para o recém-nascido. Jesus compartilha o DNA de Deus. Jesus não foi gerado no sentido de que ele começou, mas no sentido de que ele e Deus têm a mesma essência, longevidade eterna, sabedoria infinita e energia incansável. Toda qualidade que atribuímos a Deus, podemos atribuir a Jesus.

"Quem me vê a mim vê o Pai", declarou Jesus (João 14:9). E a epístola aos Hebreus acrescenta: "[Cristo], sendo o resplendor da sua glória [de Deus], e a expressa imagem da sua pessoa" (1:3).

Jesus ocupa o pedestal inigualável de "Cristo, o Redentor". Ele não declara a autoridade máxima, mas toda a autoridade. "Todas as coisas me foram entregues por meu Pai; e ninguém conhece o Filho, senão o Pai; e ninguém conhece o Pai, senão o Filho e aquele a quem o Filho o quiser revelar" (Mateus 11:27).

Não tenha pressa para ler estas palavras. Elas são a gota d'água ou a verdade máxima. Justificam uma reflexão deliberada.

"Todas as coisas me foram entregues por meu Pai." Jesus tem o único cetro no universo? Um de seus seguidores declarou isto. Um oficial romano enviou uma mensagem para Jesus, pedindo ao mestre que curasse seu servo. Então, Jesus fez uma viagem até a casa do soldado. Mas o homem enviou amigos para interceptarem Jesus, dizendo-lhe que não fizesse uma viagem desnecessária. "Dize, porém, uma palavra, e o meu criado sarará. Porque também eu sou homem sujeito à autoridade, e tenho soldados sob o meu poder, e digo a este: vai; e ele vai; e a outro: vem; e ele vem; e ao meu servo: faze isto; e ele o faz" (Lucas 7:7,8).

Este oficial entendia de autoridade: quando alguém que está no comando dá uma ordem, os que estão abaixo obedecem. O soldado efetivamente disse: "Jesus, você é quem decide, você é quem está no trono. Você usa cinco estrelas em seu ombro." Ele bateu continência para Cristo como o supremo comandante.

E Cristo não o corrigiu! Jesus não atenuou a opinião do homem nem retificou seus comentários. "Você me deixa lisonjeado", ele poderia ter dito. Mas ele não descartou a adulação como sendo um exagero; em vez disso, ele a aceitou como algo apropriado. "Digo-vos que nem ainda em Israel tenho achado tanta fé" (v. 9).

Cristo alega ter a autoridade suprema. Supremacia não partilhada. Ele dirige o navio e pilota o avião. Quando ele lança seus olhos, os oceanos se enchem. Quando ele limpa a garganta, os pássaros migram. Ele expulsa bactérias com um único pensamento. "Sustentando todas as coisas pela palavra do seu poder" (Hebreus 1:3).

Ele é para a história o que um tecelão é para uma tapeçaria. Certa vez, fiquei observando o trabalho de uma tecelã em um mercado no centro de San Antonio. Ela escolheu as linhas em sua bolsa e as colocou, primeiro, na armação, depois na máquina. Em seguida, foi passando a máquina de um lado para outro sobre as linhas, misturando cores, sobrepondo texturas. Em questão de minutos, um desenho apareceu.

Cristo, de igual modo, tece sua história. Cada pessoa é uma linha, cada momento uma cor, cada era uma passagem da máquina sobre a linha. Jesus prontamente entrelaça o bordado da humanidade. "Os meus pensamentos não são os vossos pensamentos, nem os vossos caminhos, os meus caminhos, diz o SENHOR" (Isaías 55:8). Um dos significados fundamentais do termo traduzido por *pensamentos* é "habilidade artística".[2] É como se Deus dissesse: "Meu talento artístico não é o seu talento artístico."

Cristo: O Governador Unigênito. Então, o Governador Unigênito declara ser o Revelador Unigênito. "Ninguém conhece o Filho, senão o Pai; e ninguém conhece o Pai, senão o Filho" (Mateus 11:27).

Jesus desfruta de uma intimidade com Deus, de uma mutualidade que o Pai não compartilha com mais ninguém.

Os casados sabem um pouco disso. Terminam as frases um do outro, prevêem as ações um do outro. Alguns até começam a se parecer com o outro (uma possibilidade que preocupa profundamente minha esposa).

Denalyn e eu somos casados há mais de vinte e cinco anos. Não conversamos mais; falamos por códigos. Ela entra na cozinha enquanto estou fazendo um sanduíche.

— Denalyn? — pergunto.

— Não, não quero um sanduíche.

Abro a geladeira e fico olhando por alguns segundos.

— Denalyn?

Ela olha para o sanduíche que estou preparando e responde:

— A maionese está na prateleira de cima. Os picles estão na porta.

Ela sabe o que vou dizer antes que eu diga. Por isso, ela pode falar em meu nome com a maior credibilidade. Se ela disser: "Max escolheria uma cor diferente" ou "Max aprovaria esta idéia", ouça-a. Ela sabe do que está falando. Ela está habilitada para ser minha representante como ninguém mais.

Quanto mais Jesus está habilitado para ser o representante de Deus! Jesus "que está no seio do Pai, este o fez conhecer" (João 1:18).

Quando Jesus diz: "Na casa de meu Pai há muitas moradas" (João 14:2), confie! Ele sabe. Ele caminhou por lá.

Quando ele diz: "Mais valeis vós do que muitos passarinhos" (Mateus 10:31), confie nele! Jesus sabe. Ele sabe qual é o valor de cada criatura.

Quando Cristo declara: "Vosso Pai sabe o que vos é necessário" (Mateus 6:8), creia! Afinal de contas, "ele estava no princípio com Deus" (João 1:2).

Jesus declara ser, não um teólogo *importante*, um teólogo *talentoso* ou mesmo o *Supremo* Teólogo, mas, em vez disso, o *Único* Teólogo. "Ninguém conhece o Pai, senão o Filho." Ele não diz:

"Ninguém conhece o Pai *como* o Filho" ou "*à maneira do* Filho". Mas, em vez disso: "Ninguém conhece o Pai, senão o Filho".

A porta do céu tem uma chave, e Jesus a tem consigo.

Pense nisto desta forma. Você está estudando astronomia na quinta série. O dia em que você lê sobre a primeira missão na lua, você e seus colegas de classe bombardeiam a professora com perguntas sobre a viagem ao espaço.

— Com que se parece o pó da lua?

— Nós conseguimos engolir, já que não há gravidade?

— E para ir ao banheiro?

A professora faz o melhor possível, mas inicia a maioria das respostas com: "Suponho que..." ou "Acho que..." ou "Talvez..."

Como ela poderia saber? Ela nunca esteve na lua. Mas, no dia seguinte, ela traz um convidado que já esteve na lua. O astronauta Neil Armstrong entra na sala de aula. Sim, o Neil Armstrong que disse "um pequeno passo para o homem, um grande salto para a humanidade".

— Agora, façam suas perguntas — pede a professora. E Armstrong responde a cada uma delas com toda convicção. Ele conhece a lua; andou sobre ela. Nenhuma especulação ou hesitação — ele fala do que conhece.

O mesmo fez Jesus. "[Jesus] os ensinava com autoridade" (Mateus 7:29). Jesus conhece as dimensões da sala do trono de Deus, a fragrância de seu incenso, os cânticos favoritos do coral que não pára de cantar. Ele tem um conhecimento ímpar, único e incomparável acerca de Deus e deseja compartilhar seu conhecimento com você. "Ninguém conhece o Pai, senão o Filho e aquele *a quem o Filho o quiser revelar*" (Mateus 11:27).

Jesus não se vangloria de seu conhecimento; ele o compartilha. Ele não tripudia; ele o dá. Ele não se diverte; ele o revela. Ele nos revela os segredos da eternidade.

E ele os compartilha, não somente com os de alta patente ou de puro-sangue, mas com os famintos e necessitados. Nos versículos seguintes, Jesus convida: "Vinde a mim, todos os que estais cansados e oprimidos, e eu vos aliviarei. Tomai sobre vós o meu jugo, e aprendei de mim, que sou manso e humilde de coração, e encontrareis descanso para a vossa alma" (vs. 28,29).

Faça um favor para si mesmo. Ache o marca-texto mais forte já fabricado e a tinta mais escura já produzida. Destaque, grife e aceite o convite de Jesus: "Aprendei de mim...".

Uma de minhas tarefas como escoteiro era fazer uma pipa. Uma de minhas bênçãos como escoteiro era ter um pai que sabia fazer pipas. Ele fazia muitas coisas: patinetes, *skates*, carrinhos de rolimã. Ora, ele até fez nossa casa. Uma pipa para ele era como desenhar em um pedaço de pau para Van Gogh. Ele podia fazê-las enquanto dormia.

Com cola para madeira, varetas e jornal, fizemos uma obra-prima para dançar no céu: vermelho, branco e azul, e com a forma de uma caixa. Lançamos nossa criação contra o vento de março. Mas, depois de alguns minutos, minha pipa pegou uma corrente de ar invertida e caiu. Enverguei mais a pipa, corri para trás e fiz tudo o que podia para mantê-la no alto. Mas era tarde demais. Ela veio em direção ao chão.

Imagine um garoto ruivo e desconsolado de 12 anos sobre sua pipa caída. Este era eu. Imagine um homem de corpo quadrado com a pele vermelha e macacão, colocando a mão sobre o ombro do menino. Este era meu pai que fazia pipas. Ele examinou o monte de varetas e papel, e assegurou: "Tudo bem. Podemos consertar isso." Acreditei nele. Por que não? Ele falou com autoridade.

O mesmo faz Cristo. Para todos aqueles cuja vida parece uma pipa estraçalhada, ele diz: "Podemos consertar isso. Aprenda de mim." Deixe-me ensiná-lo a lidar com seu dinheiro, com suas segundas-feiras longas e com seus parentes mal-humorados. Deixe-me ensiná-lo por que as pessoas brigam, a morte vem, e o perdão é importante. Mas, sobretudo, deixe-me ensiná-lo por que razão você está nesta terra.

Não precisamos aprender? Sabemos tanta coisa e, não obstante, sabemos tão pouco. A idade da informação é a idade da confusão:

muito *know-how*, dificilmente alguma sabedoria. Precisamos de respostas. Jesus as oferece.

Mas podemos confiar nele? Só existe uma maneira de saber. Faça o que fiz no Rio de Janeiro. Procure-o. Erga os olhos e ponha-os em Jesus. Nada de passar os olhos ou olhar de relance de vez em quando. Matricule-se na escola de Jesus. "Deixe-me ensiná-lo...". Faça dele seu Cruzeiro do Sul, seu ponto de referência. Procure pelas ruas cheias de gente e pelos telhados que lançam sombras até localizar o rosto dele, e depois ponha os olhos nele.

Você encontrará mais do que um hospital.

Você encontrará o Único e Unigênito.

6

O coração que ele oferece

"...deu o seu Filho unigênito..."

No que diz respeito a exames médicos, este era simples. No que diz respeito a mim, nenhum exame é simples se ele associar o termo *irregular* a *batimento cardíaco*. Eu sabia que era propenso a ter uma palpitação acelerada. Quando vejo Denalyn, meu coração acelera. Se você visse quando Denalyn traz uma taça de sorvete para mim, acharia que um contador Geiger detectou uma fonte de radioatividade dentro de meu peito.

Essas palpitações são esperadas. Foram os ritmos aleatórios que preocuparam o cardiologista. Você não encontrará um médico mais gentil. Ele fez o melhor possível para me assegurar que, em se tratando de problemas no coração, o meu não é sério: "No que diz respeito a problemas cardíacos, você tem o menos grave."

Perdoe meu entusiasmo anêmico. Mas não é o mesmo que dizer para o pára-quedista que está para saltar: "Seu pára-quedas tem um defeito, mas não é dos piores"? Prefiro o tratamento de outro cardiologista. Ele viu meu estado e propôs esta oferta de arregalar os olhos: "Vamos trocar de coração. O meu é forte, o seu é frágil.

O meu é puro, o seu está enfermo. Aceite o meu e desfrute do vigor dele. Dê-me o seu e irei resistir ao descompasso dele."

Onde você encontra esse médico? Você pode alcançá-lo neste número — 3:16. Na essência desse versículo, ele lida com o coração de nosso problema: "Porque Deus amou o mundo de tal maneira que *deu* o seu Filho unigênito."

"Esta é a coisa mais absurda que já ouvi", um homem disse, certa vez, para mim. Ele e eu dividíamos a mesma fila e fazíamos a refeição em um avião. Mas não compartilhávamos da mesma apreciação de João 3:16.

"Não preciso que Deus *dê* alguém por mim", ele alegou. "Levo uma vida boa. Tenho um bom emprego. As pessoas me respeitam. Minha esposa me ama. Não preciso que Deus dê seu filho por mim."

Talvez você concorde com ele. Você aprecia os ensinos de Jesus. Admira seu exemplo. Mas não consegue ver o significado da sua morte. De que maneira a morte de Jesus pode significar vida para nós? A resposta começa com um exame do coração.

"Enganoso é o coração, mais do que todas as coisas, e perverso" (Jeremias 17:9). O Cardiologista Espiritual examina nosso coração e encontra uma doença grave: "Porque do interior do coração dos homens saem os maus pensamentos, os adultérios, as prostituições, os homicídios, os furtos, a avareza, as maldades, o engano, a dissolução, a inveja, a blasfêmia, a soberba, a loucura" (Marcos 7:21,22). Ele descreve nosso problema em proporção pandêmica: "Não há um justo, nem um sequer. Não há ninguém que entenda; não há ninguém que busque a Deus" (Romanos 3:10,11).

Sem dúvida, este é um exagero. É possível que estejamos "afastados da presença gloriosa de Deus"? (Romanos 3:23, NTLH).

Esta geração está assumindo um silêncio estranho com relação ao pecado. Os programas de entrevistas exibidos na televisão, altas horas da noite, discutem os impasses da humanidade. Alguns profissionais de saúde mental ridicularizam nossa necessidade de receber o perdão divino. Ao mesmo tempo, violamos a terra, desperdiçamos recursos não renováveis e deixamos 24 mil pessoas morrerem de fome ou de causas a ela relacionadas todos os dias.[1] Nestas décadas "modernas", nós inventamos a ameaça global e reinventamos o genocídio e a tortura. O século 20 viu mais massacres do que qualquer outro século na história — desde o massacre de 1 milhão e meio de armênios pelos otomanos na Primeira Guerra Mundial, ao massacre de 3 milhões de pessoas em Ruanda e no Sudão, nos idos de 1990. Entre eles estão: o terror da fome na Ucrânia, o campo de concentração de Auschwitz, o estupro de Nanking, o genocídio dos trabalhadores asiáticos na ferrovia para Burma, o *gulag* da antiga União Soviética, a Revolução Cultural chinesa, os campos de extermínio do Camboja, os massacres na antiga Iugoslávia e em Bangladesh. Guerras e genocídios levaram mais de 200 milhões de almas em cem anos![2]

Ao que parece, a barbárie está bem viva no planeta Terra. Negar nosso pecado? Seria mais fácil o Quasímodo da catedral de Notre-Dame negar sua corcunda. Nosso problema de coração? É universal.

E pessoal. Faça um simples exercício comigo. Avalie sua vida tendo como pano de fundo estes quatro padrões extraídos dos Dez Mandamentos. Os candidatos ao céu devem ter boas pontuações nas leis básicas de Deus, você concorda?

1. "Não furtarás" (Êxodo 20:15). Você já furtou alguma coisa? Um item de escritório, um lugar no estacionamento? Ladrão.
2. "Não dirás falso testemunho" (v. 16). Aqueles que dizem que não mentem acabaram de mentir.
3. "Não adulterarás" (v. 14). Jesus disse que se você olhar para uma mulher para a cobiçar já adulterou em seu coração (Mateus 5:28).
4. "Não matarás" (v. 13). Antes de alegar inocência, lembre-se de que Jesus compara o assassino com a ira. "Qualquer que, sem motivo, se encolerizar contra seu irmão será réu de juízo" (Mateus 5:22). "Assassinamos" inúmeros motoristas quando vamos para o trabalho de manhã.

A má notícia do Cardiologista. As pontuações de seu teste acusam você de furtar, mentir, adulterar e matar.

Compare seu coração com o de Cristo. Quando você listar as afirmações que qualificam Jesus como um louco ou um rei, não omita esta: ele declarou ter o único coração sem pecado em toda a história. Ele perguntou: "Quem dentre vós me convence de pecado?" (João 8:46). Lance este desafio para meus amigos, e as mãos irão balançar como os talos de um campo de trigo do Kansas. Em resposta ao desafio de Jesus, no entanto, ninguém poderia convencê-lo de pecado. Seus inimigos levantaram falsas acusações para prendê-lo. Pilatos, o homem que estava na posição mais alta na região, não achou culpa alguma em Jesus. Pedro, que andou à sombra de Jesus por três anos, registrou: "Não cometeu pecado, nem na sua boca se achou engano" (1 Pedro 2:22).

"Segui a paz com todos e a santificação, sem a qual ninguém verá o Senhor" (Hebreus 12:14).

O padrão de Jesus emudece toda ostentação.

Passei por uma experiência similar quando conheci Byron Nelson, um mito do golfe. Iniciante nesse esporte, eu acabara de pontuar abaixo de cem pela primeira vez. Um amigo tinha um encontro com Nelson e pediu que eu fosse com ele. No caminho, gabei-me da pontuação de dois dígitos, fazendo um resumo de buraco por buraco. Temendo que eu pudesse fazer o mesmo na frente do ícone aposentado, meu amigo perguntou o que eu sabia sobre as proezas de Byron Nelson, e então me disse:

- Cinco títulos de primeira linha
- Onze vitórias consecutivas
- Média de 69 pontos durante a temporada

Meus 98 pontos, de repente, pareceram insignificantes. O padrão do Sr. Nelson me emudeceu. A perfeição de Jesus nos emudece.

Então, como ele responde ao nosso coração ímpio? Um bom cardiologista pode identificar uma anormalidade e ignorá-la? Deus pode fazer vista grossa aos nossos pecados como se fossem erros inocentes? Não. Ele é o único juiz. Ele emite decretos, não opiniões; ordens, não sugestões. Esses decretos e ordens são a verdade. Provêm de seu ser santo. Viole-os, e você irá destroná-lo em sua vida — destroná-lo ao preço mais alto.

Jesus deixou clara sua posição: "Segui a paz com todos e a santificação, sem a qual ninguém verá o Senhor" (Hebreus 12:14). As almas com coração de pedra não irão povoar o céu.

São os "limpos de coração" que "verão a Deus" (Mateus 5:8). Então, aonde isso nos leva? Leva-nos a tirar esperança de uma palavra grega de cinco letras.

Hyper significa "no lugar de" ou "em nome de".[3] Os escritores do Novo Testamento recorreram repetidas vezes a essa preposição para descrever a obra de Cristo:

- "Cristo morreu por [*hyper*] nossos pecados..." (1 Coríntios 15:3).
- "[Jesus] se deu a si mesmo por [*hyper*] nossos pecados" (Gálatas 1:4).
- "Cristo nos resgatou da maldição da lei, fazendo-se maldição por [*hyper*] nós" (Gálatas 3:13).
- O próprio Jesus profetizou: "O bom Pastor dá a sua vida pelas [*hyper*] ovelhas" (João 10:11).
- "Ninguém tem maior amor do que este: de dar alguém a sua vida pelos [*hyper*] seus amigos" (João 15:13).
- Antes de sua morte, Jesus tomou o pão e explicou: "Isto é o meu corpo, que por [*hyper*] vós é dado" (Lucas 22:19). E, apresentando o cálice, ele explicou: "Este cálice é o Novo Testamento no meu sangue, que é derramado por [*hyper*] vós" (v. 20).

Peço desculpas por parecer exagerado nesta questão do *hyper*, mas ela é crucial. Cristo trocou de coração com você. Sim, seu coração que consistia em furtar, mentir, adulterar e matar. Ele pôs em si mesmo o coração que você tinha e pediu que Deus o castigasse. "O SENHOR fez cair sobre ele a iniqüidade de nós todos" (Isaías 53:6).

Uma chinesa cristã entendeu esta questão. Antes de batizá-la, o pastor fez uma pergunta para assegurar que ela havia entendido o significado da cruz.

— Jesus tinha algum pecado? — ele perguntou.

— Sim — ela respondeu.

Perturbado, ele repetiu a pergunta.

— Ele tinha pecado — ela respondeu afirmativamente.

O líder começou a corrigi-la, mas ela insistiu:

— Ele tinha os meus pecados.[4]

Embora saudável, Jesus levou sobre si nossas enfermidades. Embora enfermos, nós, que aceitamos a oferta de Jesus, somos declarados saudáveis. Mais do que perdoados, somos declarados inocentes. Entramos no céu, não com um coração curado, mas com o coração de Jesus. É como se nunca tivéssemos pecado. Leia devagar a declaração de Paulo: "Se alguém está em Cristo, nova criatura é: as coisas velhas já passaram; eis que tudo se fez novo" (2 Coríntios 5:17).

Desfrutamos do mesmo *status* de Bertram Campbell. Ele passou três anos e quatro meses na prisão por uma falsificação que não fez. Quando o verdadeiro criminoso finalmente confessou o crime, o governador declarou Campbell, não apenas perdoado, mas inocente.[5] Deus faz exatamente o mesmo por nós. "Àquele que não conheceu pecado, o fez pecado por nós; para que, nele, fôssemos feitos justiça de Deus" (2 Coríntios 5:21).

Isso não é um transplante, lembre-se, mas uma troca. O santo e o vil trocam de lugar. Deus torna saudável o que estava enfermo, torna certo o que estava errado, direito o que estava torto.

Steven Vryhof testemunhou o impacto desta dádiva em uma igreja luterana, na costa da Suécia. Um grupo pequeno de fiéis tinha se reunido para cantar, orar e celebrar a ceia. Chegando a sua vez, ele se aproximou do altar, recebeu o pão e o vinho e voltou para seu lugar.

Quando o reverendo virou de costas para a congregação e começou a guardar o pão e o vinho, outras duas adoradoras vieram à frente. Uma mulher de meia-idade empurrava a mãe em uma cadeira de rodas. "A mãe", escreve Vryhof, "tinha a aparência clássica de quem vive em uma casa de repouso: tombada para a direita, franzina, esparsa, cabelos descoloridos, olhar vago e o queixo caído com a língua um pouco à vista. Ela estava aqui para participar da ceia."

Todos, menos o reverendo, perceberam as duas mulheres no altar. Quando, finalmente, percebeu a presença delas, ele apanhou novamente o pão e o cálice de vinho e os entregou a elas. Então, ele fez uma pausa, olhou nos olhos dela e declarou a bênção habitual: "Nosso Senhor Jesus Cristo, cujo corpo e sangue você recebeu, preserve sua alma até a vida eterna."

A ironia impressionou Vryhof. A mulher era velha demais para manter o equilíbrio ou a cabeça erguida. Ela nada trouxe além de um corpo curvado e ossos fracos. Alguém ousa acreditar que o céu cuida de tal alma? No momento em que Vryhof se fez a pergunta, os sinos da igreja bateram, ressoando, tocando de modo inesperado e majestoso. Era como se o próprio Deus estivesse declarando: "Chamarei os frágeis, preservarei os fracos e segurarei os cansados. Deixe que venham."[6]

E é o que fazemos. Cheios de cicatrizes e endurecidos por causa da jornada, vamos a Deus. "Você pode fazer algo com este coração?", perguntamos.

Ele balança a cabeça e sorri. "Proponho que discutamos uma troca."

7

A POLÍTICA DO CÉU QUE CONSISTE NO "TODO AQUELE QUE"

"...todo aquele que nele crê não pereça..."

O OBELISCO CONHECIDO COMO AGULHA DE CLEÓPATRA CHAMA A atenção por ser muito estranho em Londres. Suas gravuras falam de uma era diferente e usam uma linguagem antiga. Os trabalhadores o construíram há 3.500 anos como um presente para um faraó egípcio. Mas, em 12 de setembro de 1878, o governo britânico o plantou no solo inglês e lhe atribuiu a função de velar sobre o rio Tâmisa.

F. W. Boreham estava lá. Tinha 7 anos de idade quando seu pai e sua mãe o levaram de trem a Londres para presenciar o momento. Ele descreveu a "grande coluna de granito, com seu emaranhado de hieróglifos". Viu a relíquia ascender "da posição horizontal para a perpendicular, como um gigante despertando e ficando em pé depois de seu longo, longo sono".

Seu pai explicou o significado da estrutura: como ela, outrora, guardava o grande templo em Heliópolis. Os faraós passavam por ela em suas carruagens. Moisés provavelmente estudou em seus degraus. E agora, sustentada por esfinges de pedra, a Agulha de Cleópatra fi-cava em um canal britânico com uma cápsula do tempo enterrada em sua base. Algum dia, pensaram os oficiais da cidade, quando a Grã-Bretanha estiver na mesma posição do Egito antigo, escavadores abrirão a caixa e encontrarão uma parte da Inglaterra vitoriana. Descobrirão uma série de moedas, brinquedos de crianças, um guia da cidade, fotos das doze mulheres mais lindas da época, uma navalha e um versículo da Bíblia em 215 línguas: "Porque Deus amou o mundo de tal maneira que deu o seu Filho unigênito, para que todo aquele que nele crê não pereça, mas tenha a vida eterna."[1]

Imagine uma pessoa descobrindo Londres no futuro em meio a pedras e cascalhos. Ela encontra e lê o versículo. Não fossem três palavras, ela poderia descartá-lo como se fosse uma velha lenda. *Todo aquele que.*

A expressão *todo aquele que* abre o texto de João 3:16 como uma bandeira para todas as épocas. Todo aquele que estende o tapete de boas-vindas do céu para a humanidade. Todo aquele que é um convite ao mundo para conhecer Deus.

Jesus poderia facilmente ter limitado o grupo, mudando a expressão *todo aquele que* para *qualquer que.* "Qualquer judeu que crer" ou "Qualquer mulher que me seguir". Mas ele não usa nada para identificar o sujeito. O pronome é notavelmente indefinido. Afinal, quem não faz parte do *todo aquele que*?

A expressão dá fim às barreiras raciais e acaba com as classes sociais. Ignora limites relacionados ao sexo e transcende tradições antigas. *Todo aquele que* deixa claro o seguinte: Deus exporta sua graça para todo o mundo. Para aqueles que tentam limitá-la, Jesus tem uma expressão: *Todo aquele que.*

> *Todo aquele que* me confessar diante dos homens, também eu o confessarei diante de meu Pai, que está nos céus (Mateus 10:32).

> E *todo aquele que* tiver deixado casas, ou irmãos, ou irmãs, ou pai, ou mãe, ou mulher, ou filhos, ou terras, por amor do meu nome, receberá cem vezes tanto e herdará a vida eterna (Mateus 19:29).

> E digo-vos que *todo aquele que* me confessar diante dos homens, também o Filho do Homem o confessará diante dos anjos de Deus (Lucas 12:8).
>
> *Todo aquele* [...] *que* vem a mim, de modo nenhum o lançarei fora (João 6:37).
>
> Porquanto a vontade daquele que me enviou é esta: que *todo aquele que* vê o Filho e crê nele tenha a vida eterna; e eu o ressuscitarei no último Dia (João 6:40).
>
> Está escrito nos profetas: E serão todos ensinados por Deus. Portanto, *todo aquele que* do Pai ouviu e aprendeu vem a mim (João 6:45).
>
> E *todo aquele que* vive e crê em mim nunca morrerá (João 8:34).
>
> *Todo aquele* que vive e crê em mim nunca morrerá (João 11:26).
>
> Eu sou a luz que vim ao mundo, para que *todo aquele que* crê em mim não permaneça nas trevas (João 12:46).

Tito 2:11 nos assegura que "a graça de Deus se há manifestado... a todos os homens". Paulo afirma que Jesus Cristo sacrificou-se a si mesmo "para que todos fiquem livres dos seus pecados" (1 Timóteo 2:6, NTLH). Pedro afirma que "[o Senhor] não quer que ninguém seja destruído, mas deseja que todos se arrependam dos seus pecados" (2 Pedro 3:9, NTLH). O evangelho de Deus tem uma política que consiste em "todo aquele que".

Precisamos saber disso. Os contratempos da vida podem gerar um estado tão triste, a ponto de nos perguntarmos se Deus ainda nos deseja. Sem dúvida, o mendigo Lázaro fez essa pergunta para si mesmo. Jesus diz o seguinte sobre Lázaro:

> Havia um homem rico, e vestia-se de púrpura e de linho finíssimo, e vivia todos os dias regalada e esplendidamente. Havia também um certo mendigo, chamado Lázaro, que jazia cheio de chagas à porta daquele. E desejava alimentar-se com as migalhas que caíam da mesa do rico; e os próprios cães vinham lamber-lhe as chagas (Lucas 16:19-21).

Os dois homens moram em lados opostos da cidade. O homem rico vive no luxo e usa as melhores roupas. A linguagem sugere que ele se veste com tecidos que valem ouro.[2] Ele come iguarias exóticas, tem uma casa espaçosa com jardins ornamentais. É a versão bíblica de um ricaço de Mônaco.

Lázaro, por sua vez, é um sem-teto que dorme na rua. Os cães lambem as feridas que formam crateras em sua pele. Ele se definha do lado de fora da mansão, esperando as sobras. Infectado e rejeitado. Sem bens. Sem família. Uma exceção à política de Deus que consiste no "todo aquele que", certo?

Errado.

Como em uma peça teatral, a cortina da morte se fecha no primeiro ato, e o destino eterno é revelado no segundo.

> E aconteceu que o mendigo morreu e foi levado pelos anjos para o seio de Abraão; e morreu também o rico e foi sepultado. E, no Hades, ergueu os olhos, estando em tormentos, e viu ao longe Abraão e Lázaro, no seu seio (vs. 22-23).

Lázaro, há pouco, um pobretão, agora não precisa de nada. O homem rico, agora pobre, precisa de tudo. Ele perde o luxo, enquanto Lázaro descobre o colo de Abraão.

Os Lázaros ainda enchem nosso planeta. Você talvez seja um deles. Talvez não esteja mendigando o pão, mas lutando para adquirir alguma coisa. Talvez não esteja dormindo nas ruas, mas, quem sabe, no chão? Em seu carro, às vezes? Em um sofá, muitas vezes? Deus tem um lugar para pessoas em sua situação?

De todas as mensagens que esta história transmite, não perca esta: Deus aceita você *seja como for* que ele o encontrar. Não é preciso se purificar ou subir a um lugar alto. Apenas erga os olhos. A política de Deus que diz "todo aquele que" tem o benefício do "seja como for".

Ela também destaca a expressão "sempre que". *Sempre que* você ouve a voz de Deus, ele aceita sua resposta. Enquanto estava limpando meu carro, encontrei um tíquete de restaurante. Em meio aos papéis, embalagens de chicletes e lixo, lá estava um tesouro de 50 dólares para gastar em comida. Ganhei-o em meu aniversário, há mais de um ano, e o perdi. Meu entusiasmo durou pouco quando vi a data de validade. A promoção estava vencida. Esperei tempo demais.

Mas você não. E para convencê-lo, Jesus contou uma parábola acerca da graça da décima primeira hora. Descreveu um proprietário de terras que precisava de ajudantes. Assim como um fazendeiro contrata trabalhadores migrantes ou um paisagista monta uma equipe de prestadores de serviços, aquele homem contratou bóias-frias. "Ele combinou com eles o salário de costume, isto é, uma moeda de prata por dia, e mandou que fossem trabalhar" (Mateus 20:2, NTLH). Alguns foram contratados de madrugada. Outros às 9h. O fazendeiro chamou alguns outros ao meio-dia. Voltou às 15h para contratar mais. E às 17h, uma hora antes de encerrar a jornada, ele aparece com mais um caminhão cheio de lavradores.

Aqueles últimos homens devem ter ficado surpresos. Restando uma hora para acabar o dia de trabalho... esperavam ir para casa de bolsos vazios. Já estavam contando com a pergunta: "Você trabalhou hoje?" Nenhum fazendeiro contrata na última hora, não é?

Deus faz.

Ninguém paga o salário de um dia para pessoas que trabalham apenas uma hora, ou paga?

Deus paga.

Leia a frase-clímax de Jesus: "Eles também receberam uma moeda de prata cada um" (v. 20). Pessoas que se convertem no leito de morte e pessoas que levaram uma vida inteira de santidade entram no céu pela mesma porta.

Há alguns anos, levei para a Califórnia uma cópia da política de Deus que diz "todo aquele que". Queria mostrá-la para meu tio Billy. Ele tinha feito planos de visitar minha casa, mas um câncer nos ossos os havia frustrado.

Meu tio lembrava muito meu pai: a forma física quadrada como um forno, a pele vermelha como uma bola de basquete de couro. Eles compartilhavam as mesmas raízes no oeste do Texas, chegados a um cigarro e à ética de trabalho da classe produtiva. Mas eu não sabia ao certo se compartilhavam a mesma fé. Por isso, depois de vários aviões, dois trajetos de ônibus e uma longa viagem em carro alugado, cheguei à casa de tio Billy e soube que ele voltara para o hospital. Não podia receber visitas.

Ele se sentiu melhor no dia seguinte. Bom o suficiente para ir para casa. Fui vê-lo. O câncer tinha acabado com a saúde e levado sua força. Seu corpo estava largado na cadeira reclinável. Ele me reconheceu, embora sonolento, enquanto eu conversava com sua esposa e amigos. Ele mal abria os olhos. As pessoas vinham e iam, e comecei a me perguntar se teria a chance de fazer a pergunta.

Finalmente, os convidados foram para a clareira e me deixaram sozinho com meu tio. Puxei a cadeira para o lado dele, segurei sua mão que estava com a pele esticada e não desperdicei as palavras.

— Bill, você está preparado para ir para o céu?

Seus olhos, pela primeira vez, ficaram arregalados. Do tamanho de dois pires. Sua cabeça se ergueu. Havia dúvida em sua resposta:

— Acho que estou.

— Quer ter certeza?

— Ah, sim.

Nossa conversa rápida terminou com uma oração pedindo graça. Nós dois dissemos "amém", e logo saí. O tio Billy morreu em questão de dias. Será que ele acordou no céu? Segundo a parábola dos trabalhadores da décima primeira hora, foi o que aconteceu.

Alguns têm dificuldade para aceitar essa idéia. Uma pessoa que se confessa no último minuto recebe a mesma graça que uma pessoa que serviu a Deus durante a vida inteira? Não parece justo. Os trabalhadores na parábola também se queixaram. Por isso, o proprietário das terras (e Deus) explicou a prerrogativa da posse: "Ou não me é lícito fazer o que quiser do que é meu?" (v. 15).

Peça graça em seu último suspiro, e Deus ouvirá sua oração. *Todo aquele que* significa "sempre que".

E mais uma coisa: *todo aquele que* significa "onde quer que". *Onde quer que* estiver, você não estará longe demais para ir para casa.

O filho pródigo admitiu que estava. Ele desprezou a bondade de seu pai e "partiu para uma terra longínqua e ali desperdiçou a sua fazenda, vivendo dissolutamente" (Lucas 15:13).

O termo traduzido aqui por *desperdiçou* é o mesmo verbo grego usado para descrever a ação de um lavrador que planta sementes. Imagine-o lançando um punhado de sementes na terra cultivada. Imagine o filho pródigo jogando o dinheiro do pai nas mãos de mercadores gananciosos: deixando um punhado de notas em uma boate, um monte de moedas em um bordel. Ele vai de uma aventura a outra no tapete mágico do dinheiro.

E, então, um dia sua carteira fica vazia. O cartão de crédito é recusado. O *maître* diz "não", o hotel diz "adeus" e o menino diz "ai, e agora?". Ele deixa os porcos que se alimentam na gamela e passa para os porcos que vivem na lama. Encontra emprego para alimentar os porcos. Não é uma ocupação recomendada para um rapaz judeu.

A fome aperta tanto que ele chega a pensar em comer com os porcos. Mas, em vez de engolir as vagens, ele engole o orgulho e começa aquela famosa caminhada para casa, ensaiando um discurso de arrependimento a cada passo. Acontece que ele não precisava disso. "Viu-o seu pai, e se moveu de íntima compaixão, e, correndo, lançou-se-lhe ao pescoço, e o beijou" (v. 20). O pai estava guardando o lugar do filho.

O Pai está guardando o seu também. Se a mesa do banquete no céu tiver placa para identificar lugares, uma terá o seu nome.

Perdemos muita coisa na vida — equilíbrio, estabilidade e saúde. Perdemos empregos e chances, e perdemos no amor. Perdemos a juventude com seu vigor, idealismo e sonhos. Perdemos muita coisa, mas nunca perdemos nosso lugar na lista do "todo aquele" de Deus.

Todo aquele que — é a maravilhosa expressão de boas-vindas de Deus.

Adoro ouvir minha esposa dizer "todo aquele que". Às vezes, detecto meu aroma favorito vindo da cozinha: bolo de morango. Assim como um perdigueiro segue um rastro, sigo o cheiro até chegar à assadeira de puro prazer com o bolo que acabou de sair do forno, coberto com açúcar. Não obstante, aprendi a deixar o garfo parado até Denalyn dar sua autorização.

— É para quem? — pergunto.

Ela poderia partir meu coração. "É para uma festa de aniversário, Max. Não toque nele!"

Ou: "É para um amigo. Fique longe."

Ou ela poderia escancarar a porta do prazer. "Para todo aquele que." E, uma vez que estou habilitado como "todo aquele que", digo "sim".

Espero que você também. Não para o bolo, mas para Deus.

Não há condição que seja tão baixa.

Não há hora que seja tão tarde.

Não há lugar que seja tão longe.

Seja como for. Sempre que. Onde quer que.

Todo aquele que inclui você... para sempre.

8

Creia e receba

"...todo aquele que nele crê não pereça..."

— Diga de novo o que eu devo fazer — resmunguei.

— Apenas confie em mim — ela disse com firmeza.

Ela era a jovem animada, com boné de beisebol e em idade de faculdade, que estava segurando a corda. *Confie em mim* significava um salto para trás de um penhasco de 15 metros, usando um equipamento de segurança e fazendo uma expressão de "no que eu fui me meter?"

Algumas pessoas adoram praticar rapel. Gostam da sensação de ficar com o coração na mão. Eu não. Prefiro a sensação de ficar sentado em uma poltrona. Viajei para o Colorado para passar uma semana inteira descansando. Ar fresco, belas paisagens, um bom café, conversas longas. Era isso que estava na minha lista, e não saltos de uma montanha.

Culpe alguns amigos persuasivos e um orgulho estúpido por minha presença no pico. A equipe da plataforma me assegurou que a aterrissagem seria segura.

— Já fez isto alguma vez? — perguntou a garota.

— Não.

Ela me passou um equipamento de couro e pediu que eu o colocasse.

— É parecido com uma fralda. — Ela sorriu, toda alegre. *Talvez eu precise mesmo de uma fralda*, pensei.

— E você? — perguntei. — Já desceu com alguém montanha abaixo?

— Trabalho aqui durante o verão. — Ela disse sorrindo.

Era quase julho, início do verão.

— É simples — ela continuou enquanto ajustava o equipamento em mim e me passava as luvas. — Segure a corda e salte. Bata com os pés na parede para dar outro impulso.

Alguém poderia fazer uma lei proibindo de serem ditas ao mesmo tempo as palavras *saltar*, *bater com os pés* e *parede*?

— O que faço para não me arrebentar lá embaixo?

— Você não faz nada. Eu faço.

— Você?

— Sim. Eu seguro sua corda.

Pequeno consolo. Ela não só tinha a metade de minha idade, mas também metade do meu tamanho — ela estava mais para fazer balé do que segurar cordas para um alpinista. — Mas eu não faço *nada*? — insisti.

— Você confia em mim.

Fui devagar até a beira do penhasco e olhei para baixo. Frodo sentiu-se mais seguro olhando para o abismo.

— Você tem alguma coisa de valor? — ouvi uma voz perguntar.

— Somente minha vida.

— Você é engraçado — ela disse com uma voz estridente, parecendo-se com minhas filhas. — Vamos. É sua vez!

Lancei um outro olhar para ela. Um olhar semelhante ao que a promessa do texto de João 3:16 muitas vezes desperta. Posso realmente confiar naquele trecho que diz "para que todo aquele que nele *crê* não pereça, mas tenha a vida eterna?"

O convite de Jesus parece muito simples. Temos a tendência de procurar outros verbos. *Trabalhe* soa melhor. "Para que todo aquele que para ele *trabalha* seja salvo." *Satisfaça* se encaixa bem. "Para que todo aquele que o *satisfaz* seja salvo." *Eu não deveria fazer mais?*

Esse parece ser o conflito de Nicodemos. Foi sua conversa com Cristo, lembre-se, que preparou o terreno para João 3:16. A ordem de Jesus "você deve nascer de novo" impressiona o estudioso — e alguns de nós —, assim como as palavras da garota do rapel me impressionaram. O que eu devo fazer? O bebê tem um papel passivo no processo de nascimento. A criancinha deixa o trabalho para o pai e a mãe. A salvação é igualmente simples. Deus trabalha e nós confiamos. Essa idéia incomoda Nicodemos. *Deve haver algo mais.* Jesus consola o professor visitante com uma história da Torá, o livro favorito de Nicodemos.

> E, como Moisés levantou a serpente no deserto, assim importa que o Filho do Homem seja levantado, para que todo aquele que nele crê não pereça, mas tenha a vida eterna (João 3:14,15).

Nicodemos conhecia essa passagem. Uma referência sucinta era suficiente para que ele entendesse a questão. No entanto, o versículo é enigmático para nós. Por que Jesus precede a oferta de João 3:16 com uma referência a uma serpente no deserto? Aqui está o contexto.

Os israelitas errantes estavam murmurando contra Moisés novamente. Embora estivessem acampados na fronteira da Terra Prometida e se beneficiassem de quatro décadas de provisões de Deus, os hebreus pareciam crianças mimadas: "Por que nos fizestes subir do Egito, para que morrêssemos neste deserto?" (Números 21:5).

A mesma queixa aparece em Números 20:5. Ex-escravos elogiando o Egito. Sonhando com pirâmides e amaldiçoando o deserto, desejando o governo de um faraó e difamando Moisés. Eles detestavam a areia quente, os dias longos e o maná [...] ah, o maná! "A nossa alma tem fastio deste pão tão vil" (v. 5).

Eles teriam todos os hambúrgueres de maná, ensopados de maná e sanduíches de maná com maionese que pudessem comer. E Deus ouviu todo o lamento que pôde suportar. "Então, o SENHOR mandou entre o povo serpentes ardentes, que morderam o povo; e morreu muito povo de Israel" (v. 6).

Produtores de filmes de terror desejariam criar estas cenas. Víboras escorregadias saem de buracos e pedras e serpenteiam pelo acampamento. Pessoas morrem. Cadáveres mancham a paisagem. Os sobreviventes imploram para que Moisés rogue a Deus por misericórdia. "Havemos pecado [...] ora ao SENHOR que tire de nós estas serpentes. Então, Moisés orou pelo povo. E disse o SENHOR a Moisés: Faze uma serpente ardente e põe-na sobre uma haste; e será que viverá todo mordido que olhar para ela. E Moisés fez uma serpente de metal e pô-la sobre uma haste; e era que, mordendo alguma serpente a alguém, olhava para a serpente de metal e ficava vivo" (vs. 7-9).

Esta passagem era uma profecia solene.

E era também uma promessa. Os israelitas picados por cobras foram curados quando olharam para a haste. Os pecadores acharão cura quando olharem para Cristo. "Para que todo aquele que nele crê não pereça, mas tenha a vida eterna" (João 3:15).

A simplicidade incomoda muitas pessoas. Esperamos uma cura mais complicada, um tratamento mais elaborado. Moisés e seus seguidores talvez tivessem esperado mais também. Façam um ungüento. Inventem uma loção terapêutica. Tratem uns dos outros. Ou, pelo menos, se defendam. Quebrem as varas e as pedras e ataquem as cobras.

Nós, também, esperamos uma tarefa mais proativa, como fazer aparecer um remédio para nosso pecado. Alguns dos que buscam misericórdia usam cilícios sobre a pele (cintos de cerdas ou correntes de ferro, cheios de pontas), sobem escadarias de igreja de joelhos ou passam descalços sobre pedras quentes.

Outros de nós escrevem seus próprios versículos: "Deus ajuda a quem trabalha" (Ditado Popular 1:1). Nós nos acertaremos, obrigado. Compensaremos nossos erros com contribuições, nossa culpa com atividades. Superaremos fracassos com trabalho árduo. Encontraremos salvação pelo modo tradicional: iremos conquistá-la.

Cristo, em comparação, nos diz o que a garota que segurava a corda disse para mim: "Cabe a você confiar. Confie que farei o que você não pode fazer."

A propósito, você dá passos parecidos de confiança todos os dias, e até de hora em hora. Você acredita que a cadeira irá agüentá-lo, por isso solta seu peso sobre ela. Você acredita que a água irá hidratá-lo, por isso a bebe. Você acredita que a luz acenderá, por isso aperta o interruptor. Você tem fé que a maçaneta da porta irá funcionar, por isso você a vira.

Nós normalmente acreditamos que o poder que não podemos ver fará aquilo que não podemos fazer. Jesus nos convida a fazer o mesmo com ele.

Somente com ele. Não com Moisés ou com qualquer outro líder. Não com outras almas picadas por cobras. Nem mesmo com você. Você não pode dar um jeito em si mesmo. Olhe para Jesus... e creia.

A garota disse para eu fixar os olhos nela. Quando consegui saltar, ela gritou: "Continue olhando aqui para cima!" Não foi preciso dizer isso duas vezes. De nós dois, ela era a única que estava sorrindo.

Mas, uma vez que ela fez seu trabalho, eu aterrissei com segurança. Na próxima viagem, no entanto, você me encontrará na poltrona.

9

O domínio gracioso de Deus

"...todo aquele que nele crê não pereça..."

A equipe Hoyt é formada por pai e filho: Dick e Rick. Eles correm. Correm muito. Sessenta e quatro maratonas. Duzentos e seis triatlons. Seis Ironman. Duzentas e quatro corridas de 10 km. Desde 1975, eles cruzaram quase mil linhas de chegada. Até atravessaram os Estados Unidos. Levaram quarenta e cinco dias para correr e pedalar seis mil quilômetros, mas conseguiram.

Os Hoyt adoram corridas. Mas somente metade da equipe pode correr. O pai, Dick, pode. Mas as pernas de Rick não funcionam, nem sua fala. Em 1962, quando nasceu, o cordão umbilical estava enrolado em seu pescoço, o que deixou seu cérebro sem oxigênio, roubando-lhe a coordenação do corpo. Os médicos não deram esperança quanto ao seu desenvolvimento.

Dick e sua esposa Judy não aceitaram o prognóstico. O filho não podia tomar banho, se vestir ou se alimentar, mas podia pensar. Os pais sabiam que ele era inteligente. Por isso, matricularam-no em uma escola pública. Ele completou, entrou na faculdade e se formou.

Mas Rick queria correr. Aos 15 anos, perguntou ao pai se ambos podiam participar de uma corrida beneficente de 8 km. Dick não era um corredor, mas era um pai, por isso pôs o filho em uma cadeira de três rodas e lá foram eles. Desde então, eles não pararam mais.

O jovem Rick Hoyt conta com o pai para fazer tudo: para levantá-lo, empurrar sua cadeira de três rodas enquanto corre, pedalar para ele e puxá-lo na natação. A não ser o coração disposto, ele não faz esforço algum. Rick depende inteiramente da força do pai.[1]

Deus deseja que você faça o mesmo. "Para que todo aquele que *nele* crê não pereça, mas tenha a vida eterna" (João 3:16).

Não assimilamos bem a frase "*nele* crê" em nossos dias de alimento espiritual auto-suficiente. "Acredite *em si mesmo*" é uma das opções comuns do menu de nossos dias. Esforce-se mais. Trabalhe mais. Vá mais fundo. Autoconfiança é o nosso objetivo.

E a tolerância é nossa virtude. "Nele" cheira a exclusão. Todos os caminhos não levam ao céu? O islamismo, o hinduísmo, o budismo e o humanismo? A salvação vem em muitas formas, certo? Cristo vai contra a maré neste assunto. A salvação é encontrada, não em si mesmo ou neles, mas *nele*.

Nós levamos para a corrida espiritual o que Rick Hoyt leva para a corrida física. Nossas pernas espirituais não têm força. Nossos princípios morais não têm músculos. Nossas boas ações não podem fazer-nos cruzar a linha de chegada, mas Cristo pode. "Aquele que não pratica, porém crê *naquele* que justifica o ímpio, a sua fé lhe é imputada como justiça" (Romanos 4:5).

Paulo assegura a salvação para as pessoas mais improváveis: não para o trabalhador, mas para o que confia; não para o fisicamente capaz, mas para o incapaz; não para o santo opulento, mas para o falido e imprestável — o filho que confia como Rick Hoyt. "É a fé dessa pessoa que faz com que ela seja aceita *por* Deus" (Romanos 4:5, NTLH).

Trazemos o que Rick traz. E Deus faz o que Dick faz. Ele assume a responsabilidade por seus filhos desde a largada até a linha de chegada. "Dou-lhes a vida eterna, e nunca hão de perecer, e ninguém as arrebatará das minhas mãos" (João 10:28).

Jesus reforçou essa idéia de tal forma que os tradutores da edição Amplificada da Bíblia foram levados a escrever: "Eu lhes dou a vida eterna, e nunca hão de perdê-la ou de perecer ao longo dos séculos. [Por toda a eternidade, elas jamais serão destruídas, de modo algum.] Ninguém poderá arrancá-las de minha mão" (João 10:28).

Nós, pais, entendemos a decisão de Deus. Quando nossos filhos tropeçam, não os negamos. Quando eles caem, não os rejeitamos. Podemos castigá-los ou repreendê-los, mas expulsá-los da família? Não podemos. Eles estão biologicamente ligados a nós. Aqueles que nascem com nosso DNA irão morrer com ele.

Deus, nosso Pai, imagina o mesmo relacionamento conosco. Na salvação, nós nos tornamos "filhos de Deus" (João 1:12). Ele altera nossa linhagem, redefine nossa paternidade espiritual e, ao fazê-lo, assegura nossa salvação. Para cumprir a missão, ele nos sela com seu Espírito. "Tendo nele também crido, fostes selados com o Espírito Santo da promessa" (Efésios 1:13). Uma alma selada por Deus está segura.

Enquanto estava na faculdade, trabalhei por algum tempo em uma fábrica de aspiradores de pó. Montávamos a parte que ia da tomada ao tubo do eletrodoméstico. O último passo na linha de montagem era "selar e despachar". A essa altura, a empresa já tinha investido muitas horas e dólares no utensílio. Por isso, eles tinham o maior cuidado para embalar o produto. Envolviam-no em papel bolha, colocavam-no dentro de uma caixa de isopor, fechavam a caixa com uma fita adesiva bem resistente, imprimiam nela o endereço do destinatário e a prendiam com tiras dentro do caminhão. Aquele utensílio estava seguro. Mas, comparado ao cuidado que Deus tem com seus santos, aquilo era apenas trabalhadores jogando os utensílios sem proteção alguma na parte de trás de uma picape. Deus nos sela a vácuo com sua força mais poderosa: seu próprio Espírito. Ele reveste seus filhos com uma armadura espiritual, nos cerca com seus anjos e faz morada em nós. A rainha da Inglaterra deveria desfrutar dessa segurança.

Cristo pagou um preço muito alto para que nós ficássemos protegidos. "O Espírito é a marca de propriedade de Deus colocada em vocês, a qual é a garantia de que chegará o dia em que Deus os libertará" (Efésios 4:30, NTLH).

Que diferença faz esta certeza!

Um piloto da força aérea contou-me sobre o dia em que esqueceu de afivelar o cinto ao se sentar em seu jato potente. Ele completou cada uma das outras ações preliminares. Cumpriu sua lista de tarefas do começo ao fim. Contudo, esqueceu-se de afivelar seu cinto de segurança. Seu jato estava configurado de um jeito que, quando ele estivesse no ar, o cinto não poderia ser afivelado. Ser ejetado do avião significava separar-se de seu assento, e separar-se de seu assento significava separar-se de seu pára-quedas e cair de cabeça a 200 km por hora. Isso acabaria com a alegria da viagem. Dá para imaginar você voando sem um pára-quedas?

Muitos imaginam. A insegurança eterna tira a alegria de muitas pessoas. Somente Cristo garante um pouso seguro. Compare a oferta de Cristo com a de outras religiões. O Judaísmo vê a salvação como uma decisão no Dia do Juízo baseada em princípios morais. Os hindus esperam várias reencarnações na jornada da alma pelo cosmos.[2] O Budismo avalia sua vida segundo as Quatro Nobres Verdades e o Nobre Caminho Óctuplo. Os muçulmanos têm acesso a Alá cumprindo as obrigações dos Cinco Pilares da Fé.[3] Muitos filósofos consideram a vida além-túmulo como algo oculto e desconhecido. Um deles chamou a morte de um passo para "o grande Talvez";[4] outro, "um grande salto no escuro".[5]

Ninguém, senão Jesus, "afivela você". Você pode escorregar — de fato, você irá escorregar —, mas não cairá. Daí o convite para que creia "nele". Não acredite em você; você não pode se salvar. E não acredite nos outros; eles não podem salvá-lo.

Alguns historiadores colocam Cristo no mesmo grupo de Moisés, Maomé, Confúcio e outros líderes espirituais. Mas Jesus se recusa a aceitar isso. Ele declara: "Eu sou o caminho, e a verdade, e a vida. Ninguém vem ao Pai senão por mim" (João 14:6). Ele poderia ter feito mais pontos na política correta se tivesse dito: "Eu *conheço* o caminho" ou "Eu *mostro* o caminho". Contudo, ele não fala do que faz, mas de quem é: Eu *sou* o caminho.

Seus seguidores recusam-se a suavizar ou mudar o foco. Pedro anunciou: "Em nenhum outro há salvação, porque também debaixo do céu nenhum outro nome há, dado entre os homens, pelo qual devamos ser salvos" (Atos 4:12).

Muitos recuam diante de tal definição. João 14:6 e Atos 4:12 soam antiquados nesta era de bandas largas e mentes abertas. O mundo está se encolhendo, as culturas estão se misturando, as fronteiras estão desaparecendo; este é o dia da inclusão. Todos os caminhos levam ao céu, certo?

Mas será que eles podem? A frase dá um bom tema para os programas de entrevistas, mas é precisa? Todas as abordagens acerca de Deus estão corretas?

O Islamismo diz que Jesus não foi crucificado. Os cristãos dizem o contrário. Ambos não podem estar certos.

O Judaísmo recusa a declaração de Jesus como o Messias.[6] Os cristãos a aceitam. Alguém está cometendo um erro.

Os budistas recorrem ao nirvana, alcançado após 547 reencarnações.[7] Os cristãos acreditam em uma vida, uma morte e uma eternidade nas quais podem desfrutar de Deus. Uma visão não exclui a outra?

Os humanistas não reconhecem um criador da vida. Jesus declara ser a fonte da vida. Um dos dois está falando algo que não faz sentido.

Os espíritas lêem a palma da mão. Os cristãos consultam a Bíblia.

Os hindus vêem um Deus plural e impessoal.[8] Os seguidores de Cristo crêem que "não há outro Deus, senão um só" (1 Coríntios 8:4). Alguém está errado.

E, o mais importante, toda religião não cristã diz: "Você pode se salvar." Jesus diz: "Minha morte na cruz salva você."

Como todas as religiões podem levar a Deus, sendo tão diferentes? Não toleramos esta falta de lógica em outras questões. Não fingimos que todos os caminhos levam a Londres ou todos os navios vão para a Austrália. Nem todos os vôos pousam em Roma. Imagine sua resposta para um agente de viagem que afirma o contrário. Você lhe diz que precisa de um vôo para Roma, então ele olha para a tela do computador.

— Bem, há um vôo para Sidnei, na Austrália, com partida às 6h.

— Ele vai para Roma?

— Não, mas oferece um maravilhoso jantar a bordo e ótimos filmes.

— Mas eu preciso ir para Roma.

— Então, deixe-me sugerir a Southwest Airlines.

— A Southwest voa para Roma?

— Não, mas esta companhia sempre recebe prêmios por sua pontualidade nas chegadas.

Você está ficando irritado.

— Preciso de uma companhia aérea que me leve para um lugar: Roma.

O agente parece ofendido.

— Senhor, todos os vôos vão para Roma.

Você tem bom senso suficiente para saber que as coisas não são assim. Vôos diferentes têm destinos diferentes. Esta não é uma conclusão estúpida, mas uma conclusão sincera. Nem todo vôo vai para Roma. Nem todo caminho leva a Deus. Jesus fez brilhar um caminho único em que o indivíduo não pode salvar a si mesmo. Ele iluminou uma estrada que fora obstruída pelo esforço humano. Cristo veio, não para o forte, mas para o fraco; não para o justo, mas para o pecador. Seguimos o caminho de Jesus quando confessamos nossas necessidades, e não quando realizamos nossas proezas. Ele faz um convite ímpar que nos leva a ele, no qual ele opera e nós confiamos; ele morre e nós vivemos; ele convida e nós cremos.

Nós cremos *nele*. "A obra de Deus é esta: que creiais naquele que ele enviou" (João 6:29).

Acreditar em si mesmo? Não. Creia nele.

Acreditar neles? Não. Creia nele.

E aqueles que fizerem isso, aqueles que nele crerem não perecerão, mas terão a vida eterna (João 3:16).

Como começamos a acreditar? Fazemos o que o jovem Rick Hoyt fez. Recorremos ao nosso Pai em busca de ajuda.

Quando Dick e Rick Hoyt cruzam as linhas de chegada, ambos recebem medalhas. As listagens que aparecem depois da corrida incluem ambos os nomes. O pai faz o trabalho, mas o filho divide a vitória. Por quê? Porque ele acredita. E, uma vez que ele acredita, ambos comemoram a chegada.

Que você e seu Pai façam o mesmo.

10

A MAIOR SURPRESA DO INFERNO

"...todo aquele que nele crê não pereça..."

O HERÓI DO CÉU É DEUS. OS ANJOS NÃO ADORAM MANSÕES OU RUAS brilhantes. Nem portões nem pedras preciosas levam as hostes a cantarem... mas Deus leva. Sua majestade move a caneta dos poetas do céu e desperta o temor de seus cidadãos.

Eles têm uma resposta para a oração de Davi cuja duração é a eternidade: "Uma coisa pedi ao SENHOR... contemplar a formosura do SENHOR" (Salmo 27:4). O que mais garante um olhar? Os habitantes do céu se maravilham o tempo todo com os pecados que Deus perdoa, com as promessas que cumpre, com o plano que executa. Ele não é o grande marechal do desfile; ele é o desfile. Ele não é o acontecimento principal; ele é o único acontecimento. Sua Broadway se distingue por ter um único palco e único astro: o próprio Deus. Ele apresenta a única produção e convida cada alma vivente a participar.

Neste exato momento, ele envia convites aos milhões. Sussurra através da bondade de um avô ou avó, grita através de um *tsunami*.

Através de um enterro, ele adverte: "A vida é frágil." Através de uma doença, ele lembra: "Os dias estão contados." Deus pode falar por meio da natureza ou do cuidado, da majestade ou do contratempo. Mas, por meio de todos e a todos, ele faz o convite: "Venha desfrutar de mim para sempre."

Contudo, muitas pessoas não têm desejo de fazer isso. Não querem nada que tenha a ver com Deus. Ele fala; elas tampam os ouvidos. Ele ordena; elas debocham. Não querem que ele lhes diga como viver. Zombam do que ele diz sobre casamento, dinheiro, sexo, ou sobre o valor da vida humana. Consideram o Filho de Deus como uma piada e a cruz como uma completa loucura.[1] Passam a vida pedindo para que Deus as deixe em paz. E, no momento em que dão o último suspiro, ele respeita o pedido delas: "Nunca vos conheci; apartai-vos de mim, vós que praticais a iniqüidade" (Mateus 7:23). Esse versículo nos leva à mais triste das realidades cristãs: o inferno.

Nenhum assunto desperta maior resistência. Quem quer pensar em castigo eterno? Preferimos entregar a questão ao acaso, fazendo piadas sobre os que estão lá ou transformando o substantivo em uma expressão impertinente. "Aquele jantar estava um inferno." Estranho é que não fazemos o mesmo com as tragédias menores. Você nunca ouve: "Meu jogo de golfe virou uma *prisão*." Ou: "Este congestionamento está uma Aids." Parece que existe uma conspiração para banalizar o inferno.

Alguns preferem "esterilizar" o assunto, rejeitando-o como uma impossibilidade moral.

"Não acho que qualquer pessoa que seja profundamente humana", desafiou o ateu Bertrand Russel[2], "possa acreditar em um castigo eterno". Ou, como mais comumente se acredita, "um Deus amoroso não mandaria pessoas para o inferno". Os líderes religiosos cada vez mais concordam. Martin Marty, um historiador da faculdade de Teologia da Universidade de Chicago, examinou cem anos de alguns jornais acadêmicos à procura de registros sobre o inferno. Não encontrou nenhum. "O inferno", observou ele, "desapareceu e ninguém percebeu."[3]

É fácil entender por quê. O inferno é um assunto terrível. Qualquer pessoa que discute sobre ele com leveza ou o anuncia com alegria não refletiu a fundo sobre ele. Os autores das Escrituras mergulhavam as penas em tintas escuras para descrever a natureza do inferno. Falam da "negrura das trevas" (Judas 13), da "eterna perdição" (2 Tessalonicenses 1:9), do "pranto e ranger de dentes" (Mateus 8:12).

Vislumbrar o abismo não irá clarear seu dia, mas irá iluminar seu entendimento acerca de Jesus. Ele não evitou a discussão. Muito pelo contrário. Colocou uma placa de aviso com uma única palavra entre você e o caminho do inferno: *perecer*. "Para que todo aquele que nele crê não *pereça*, mas tenha a vida eterna" (João 3:16).

Jesus falava do inferno com freqüência. Treze por cento de seus ensinos se referem ao juízo eterno e ao inferno.[4] Dois terços de suas parábolas estão relacionadas à ressurreição e ao juízo.[5] Jesus não era cruel ou caprichoso, mas contundente. Sua sinceridade impressiona.

Ele fala em termos tangíveis. "Temei, antes", adverte ele, "aquele que pode fazer perecer no inferno a alma e o corpo" (Mateus 10:28). Ele cita o homem rico no inferno suplicando para que Lázaro "molhe na água a ponta do seu dedo e [lhe] refresque a língua" (Lucas 16:24). Palavras como *corpo*, *dedo* e *língua* pressupõem um estado físico no qual a garganta anseia por água e a pessoa implora por alívio — alívio físico.

Os apóstolos disseram que Judas Iscariotes fora "para o seu próprio lugar" (Atos 1:25). O termo grego para lugar é *topos*, que significa localização geográfica.[6] Jesus descreve o céu com o mesmo substantivo: "Na casa de meu Pai há muitas moradas... vou preparar-vos lugar" (João 14:2). O inferno, como o céu, é um local, não um estado de espírito, não uma dimensão metafísica de espíritos flutuantes, mas um lugar real povoado por seres físicos.

Triste, esta idéia. Deus tem reservado um lugar em seu vasto universo como depósito dos que têm um coração de pedra.

Onde é exatamente o inferno? Jesus dá uma dica arrepiante: "para fora". "Amarrai-o de pés e mãos e lançai-o *para fora*, nas trevas" (Mateus 22:13, RA). Para fora de quê? Para fora dos limites do céu, em primeiro lugar. Abraão, no paraíso, disse ao homem rico, no tormento: "Está posto um grande abismo entre nós e vós, de sorte que os que quisessem passar daqui para vós não poderiam, nem tampouco os de lá, passar para cá" (Lucas 16:26). Não existem viagens do céu para o inferno. Não dá para sair do inferno para passar as férias no céu. O inferno é para o céu o que a extremidade de nosso universo é para a terra: está fora dos limites de uma viagem corriqueira.

O inferno também está fora da esfera da conclusão. Ah, esse castigo do inferno vai acabar, esse Deus vai estipular uma data para acabar com ele. A linguagem do Novo Testamento leva alguns estudiosos tementes a Deus a acreditarem no seguinte:

> Tenham medo de Deus, que pode *destruir* no inferno tanto a alma como o corpo (Mateus 10:28, NTLH).

> Para que todo aquele que nele crê não *pereça* (João 3:16).

Destruir. Perecer. Essas palavras não implicam um fim do sofrimento? Eu gostaria de poder dizer sim. Não há um ponto em que eu mais gostaria de estar errado do que nesta questão da duração eterna do inferno. Se Deus, no último dia, destruir os ímpios, comemorarei o fato de ter interpretado mal suas palavras. Contudo, a destruição parece contraditória às Escrituras. Deus reveste as suas advertências com linguagem eterna. Considere a descrição de João sobre os ímpios em Apocalipse 14:11: "E a fumaça do seu tormento sobe para todo o sempre; e não têm repouso, nem de dia nem de noite." Como a alma que passou pela eutanásia não poderia "ter repouso, nem de dia nem de noite"?

Jesus compara o inferno com o Gehena, um depósito de lixo do lado de fora dos muros de Jerusalém, infame por suas chamas e deterioração constantes. Ele usa o Gehena como uma descrição visual do inferno, o lugar onde o "bicho não morre, e o fogo nunca se apaga" (Marcos 9:48). O bicho que não morre e o fogo que não se apaga — por mais simbólicas que essas expressões possam ser — cheiram à consumação contínua de algo. Jesus fala de pecadores sendo "lançados para fora, nas trevas; ali haverá choro e ranger de dentes" (Mateus 8:12, RA). Como uma pessoa que não existe pode chorar ou ranger os dentes?

Jesus descreve a duração do céu e do inferno com o mesmo adjetivo: *eterno*. "E irão estes para o tormento eterno, mas os justos, para a vida eterna" (Mateus 25:46). O inferno dura a mesma coisa que o céu. Talvez tenha uma porta nos fundos ou um dia de colação de grau, mas não descobri.

Muita coisa perece no inferno. A esperança perece. A felicidade perece. Mas o corpo e a alma dos que negam a Deus continuam do lado de fora. Sem o céu, sem esperança e sem a bondade de Deus.

Nenhum de nós viu um mundo tão privado de bênçãos. Até os recônditos mais desprezíveis da humanidade conhecem a graça de Deus. Pessoas que não querem nada com Deus ainda desfrutam de seus benefícios. Adolf Hitler testemunhou a maravilha dos Alpes. Saddam Hussein desfrutou do nascer do sol avermelhado no deserto. O ditador, o molestador de crianças, o estuprador em série e o traficante de drogas — desfrutam da mesma graça da bondade de Deus. Eles ouvem as crianças rirem, sentem o cheiro do jantar sendo feito, batem os pés acompanhando o ritmo de uma música. Negam a Deus, mas desfrutam de sua benevolência.

Mas esses privilégios são confiscados na entrada do inferno. Os transgressores serão "banidos da face do Senhor" (2 Tessalonicenses 1:9). O inferno não conhece nenhum dos atos de bondade do céu, não conhece o fluir dos benefícios divinos. O único riso que os não-arrependidos ouvem é perverso; os únicos desejos que conhecem são egoístas. Como descreve o professor escocês James Denney, os que rejeitam Deus "atravessam uma noite em que não há amanhecer".[7] O inferno é a sociedade na sua pior versão.

O mais trágico é que o inferno tem a ver com indivíduos no seu pior estado. Ele traz à tona e reforça os traços mais feios nas pessoas. Os desejos serão desenfreados. Provocadores irão irritar-se e nunca encontrarão paz. Ladrões irão roubar e nunca ter o suficiente. Bêbados terão sempre o desejo de beber e glutões estarão sempre exigindo mais. Ninguém será satisfeito. Lembre-se: "O seu bicho não morre" (Marcos 9:48). Como disse um escritor: "Não só o incrédulo estará no inferno, mas o inferno também estará nele."[8]

A morte congela a bússola moral. As pessoas continuarão a ser como entraram. Apocalipse 22:11 parece enfatizar a maldade do não-arrependido que está no inferno: "Quem é injusto faça injustiça ainda; e quem está sujo suje-se ainda." Os que não têm Deus continuam ímpios.

O inferno não é uma casa de recuperação ou um reformatório. Seus membros não ouvem pais que exortam, pregações sinceras ou o Espírito de Deus; não ouvem a voz de Deus, não ouvem a voz do povo de Deus. Passe uma vida inteira pedindo para que Deus fique em silêncio, e ele fará exatamente isso. Deus respeita nosso pedido de silêncio.

O inferno é o lar escolhido dos insurretos, a prisão perpétua dos descontentes. O inferno está reservado, não para aquelas almas que buscam a Deus, ainda que na luta, mas para aqueles que desafiam a Deus e se rebelam. Para aqueles que dizem sobre Jesus: "Não queremos que este reine sobre nós" (Lucas 9:14). Por isso, mostrando o maior ato de justiça da história, Deus respeita esta preferência. "Não tenho prazer na morte do ímpio, mas em que o ímpio se converta do seu caminho e viva" (Ezequiel 33:11). Não é da vontade de Deus que alguém pereça, mas o fato de alguns perecerem ressalta a justiça de Deus. Deus deve castigar o pecado. "Não entrará nela [na cidade] coisa alguma que contamine e cometa abominação e mentira, mas só os que estão inscritos no livro da vida do Cordeiro" (Apocalipse 21:27). Deus, inerentemente santo, *tem* de excluir o mal de seu novo universo. Deus, eternamente gracioso, *nunca* impõe sua vontade. Ele insiste para que os rebeldes continuem a bordo, mas nunca os amarra ao mastro. C. S. Lewis escreveu: "Eu acredito prontamente que os condenados são, de certo modo, rebeldes bem-sucedidos até o fim; que as portas do inferno estão trancadas por dentro."[9] Como um Deus amoroso poderia mandar pecadores para o inferno? Ele não manda. Eles se tornam voluntários.

Uma vez lá, não querem sair. O coração dos loucos condenados nunca amolece; a mente deles nunca muda. "E os homens foram abrasados com grandes calores, e blasfemaram o nome de Deus, que tem poder sobre estas pragas; e não se arrependeram para lhe darem glória" (Apocalipse 16:9). Ao contrário da idéia de que o inferno produz remorso, não é isso que acontece. Ele intensifica a blasfêmia.

Você se lembra do homem rico em tormento? Ele podia ver o céu, mas não pediu para ser transferido. Queria que Lázaro descesse até ele. Por que ele não perguntou se poderia se juntar a Lázaro? O homem rico se queixou de sede, não de injustiça. Queria água para o corpo, não água para a alma. Até o anseio por Deus é uma dádiva de Deus, e onde não existe a bondade de Deus, não há anseio por ele. Embora todo joelho irá se dobrar diante de Deus e toda língua confessar sua preeminência (Romanos 14:11), os de coração duro irão fazê-lo com teimosia e sem adoração. Não haverá ateus no inferno (Filipenses 2:10,11), mas também não haverá quem busque a Deus.

Contudo, ainda nos perguntamos: o castigo é justo? Uma punição como esta parece incoerente com um Deus de amor — um exagero. A rebelião de um pecador não justifica uma eternidade de sofrimento, não é? Deus não está reagindo de forma exagerada?

Um homem, certa vez, me acusou de fazer a mesma coisa. Há alguns anos, quando minhas filhas eram pequenas, nós nos deparamos com um cliente impaciente em uma loja de conveniências. Minhas três filhas estavam escolhendo massas na prateleira de sonhos. Como elas não estavam sendo rápidas, ele se inclinou até a altura dos ombros delas e gritou: "Crianças, depressa! Vocês estão demorando demais." Eu, no outro corredor, ouvi o comentário irônico e me aproximei dele.

— Senhor, estas são minhas filhas. Elas não mereceram ouvir isso. O senhor precisa pedir desculpas a elas.

Ele subestimou o insulto.

— Não foi tão sério assim.

Minha resposta? Não cabia a ele dar aquele veredicto. Eram as minhas filhas que ele havia ofendido. Quem era ele para desafiar minha reação? Quem somos nós para desafiar a reação de Deus? Somente ele conhece toda a história, o número de convites que os de coração inflexível recusaram e as calúnias que eles soltaram.

Acusar Deus de injustiça? Ele passou uma fita de isolamento na entrada do inferno e pôs um milhão de sinais de perigo do lado de fora da entrada. Para descer as escadas do inferno, você teria de tapar os ouvidos, vendar os olhos e, sobretudo, ignorar o sacrifício épico da história: Cristo, no inferno de Deus sobre a cruz da humanidade, clamando ao céu enegrecido: "Deus meu, Deus meu, por que me desamparaste?" (Mateus 27:46). É mais fácil você colocar o oceano Pacífico em uma jarra do que descrever esse sacrifício em palavras. Mas uma das descrições poderia ser assim: Deus, que odeia o pecado, lançou sua ira contra seu filho que se encheu de pecado. Cristo, que nunca pecou, suportou o terrível abandono no inferno. A maior surpresa do inferno foi esta: Cristo foi até lá para que você não tivesse de ir. Contudo, o inferno não pôde contê-lo. Ele ressuscitou, não apenas dos mortos, mas das profundezas. "Por sua morte, [destruiu] aquele que tem o poder da morte, a saber, o diabo" (Hebreus 2:14).

Cristo saiu do domínio de Satanás com esta declaração: "Tenho as chaves da morte e do inferno" (Apocalipse 1:18). Ele é o administrador da eternidade. A porta que ele fecha, ninguém abre. A porta que ele abre, ninguém fecha (Apocalipse 3:7).

Graças a Cristo, esta terra pode ser o lugar mais próximo que você pode chegar do inferno.

Mas, distante de Cristo, esta terra é o lugar mais próximo que você chegará do céu.

Uma amiga falou-me sobre as últimas horas de sua tia. A mulher atravessou a vida sem temor a Deus ou respeito por sua Palavra. Ela era atéia. Mesmo em suas últimas horas, ela se recusou a deixar que alguém falasse de Deus ou da eternidade. Somente seu Criador conhece seus últimos pensamentos e destino eterno, mas a família ouviu suas últimas palavras. A poucas horas de morrer, quase não se dando conta do que estava acontecendo ao redor, ela abriu os olhos. Dirigindo-se a um rosto que somente ela enxergava, desafiou: "Você não me conhece? Você não me conhece?"

Será que ela estava ouvindo a sentença de Cristo: "Nunca vos conheci; apartai-vos de mim" (Mateus 7:23)?

Compare as palavras dela com as palavras de um seguidor de Cristo. O homem à beira da morte não fazia segredo de sua fé nem de seu desejo pelo céu. Dois dias antes de sucumbir ao câncer, ele despertou de um sono profundo e disse para a esposa: "Estou vivendo em duas realidades. Não tenho permissão para contar para você. Há outros nesta sala." E, no dia em que morreu, ele abriu os olhos e perguntou: "Sou especial? Por que eu deveria ter permissão para ver tudo isso?"

Enfrentando a morte com medo ou com fé, com pavor ou com alegria. "Para que todo aquele que nele crê não pereça..."

Deus faz a oferta. Nós fazemos a escolha.

11

O QUE FAZ DO CÉU UM LUGAR CELESTIAL

"...não pereça, mas tenha a vida eterna"

GARY LARSON DESCREVE UM HOMEM ALADO SENTADO EM UMA NUVEM no céu. Não há ninguém por perto. Nada para fazer. Ele está isolado em seu posto celestial. Um pensamento atesta seu desespero: "Poderia ter trazido uma revista."[1]

Podemos nos identificar com ele. Vida *eterna*? Nuvens em torno, harpas no nosso colo e o tempo em nossas mãos, o tempo sem fim. Um hino, depois um coral, depois mais versículos. Hum... é isso? "Quaisquer que sejam as torturas do inferno, penso que a chatice do céu seria ainda pior", declarou Isaac Asimov.[2]

Você pode ter inquietações semelhantes. Serenas, mas preocupantes. A eternidade corresponde às expectativas? O céu pode cumprir suas promessas? Jesus dá uma resposta certa para essas perguntas:

> Não se turbe o vosso coração; credes em Deus, credes também em mim. Na casa de meu Pai há muitas moradas; se não fosse assim, eu vo-lo teria dito, pois vou preparar-vos

> lugar. E, se eu for e vos preparar lugar, virei outra vez e vos levarei para mim mesmo, para que, onde eu estiver, estejais vós também (João 14:1-3).

Os filmes passaram uma idéia errada. Aquelas cenas de margens de rios com névoa até os joelhos, amigos desencarnados e espíritos flutuantes? Esqueça. Jesus foi "preparar *lugar*". Como o inferno, o céu é tangível e palpável: tão real quanto a terra em seu jardim. Tão físico quanto as frutas em seu pomar. Na verdade, seu jardim e suas frutas talvez pareçam familiares no céu.

Presumimos que Deus destruirá este universo e estabelecerá seus filhos em outro lugar, mas... por que ele faria isso? Quando criou os céus e a terra, Deus aplaudiu sua própria obra. Deus viu:

> Que a luz [...] era boa.
> Que o mar [...] era bom.
> Que a terra [...] era boa.
> Que o sol [...] a lua [...] eram bons.
> (Gênesis 1).

Boletim escolar com as melhores notas. A melhor nota seguida por outra melhor nota. "E viu Deus tudo quanto tinha feito, e eis que era muito bom" (v. 31).

Por que destruir uma obra de arte? Deus nunca condenou sua terra, apenas os maus-tratos que damos a ela. Além disso, ele é o Deus da regeneração, não do extermínio. Ele restaura, restabelece, renova. Espere para vê-lo fazer isso novamente — renovar e regenerar cada centímetro quadrado do que é legitimamente dele. "Quando chegar o tempo em que Deus vai *renovar* tudo e o Filho do Homem se sentar no seu trono glorioso, vocês, os meus discípulos, também vão [...] julgar" (Mateus 19:28, NTLH).

Mas e as revelações sobre a destruição da terra? Pedro e João usam palavras para descrever uma bomba atômica. "[...] vão desaparecer com um barulho espantoso [...] será queimado [...] vão sumir" (2 Pedro 3:10; Apocalipse 21:1, NTLH). Este planeta não será destruído? Sim, mas a destruição não precisa significar eliminação. Nosso corpo provê um protótipo. Ele sumirá, voltará ao pó. Contudo, aquele que chamou Adão de um monte de barro fará o mesmo conosco. Cristo anulará a decomposição com a ressurreição. Os aminoácidos irão se regenerar. Os pulmões terão estímulo. As moléculas irão se juntar novamente. O corpo mortal irá se revestir de imortalidade (1 Coríntios 15:53).

O mesmo se aplica a terra. Paulo diz que "toda a criação, a um só tempo, geme e suporta angústias até agora" (Romanos 8:22). Como uma mãe em trabalho de parto, a natureza olha para o dia em que dará à luz.Vemos as contrações do parto: enchentes, vulcões, terremotos. Contribuímos para elas poluindo o céu, devastando a terra. A criação de Deus luta, mas não para sempre. Ele irá purificar, limpar e reconstruir seu cosmos. Na renovação de todas as coisas, a pureza primitiva fluirá, como foi no Éden.

Deus concede vislumbres deste estado futuro. Ele projetou uma abertura na cúpula deste panteão. Por meio dela, vemos pores-do-sol impregnados de dourado. Céus da noite salpicados de diamantes. Arco-íris tão arqueados em esplendor que temos de parar e suspirar. Aperitivos do céu.

Mas nada se compara à jóia mais preciosa de Deus: a Nova Jerusalém. Cristo descerá em uma cidade diferente de qualquer coisa que a terra já viu. "E eu, João, vi a Santa Cidade, a nova Jerusalém, que de Deus descia do céu" (Apocalipse 21:2). As Escrituras revelam as dimensões da cidade que são de nos deixar de queixo caído: um quadrado de dois mil e duzentos quilômetros (v. 16). Grande o suficiente para conter toda a massa continental da região dos Apalaches até a costa da Califórnia — do Canadá ao México. Quarenta vezes o tamanho da Inglaterra, dez vezes o tamanho da França e maior do que a Índia. E isso é apenas o andar térreo.

A cidade tem de altura o que tem de largura. Pressupondo que Deus distribua os andares em sua metrópole como faria um arquiteto em um edifício, a cidade teria mais de 600 mil andares, um espaço amplo para o entra-e-sai de bilhões de pessoas.

As portas nunca estão fechadas (v. 25). Por que fechá-las? Os inimigos de Deus serão banidos! Os ímpios ficarão isolados, restando apenas um lugar perfeito de pessoas aperfeiçoadas.

Você será você em sua melhor forma para sempre. Mesmo agora, você tem seus bons momentos. Vislumbres de seu ser celestial. Ao trocar a fralda de seu filho, perdoar o temperamento de seu chefe, tolerar o mau humor de seu cônjuge, você exibe traços de santidade. São os outros momentos que amargam a vida. A língua, afiada como uma navalha. Temperamentos tão imprevisíveis quanto o vulcão ativo Santa Helena, no noroeste dos Estados Unidos. Esta parte lhe aborrece.

Mas Deus confisca as imperfeições na porta. Sua luz silencia o lobisomem que está em nosso íntimo. "Não entrará nela coisa alguma que contamine" (v. 27). Pare e deixe que esta promessa impregne você. Você pode se imaginar sem pecado?

Pense no que Satanás tirou de você, mesmo nas últimas horas. Você se preocupou com uma decisão a tomar, sentiu inveja do sucesso de alguém, teve medo de uma conversa e ressentiu-se de uma separação. Ele ficou à sua volta o dia todo, roubou a paz, a alegria, as boas risadas e o amor sincero. Trapaceiro maldito.

Mas os dias dele estão contados. Ao contrário do que fez no jardim do Éden, Satanás não ficará à espreita nos jardins do céu. "Nunca mais haverá maldição" (22:3). Ele não tentará; em conseqüência, você não tropeçará. "E o mundo passa, e *a sua concupiscência*; mas aquele que faz a vontade de Deus permanece para sempre" (1 João 2:17).

Você será você em sua melhor forma para sempre!

E desfrutará de todas as outras pessoas em seu estado perfeito! Aparentemente, um de nós sempre está um passo atrás. O mau humor infecta o que há de melhor nas famílias. As queixas escurecem os dias mais claros. As maçãs ruins estragam muitos de nós, mas as frutas podres não servem para a linha de produção do céu. Cristo terá concluído sua obra redentora. Toda intriga será extirpada, e o ciúme arrancado. Ele enxugará a última gota de teimosia dos lugares mais remotos de nossa alma. Você adorará o resultado. Ninguém duvidará de sua palavra, questionará seus motivos ou falará mal de você pelas costas. A purificação do pecado realizada por Deus faz cessar toda contenda.

Ouse imaginar encontros como estes no céu:

- Um soldado abraçando o atirador que o matou.
- Uma filha abraçando o pai arrependido que abusou dela.
- Um filho se encontrando com a mãe que o abortou.

Sem dúvida, alguns irão acontecer. E o perdão fluirá como as águas das cataratas do Iguaçu.

"E morará o lobo com o cordeiro" (Isaías 11:6). "E Deus limpará de seus olhos toda lágrima, e não haverá mais morte, nem pranto, nem clamor, nem dor, porque já as primeiras coisas são passadas" (Apocalipse 21: 4).

Nenhum pecado significa: nenhum ladrão, nenhum divórcio, nenhum desgosto e nenhum aborrecimento. Você não ficará entediado no céu, porque você não será a mesma *pessoa* no céu. O aborrecimento surge em solos que o céu desaprova. O solo do cansaço: nossos olhos se cansam. Das limitações mentais: a sobrecarga de informações nos entorpece. Do egocentrismo: ficamos emburrados quando os refletores se voltam para os outros. Do tédio: atividades sem sentido minam o vigor.

Mas Satanás levará consigo para o inferno esses solos cheios de erva daninha, deixando você com uma mente aguçada, um foco contínuo nas tarefas que honram a Deus.

Sim, você terá tarefas no céu. Deus deu responsabilidades a Adão e Eva no jardim. "Eles terão poder" (Gênesis 1:26, NTLH). Ele revestiu o casal de liderança sobre "os peixes do mar, sobre as aves dos céus, sobre os animais domésticos, sobre toda a terra e sobre todos os répteis que rastejam pela terra" (v. 26). Adão foi colocado no jardim "para o lavrar e o guardar" (2:15).

Adão e seus descendentes farão isso novamente. "Os seus servos [os servos de Deus] o servirão" (Apocalipse 22:3). O que é servir senão uma atividade responsável? Aqueles que forem fiéis sobre algumas coisas irão reinar sobre muitos (Mateus 25:21).

Você poderia supervisionar a órbita de um sistema planetário distante... desenhar um mural na nova cidade... monitorar a expansão de novos espécimes de plantas ou animais. "O seu poder como rei crescerá, e haverá paz em todo o seu reino" (Isaías 9:7). O novo mundo de Deus será marcado pelo crescimento. Mais planetas? Cores? Música? Parece provável. O que um criador faz senão criar?

O que seus filhos felizes farão além de servi-lo? Nós deveremos servir com a capacidade com que servimos agora. As tarefas terrenas não poderiam sugerir as tarefas do céu? Os arquitetos de Moscou poderiam fazer projetos na nova Liverpool. Daremos festas no céu; você talvez venha a ser um cozinheiro em Saturno. Deus encheu seu primeiro jardim de plantas e animais. E, sem dúvida, fará o mesmo no céu. Neste caso, talvez ele confie a você cuidar de uma ou duas Áfricas e alimentá-las.

Uma coisa é certa: você vai amar. Nunca estará cansado ou será egoísta, ou se sentirá derrotado. Mente pura, músculos incansáveis, alegria ininterrupta. O céu é um lugar perfeito, de pessoas aperfeiçoadas com nosso perfeito Senhor. "Ó profundidade das riquezas, tanto da sabedoria, como da ciência de Deus! Quão insondáveis são os seus juízos, e quão inescrutáveis os seus caminhos!" (Romanos 11:33).

Não pense que esgotaremos nosso estudo acerca de Deus. Atributos intermináveis estão à nossa espera. A graça de Deus impressionará cada vez mais, a sabedoria surpreenderá e a perfeição estará mais ainda em foco.

Servimos a um Deus tão enlevado em maravilhas que, para vêlas, é preciso uma eternidade. Um Deus cuja beleza aumenta à medida que nos aproximamos dele. E é este o convite que ele faz: "E, se eu for e vos preparar lugar, virei outra vez e vos levarei para mim mesmo, para que, onde eu estiver, estejais vós também" (João 14:3).

John Todd era muito jovem quando a morte de seus pais o deixou órfão. Ele era um entre vários filhos, e como era comum no início dos anos 1800, ele e seus irmãos foram entregues a parentes. Uma tia se ofereceu para levar o pequeno John. Enviou um criado chamado César para trazê-lo para ela. O menino subiu no dorso do cavalo, colocou seus bracinhos em volta do homem e foi embora para a casa da tia. Suas perguntas revelavam seus temores.

— Ela vai estar lá?

— Ah, sim — assegurou César. — Ela estará lá esperando por você.

— Vou gostar de morar com ela?

— Meu filho, você está em boas mãos.

— Ela vai me amar?

O servo foi paciente e terno:

— Ah, ela tem um coração grande.

— Você acha que ela irá para a cama antes de nós chegarmos?

— Ah, não! Ela com certeza vai esperar você acordada. Você verá quando sairmos desta floresta. Verá a vela na janela.

Quando se aproximaram da casa, John viu uma vela na janela e sua tia em pé na porta. Enquanto ele se aproximava timidamente da varanda, ela estendeu os braços, o beijou e disse:

— Bem-vindo ao lar!

O jovem John Todd cresceu sob os cuidados de sua tia. Ela foi uma mãe para ele. Quando chegou a hora de escolher uma profissão, ele respondeu a um chamado para ser pastor. Anos mais tarde, inverteu-se o papel com sua tia. Ela enviou notícias sobre sua saúde debilitada e morte iminente. Eis o que ele escreveu para ela:

> Minha querida tia,
> Há muitos anos, deixei uma casa de morte, sem saber para onde estava indo, se ficaria aos cuidados de alguém, se aquele era o meu fim. O trajeto foi longo, mas o criado me encorajou. Finalmente, cheguei aos seus braços e a um novo lar. Eu era esperado e me senti seguro. Você fez tudo por mim.

> Agora é a sua vez de ir. Estou escrevendo para que você saiba que alguém está à sua espera, seu quarto já está preparado, a luz está acesa, a porta está aberta e você é esperada![3]

Assim é com você. Jesus está preparando o seu lugar. Um lugar perfeito de pessoas aperfeiçoadas que estão sob os cuidados de nosso perfeito Senhor. E no momento certo ele virá para levá-lo para casa.

12

Uma última palavra sobre vida

"...não pereça, mas tenha a vida eterna"

Um amigo de minha cidade natal, no Texas, me procurou com uma ótima notícia.

— Meu pai viu o nome de sua mãe na coluna de propriedades não reclamadas do jornal.

Eu não conseguia imaginar que propriedade poderia ser. Meu pai tinha morrido anos atrás. Minha mãe mora perto de minha irmã, em Arkansas. Vendemos a casa dela. Que eu saiba, não possuíamos nada na cidade.

— Propriedade não reclamada?

— Claro! A prefeitura é obrigada a listar o nome das pessoas que têm estes bens.

— Não diga...

— Vou lhe enviar as informações para contato.

Isso foi no domingo. O e-mail dele chegou na terça-feira. Aquilo ocupou meu tempo para imaginar o que minha família, sem o conhecimento dos filhos, poderia ter acumulado. A princípio, fiquei espantado. A Grande Depressão transformara meus pais em dois avarentos. Eles faziam com o dinheiro o que as jibóias fazem com ratos — espremiam até secar toda a vida.

Na ocasião, meu pai trabalhava como mecânico em um campo petrolífero. Os que procuram petróleo visitam esses lugares. Será que alguém o convenceu a investir, em silêncio, em um poço de petróleo com poucas chances de sucesso? E que ele não contou nada à minha mãe para ela não brigar? E agora, seria possível que esse poço de petróleo estivesse rendendo? Um poço poderia significar milhões de barris de petróleo fluindo de um tesouro. E quem está na lista dos investidores senão Jack Lucado? E quem está na lista de seus herdeiros?

Minha imaginação corria como um piloto de Fórmula 1. *Isso poderia ser demais!* No final da tarde de domingo, *financiei* os estudos de meus netos que ainda estavam para nascer. Na segunda-feira, *acabei* com a fome do mundo. Na terça, quando o e-mail chegou, eu estava *solucionando* a crise da Aids. Disquei o número da repartição municipal. A funcionária lembrou-se de minha mãe e disse com muito entusiasmo:

— Eu estava esperando sua ligação.

Ouvi barulho de papéis, sua voz murmurando:

— Onde coloquei aquele cheque?

Cheque? Engoli seco. Tirei uma calculadora da gaveta e estiquei os dedos.

— Aqui está! — ela exclamou, voltando a falar ao telefone. — Parece que devemos algum dinheiro à sua mãe. Espere! Isso está aqui há pouco tempo.

Bati os dedos na mesa.

— Vejamos, Sr. Lucado. Para onde devemos enviar este cheque?

Dei-lhe um endereço e esperei.

Ela continuou:

— Ao que parece, devemos três e cinqüenta à sua mãe.

Ela disse tre-tre-três milhões e cinqüenta mil? Eu me controlei.

Talvez ela tivesse se referido a três mil e cinqüenta. *Seja como for, parabéns, papai.*

— Sim, senhor, sua mãe pagou três dólares e cinqüenta centavos a mais na última conta de água. Devo enviar o dinheiro hoje?

— Claro... obrigado. Mande pelo correio.

Algumas esperanças não se cumprem. Algumas expectativas estouram e caem como um balão solto. Você lembra aquele namorado todo *mauricinho* que foi infiel e partiu seu coração? Da promoção rápida que levou você ao cubículo de um sótão esquecido? De quando você atravessou o país para "se encontrar"? Você se encontrou, tudo bem. Mas também se deparou com aluguéis mais altos e poucos amigos.

Sonhos do tipo "se tão-somente" estão escondidos em todas as biografias. "Se eu tão-somente pudesse encontrar um companheiro... um bom emprego... um carro esporte do ano a preço acessível". A única barreira entre você e a felicidade é um "se tão-somente". Às vezes, você consegue transpô-la. Você encontra o companheiro ou o emprego ou o carro... conta os três e cinqüenta e suspira.

A vida tem desilusões. E como você sabe que Cristo não será uma delas? Honestamente. Você se arrisca a acreditar que ele dá o que promete? A vida. A vida eterna. "...para que todo aquele que nele crê não pereça, mas tenha a vida eterna" (João 3:16). Estamos chegando à última estação. Tendo feito o itinerário de João 3:16 do começo ao fim, precisamos pensar em mais uma palavra: *vida.*

As indústrias de cerveja lhe oferecem vida em seus lúpulos. Os fabricantes de perfumes prometem nova vida para seu romance. Mas não confunda bijuterias com a safira de Deus.

Jesus oferece *zoe*,[1] o termo grego para "a vida como Deus a tem". Enquanto *bios*, o outro termo, é vida extensiva, *zoe* é vida intensiva. Jesus fala menos sobre a duração da vida e mais sobre sua qualidade, vitalidade, energia e realização. O que o novo companheiro, o carro esporte ou um cheque inesperado jamais poderiam fazer, Cristo afirma: "Eu posso". Você adorará o modo como ele faz isso. Ele conecta novamente sua alma com Deus.

O que Deus deu a Adão e Eva, ele confiou a você e a mim. Uma alma. "E formou o SENHOR Deus o homem do pó da terra e soprou em seus narizes o fôlego da vida; e o homem foi feito alma vivente" (Gênesis 2:7).

Você, um macaco bípede? Casualidade química? Surpresa atômica? De forma alguma. Você tem o fôlego de Deus. Ele se exalou em você, transformando-o em uma "alma vivente" (v. 7).

O termo hebraico traduzido aqui como "alma" é *nephesh*, que aparece mais de 750 vezes na Bíblia. Às vezes, se refere à força vital presente em todas as criaturas. No contexto de uma pessoa, no entanto, *nephesh* se refere à nossa alma.[2]

Sua alma é o que distingue você dos habitantes do zoológico. Deus deu ao camelo uma corcunda e à girafa um pescoço que lembra um mastro, mas reservou o fôlego divino, ou uma alma, para você. Você leva o selo de Deus. Faz coisas que Deus faz. Pensa. Pergunta. Reflete. Você projeta prédios, faz mapas de travessias marítimas e sente um nó na garganta quando seus filhos se alfabetizam. Você, como Adão, tem uma alma.

E, como Adão, você tem usado sua alma para desobedecer a Deus. A ordem de Deus para o casal inclui a primeira referência da Bíblia à morte. "Da árvore da ciência do bem e do mal, dela não comerás; porque, no dia em que dela comeres, certamente morrerás" (v. 17).

Minha filha Andrea, quando cursava o Ensino Fundamental, fez uma pergunta de gente grande. "Papai, se Deus não queria que eles comessem daquela árvore, por que ele a pôs ali?" A resposta é: para nos lembrar de quem criou quem. Quando tentamos inverter os papéis com Deus e dizemos para ele que podemos comer (pensar, dizer, fazer, controlar, possuir, ferir, inspirar, ingerir, exigir) qualquer coisa que quisermos, sofremos duas mortes. Adão e Eva morreram. Eles morreram fisicamente no seu final, e espiritualmente no mesmo instante.

Releia o aviso de Deus: "*No dia em que* dela comeres, certamente morrerás" (v. 17). O pecado resultou na morte imediata de Adão e de Eva. Mas a morte do quê? Do corpo deles? Não, eles continuaram a respirar. As ondas cerebrais fluíam. As pálpebras piscavam. O corpo deles funcionava, mas o coração endureceu. Eles deixaram de confiar em Deus. A amizade que tinham com seu criador morreu.

É fácil entender como isso aconteceu. Se você me emprestar seu carro e eu batê-lo, vou querer encontrá-lo de novo? Não. Vou evitar um encontro. Adão e Eva sentiram a mesma coisa.

Antes daquele ato, eles seguiam a Deus assim como ovelhas seguem seu pastor. Ele falava, eles ouviam. Ele dava tarefas, eles as cumpriam. Eles estavam nus, mas não sentiam vergonha, eram transparentes e sem medo. Contudo, assim como uma gota de tinta escurece um copo de água, o ato obstinado escureceu a alma deles. Tudo mudou. A presença de Deus dava pânico, e não paz. Adão correu como uma criança apanhada roubando a despensa. "Fiquei com medo" (Gênesis 3:10, NTLH). Acabou a intimidade com Deus; começou a separação de Deus. Sempre nos perguntaremos por que Adão não pediu perdão. Mas ele não pediu, e Deus "lançou fora [o casal culpado] do jardim do Éden" (Gênesis 3:23).

Desde então, temos vagado do lado de fora dos portões.

Lá no fundo sabemos (não sabemos?) que algo está errado — nos sentimos desconectados. Aquilo que, segundo as nossas expectativas, trará vida, acaba trazendo coisas limitadas... que valem três e cinqüenta. Nós nos ligamos a uma profissão, encontramos sentido na família, mas desejamos algo mais.

Sentimos a frustração que senti na manhã de Natal de 1964. Montei aquilo que era o presente dos sonhos de uma criança de 9 anos: uma coleção que tinha um trem e a estrada de ferro em miniatura, com motor movido a pilha e sinaleiros piscando. Coloquei a locomotiva nos trilhos e fiquei observando, com total alegria, enquanto o brinquedo com quase um quilo e meio de puro aço atravessava o chão do quarto. Ele dava voltas e voltas e voltas e... voltas... e voltas... Depois de algum tempo, eu o peguei e o virei para a outra direção. Ele continuou a dar voltas e voltas e voltas...

— Mãe, o que mais eu vou ganhar de Natal?

De igual modo, nossa vida segue em longas pistas ovais, uma volta após outra. Primeiro trabalho. Promoção. Dia do casamento. Camas para os quartos das crianças. Filhos. Netos. Voltas e voltas... Tem mais alguma coisa?

Nossa insatisfação se junta ao desapontamento e dá à luz alguns filhos rebeldes: alcoolismo, desejos de usar o poder, semanas de trabalho de oitenta horas, mergulhar de cabeça em perversões sexuais — tudo isso não passa de anseios mal disfarçados pelo Éden. Desejamos restaurar o que Adão perdeu. Como alguém disse certa vez: "O homem que bate à porta de um bordel está à procura de Deus."

Onde e quando o bordel frustra, Jesus entra em cena com um convite a uma nova conexão. Embora estejamos "mortos em [nossas] ofensas e pecados[3] e separados da vida de Deus,[4] todo aquele que crê que Jesus é o Cristo é nascido de Deus.[5] Eles não se tornaram filhos de Deus pelos meios naturais, isto é, não nasceram como nascem os filhos de um pai humano; o próprio Deus é quem foi o Pai deles".[6]

Não perca o milagre interior e invisível despertado pela fé. Deus nos restabelece o status do jardim do Éden. O que Adão e Eva fizeram antes da queda, nós fazemos agora! A família mais importante andou com Deus; também podemos. Eles ouviram sua voz; também podemos. Eles estavam nus e não tinham vergonha; podemos ser transparentes com ele e não ter medo. Não precisamos mais fugir ou nos esconder.

Ele sopra vida em vidas esvaziadas. Faz por nosso coração o que fazemos com baterias de carro descarregadas. Foi o que aconteceu comigo recentemente. Girei a chave da ignição do carro — nenhum barulho. Então, fiz o que qualquer pessoa faria: pus uísque no tanque do carro, confiante que uma garrafa com 40% de teor alcoólico provocaria alguma reação. Nada aconteceu. Coloquei uma televisão em frente ao radiador e sintonizei em um jogo. Uma boa disputa estimula a célula mais inativa, certo? Não desta vez. Então, comprei a última edição da *Playcar* e deixei os faróis do carro se regalarem com algumas beldades da Europa. Nenhuma resposta. A bateria tinha a arrancada de uma caixa de sapato.

E você acha que tenho o QI de uma chave de fenda. Quem recorre a bebidas, telas de TV ou corpos para se sentir renovado? Muita gente. Um número considerável de pessoas.

Mas a oferta de Jesus ainda está em pé. "Ele nos deu uma nova vida pela ressurreição de Jesus Cristo. Por isso o nosso coração está cheio de uma esperança viva. Assim, esperamos possuir as ricas bênçãos que Deus guarda para o seu povo. Ele as guarda no céu, onde elas não perdem o valor e não podem se estragar, nem ser destruídas" (1 Pedro 1:3,4, NTLH).

Outros oferecem vida, mas ninguém se oferece para fazer o que Jesus faz — conectar-nos novamente ao seu poder. Mas como podemos confiar? Como ter a certeza de que Jesus sabe do que está falando? A resposta básica, segundo seus principais seguidores, é o túmulo vazio. Você reparou nas palavras que acabou de ler? "Ele nos deu uma nova vida pela *ressurreição de Jesus Cristo.*" Em resumo, foi a sepultura interrompida que convenceu os cristãos inexperientes a lançarem sua sorte sobre Cristo. "Apareceu a Pedro e depois aos doze apóstolos. Depois apareceu, de uma só vez, a mais de quinhentos seguidores" (1 Coríntios 15:5,6, NTLH).

Jesus realmente pode substituir a morte pela vida? Ele fez um trabalho convincente consigo mesmo. Podemos confiar nele porque ele esteve lá.

Em uma viagem à China, passei pela Praça da Paz Celestial em um ônibus cheio de turistas ocidentais. Tentamos relembrar as causas e as conseqüências da revolta. Nosso conhecimento de história era embaraçoso. Um mencionou uma data; o outro, uma data completamente diferente. Uma pessoa lembrou-se de um determinado número de mortos; outra discordou. Durante todo aquele tempo, nossa intérprete permaneceu calada.

Por fim, um de nós perguntou a ela:

— Você se lembra de alguma coisa sobre a revolta na praça?

Sua resposta foi séria:

— Sim, fiz parte dela.

Ficamos em silêncio enquanto ela relembrava o derramamento de sangue e a opressão. Ouvimos com a máxima concentração porque ela esteve lá.

Nós, que seguimos a Cristo, fazemos isso pela mesma razão. Ele esteve lá...

Ele esteve em Belém, usando trapos encontrados em um celeiro e ouvindo o ruminar das ovelhas. Sendo amamentado e tremendo de frio. Toda a essência da divindade se encerra em um corpo de aproximadamente três quilos e meio e dorme enquanto uma vaca se alimenta. Milhões que sentem calafrios por terem os bolsos vazios ou temores de uma mudança repentina se voltam para Cristo. Por quê?

Porque ele esteve lá.

Ele esteve em Nazaré, onde cumpriu prazos e pagou contas; esteve na Galiléia, onde recrutou seus repórteres e separou os briguentos; esteve em Jerusalém, onde ignorou críticas e se posicionou contra os cépticos.

Temos nossas Nazarés também — cobranças e datas de vencimento. Jesus não foi o último a formar uma equipe; acusadores não desapareceram com o templo de Jerusalém. Por que procurar a ajuda de Jesus em meio aos desafios que você tem? Porque ele esteve lá. Ele esteve em Nazaré, na Galiléia, e em Jerusalém.

Mas, sobretudo, ele esteve no túmulo. Não como um visitante, mas como um cadáver. Foi enterrado entre os cadáveres. Contado entre os mortos. O coração silenciou e os pulmões ficaram vazios. O corpo coberto e o túmulo fechado. O cemitério. Ele foi enterrado ali.

Você ainda não. Mas estará. E, uma vez que estará, você não precisa de alguém que conheça a saída?

> Deus [...] nos gerou de novo para uma viva esperança, pela ressurreição de Jesus Cristo dentre os mortos [...] aboliu a morte e trouxe à luz a vida e a incorrupção, pelo evangelho (1 Pedro 1:3; 2 Timóteo 1:10).

Você lembra aquele cheque na minha cidade natal? Ainda estou esperando por ele. Não conto com ele para muita coisa. Os três e cinqüenta prometem render pouco. Mas, e a promessa de João 3:16? Faz muito tempo que eu depositei esse cheque. Ele rende juros todos os dias e assim será para sempre.

O seu cheque também renderá.

Conclusão

Vida baseada em João 3:16

"Vôo gratuito: do Rio de Janeiro para Miami, Flórida."

Eu não fui a única pessoa a saber dessa oferta, mas fui um dos poucos a telefonar e pedir detalhes. O serviço de correio oferecia uma passagem aérea para qualquer pessoa disposta a levar uma mala postal para os Estados Unidos. O negócio era tentadoramente simples:

> Encontre o representante da empresa no aeroporto, onde lhe será dada uma mochila de documentos e uma passagem. Confira a mala postal quando fizer o *check in* para o vôo. Recolha a mala em Miami antes de fazer sua conexão e a entregue ao representante dos correios uniformizado que estará à sua espera do outro lado da alfândega.

Nenhuma empresa faz, hoje em dia, ofertas assim. Mas essa foi feita em 1985 — anos antes da intensa segurança nos aeroportos. Meu pai estava morrendo de esclerose lateral amiotrófica, as passagens aéreas eram caras e minha conta corrente estava tão magra quanto uma *top model* de Paris. Bilhete gratuito? A oferta parecia boa demais para ser verdade.

Por isso deixei para lá.

Muitos fazem a mesma coisa com João 3:16. Milhões lêem o versículo. Apenas alguns confiam nele. Desconfiam que seja uma armadilha. Ou, quem sabe, não necessitem o bastante? Talvez sejam alertados por amigos precavidos?

Foi o meu caso. Outros moradores do Rio viram a mesma oferta. Alguns leram sobre ela e desconfiaram. "Não se arrisque", um deles me advertiu. "É melhor comprar sua passagem."

Mas eu não podia bancar uma. Cada ligação para minha mãe trazia notícias piores. "Ele voltou para o hospital." "Não consegue respirar sem o aparelho de oxigênio." "O médico disse que chegou a hora de ir para a ala de pacientes terminais."

Então, voltei a considerar a oferta. O desespero aumentou meu interesse. Não é sempre assim?

Quando ele pede o divórcio ou ela diz: "Acabou". Quando o médico legista telefona, os filhos se rebelam, ou a situação financeira está ruim. Quando o desespero entra em seu mundo feito um furacão, a oferta de Deus para um vôo gratuito exige ser considerada pela segunda vez. João 3:16 deixa de ser um belo versículo para ser um colete salva-vidas.

Alguns de vocês o estão usando. Você pode se lembrar do dia em que o colocou. Para você, esta passagem bíblica conforta como o cobertor no inverno.

> Deus amou de tal maneira...
> para o que nele crê não pereça...
> vida eterna.

Essas palavras lhe fizeram companhia durante muitos invernos em que você esteve exposto ao vento. Oro para que elas o aqueçam durante os invernos que restam.

Outros ainda estão examinando a oferta. Ainda estão pensando na possibilidade, pelejando com a promessa. Um dia, curiosos por saber que tipo de oferta idiota é esta; no dia seguinte, curiosos por saber que tipo de idiota iria recusá-la.

Peço que você não a recuse. Não deixe para lá. Quem mais pode levá-lo para casa? Quem mais transformou seu túmulo em um armário para trocar de roupa e se ofereceu para fazer o mesmo com você? Aceite a oferta de Jesus. Entre nessa. Você não vai perder essa chance de ver seu Pai.

Eu não. Liguei para a empresa dos correios e me inscrevi. Denalyn me levou de carro ao aeroporto. Senti-me como se tivesse acabado de encontrar um presente esquecido debaixo da árvore de Natal.

Faça o mesmo. Você não precisa ir ao aeroporto, mas precisa dar um passo. Precisa dar sua resposta para Deus: "Para que Cristo habite, pela fé, no vosso coração" (Efésios 3:17). Diga sim para ele. Sua oração não precisa ser eloqüente, apenas sincera.

> Pai, creio que tu amas este mundo. Tu deste teu Filho unigênito para que eu pudesse viver para sempre contigo. Separado de ti, eu morro. Contigo, eu vivo. Eu escolho a vida. Eu te escolho.

Se você não sabe com certeza se falou isso para ele, então é porque não falou. Não podemos entrar no barco e não saber disso. Nem podemos entrar no barco e esconder o fato. Não são permitidos passageiros clandestinos. Os seguidores de Cristo professam publicamente sua fé. Nós nos desviamos de um comportamento mau e passamos para o bom (arrependimento). Deixamos de seguir nossas paixões e saudamos nosso novo capitão (confissão). Demonstramos publicamente a nossa devoção (batismo).[1]

Não fazemos de nossa escolha um segredo. Por que faríamos? Estamos seguindo para casa por amor a Cristo.

Obrigado ao pessoal do correio, porque pude estar presente na morte de meu pai.

Obrigado a Deus, porque ele estará presente na sua. Ele se preocupa demais para não estar. Creia nele e você não irá perecer.

Você terá vida, vida eterna, para sempre.

Notas

Capítulo 1

1. Uma colunata ao leste do templo, cujo nome vem de uma tradição de que se tratava de uma relíquia do templo de Salomão, em pé mesmo após a destruição de Jerusalém pelos babilônios. (Veja *Bible Encyclopedia*, "Solomon's Porch" [Pórtico de Salomão], ChristianAnswers.net, http://www.christiananswers.net/dictionary/porch solomons.html).
2. As primeiras cópias dos livros do Novo Testamento foram escritas em grego, por isso os estudos dos termos gregos explicam o significado de passagens do Novo Testamento.
3. *The New Testament Greek Lexicon*, "pa/lin", Heartlight's SearchGods Word, http://www.searchgodsword.org/lex/grk/browsecgi?letter=p&sn=21&pn=2.
4. *The New Testament Greek Lexicon*, "anothen", Heartlight's Search GodsWord, http://www.searchgodsword.org/lex/grkviewcgi?number=509&1=en.
5. BARNES, Stanley, comp. *Sermons on John 3:16*. Greenville, SC: Ambassador Productions, 1999, 90.

6. BOICE, James Montgomery. *The Gospel of John: An Expositional Commentary*. Grand Rapids: Zondervan Publishing House, 1985, 195.
7. BARNES. *Sermons on John 3:16*, 25.

Capítulo 2

1. CHRISTOFIDES, Andy. *The Life Sentence: John 3:16*. Waynesboro, GA: Paternoster Publishing, 2002, 11.
2. GONZALEZ, Guillermo e RICHARDS, Jay W. *The Privileged Planet: How Our Place in the Cosmos Is Designed for Discovery*. Washington, DC: Regnery Publishing, 2004, 143.
3. CHRISTOFIDES. *The Life Sentence*, 13.
4. "Liftoff to Space Exploration", NASA, http://liftoff.msfc.nasa.gov/academy/universe_travel.html.
5. SHEEHAN, Bob. "A Self-Revealing God", *Reformation Today*, n.° 127, maio-junho de 1992, 6.
6. SAGAN, Carl. *Pálido ponto azul: uma visão do futuro da humanidade no espaço*. 1.ª edição, São Paulo: Companhia das Letras, 1996, 7, citado em GONZALEZ e RICHARDS, *The Privileged Planet*, x.
7. TUCKER, Bill (palestra na conferência de homens da Oak Hills Church, San Antonio, TX, 3 de maio de 2003).

Capítulo 3

1. MAEDER, Thomas. "A Few Hundred People Turned to Bone", Atlantic Online, http://www.theatlantic.com/doc/199802/bone.

Capítulo 4

1. THAN, Ker. "Pluto Is Now Just a Number: 134340", MSNBC.com, http://msnbc.msn.com/id/14789691.
2. FEINBERG, John S., editor geral. *No One Like Him: The Doctrine of God*. Wheaton, IL: Crossway Books, 2001, 349.
3. HARRIS, R. Laird, ARCHER, Gleason e WALTKE, Bruce K., editores. *Theological Wordbook of the Old Testament*, volume 1. Chicago: Moody, 1980, 332, citado em FEINBERG, *No One Like Him*, 349.
4. EMURIAN, Ernest K. *Living Stories of Famous Hymns*. Boston: W. A.

Wilde Company, 1955, 99-100, e MORGAN, Robert J. *Then Sings My Soul: 150 of the World's Greatest Hymn Stories*. Nashville: Thomas Nelson, 2003, 207.

5. VINE, W. E. *Expository Dictionary of New Testament Words: A Comprehensive Dictionary of the Original Greek Words with Their Precise Meanings for English Readers*. McClean:VA: MacDonald Publishing Company, s.d., 703.
6. RUSSERT, Tim. *Wisdom of Our Fathers: Lessons and Letters from Daughters and Sons*. Nova York: Random House, 2006, 235-36.

Capítulo 5

1. WHITE, James R. *The Forgotten Trinity: Recovering the Heart of Christian Belief*. Minneapolis: Bethany House Publishers, 1998, 201-3, nota 27.
2. GOODRICK, Edward W., editor, KOHLENBERGER III, John e SWANN, James A., editores associados. *Zondervan NIV Exhaustive Concordance, 2nd ed*. Grand Rapids, MI: Zondervan Publishing House, 1999, 4778, n.° 4742.

Capítulo 6

1. The Hunger Site, http://www.thehungersite.com.
2. Os Guinness. *Unspeakable: Facing Up to Evil in an Age of Genocide and Terror*. San Francisco: HarperSanFrancisco, 2005, 4-5.
3. GOODTRICK, Edward W., editor, KOHLENBERGER III, John R. e SWANN, James A., editores associados. *Zondervan NIV Exhaustive Concordance, 2nd ed*. Grand Rapids, MI: Zondervan Publishing House, 1999, 4778, n.° 4742.
4. BARNES, Stanley, comp. *Sermons on John 3:16*. Greenville, SC: Ambassador Productions, 1999, 79.
5. BARNHOUSE, Donald Grey. *Let Me Illustrate: More Than 400 Stories, Anecdotes & Illustrations*. Grand Rapids: Fleming H. Revell, 1967, 196.
6. Adaptado de VRYHOF, Steven, "Crash Helmets and Church Bells", *Perspectives*, agosto-setembro de 2000, citado em DYK, Leanne Van, *Believing in Jesus Christ*. Louisville, KY: Geneva Press, 2002, 109-10.

Capítulo 7

1. BOREHAM, Francis William. *A Handful Of Stars*, citado em BARNES, Stanley, comp., *Sermons on John 3:16*. Greenville, SC: Ambassador Productions, 1999, 19-20. As palavras do versículo provavelmente seguiram uma das traduções mais conhecidas da época, a versão Revista e Corrigida de João Ferreira de Almeida: "Porque Deus amou o mundo de tal maneira que deu o seu Filho unigênito, para que todo aquele que nele crê não pereça, mas tenha a vida eterna."
2. DIXON, Larry. *The Other Side of the Good News*. (Wheaton, IL: Victor Books, 1992), 133.

Capítulo 9

1. TERESHCHUK, David. "Racing Towards Inclusion", Equipe Hoyt, http://www.teamhoyt.com/history.shtml.
2. ZAEHNER, R. C., editor. *Encyclopedia of World Religions*. Nova York: Barnes & Noble, 1997, veja verbete "hinduísmo".
3. McKINLEY, Dan. "Aren't All Religions Just Different Ways to the Same Place?", *The Coaching Center*, http://www.gocampus.org/modx/index.php?id=109.
4. BLANCHARD, John. *Whatever Happened to Hell?* Wheaton, IL: Crossway Books, 1995, 62.
5. HUNT, Dave. *Whatever Happened to Heaven?* Eugene, OR: Harvest House Publishers, 1988, 14, citado em BLANCHARD, *Whatever Happened to Hell?*, 62.
6. COTTERELL, Peter. *London Bible College Review*, verão de 1989, citado em LEWIS, Peter, *The Glory of Christ*. Londres: Hodder and Stoughton, 1992, 461.
7. GREEN, Michael. *You Must Be Joking: Popular Excuses for Avoiding Jesus Christ*. Londres: Hodder and Stoughton, 1981, 43, citado em LEWIS, *The Glory of Christ*, 461.
8. GREEN. *You Must Be Joking*, 43, citado em LEWIS, *The Glory of Christ*, 461.

Capítulo 10

1. 1 Coríntios 1:18.
2. JEFFRESS, Robert. *Hell? Yes!... and Other Outrageous Truths You Can Still Believe.* Colorado Springs, CO: WaterBrook Press, 2004, 71-72.
3. MARTY, Martin. *Newsweek*, 27 de março de 1989, citado em BLANCHARD, John, *Whatever Happened to Hell?* Wheaton, IL: Crossway Books, 1995, 15-16.
4. JEFFRESS. *Hell? Yes!*, 73.
5. BLANCHARD. *Whatever Happened to Hell?*, 105.
6. VINE, W. E. *Expository Dictionary of New Testament Words: A Comprehensive Dictionary of the Original Greek Words with Their Precise Meanings for English Readers.* McClean:VA: MacDonald Publishing Company, s.d., 867.
7. DENNEY, James. *Studies in Theology*. Londres: Hodder and Stoughton, 1904, 255, citado em DEMAREST, Bruce, *The Cross and Salvation: The Doctrine of Salvation.* Wheaton, IL: Crossway Books, 1997, 31.
8. VINCENT, Thomas. *Christ's Certain and Sudden Appearance to Judgment*, citado em DAVIES, Eryl, *The Wrath of God*, Evangelical Press of Wales, 50, citado em BLANCHARD, *Whatever Happened to Hell?*, 145.
9. LEWIS, C. S. *O Problema do Sofrimento*. 1.ª edição, São Paulo: Vida, 2006, 127, citado em BLANCHARD, *Whatever Happened to Hell?*, 152.

Capítulo 11

1. ALCORN, Randy. *Heaven*. Wheaton, IL: Tyndale House Publishers, 2004, 6-7.
2. ALCORN. *Heaven*, 393.
3. STRAND, Robert. *Moments for Mothers*. Green Forest, AR: New Leaf Press, 1996, citado em CANFIELF, Jack e outros, *A 4th Course of Chicken Soup for the Soul: 101 More Stories to Open the Heart and Rekindle the Spirit*. Deerfield Beach, FL: Health Communications, 1997, 200-201.

Capítulo 12

1. VINE, W. E. *Expository Dictionary of New Testament Words: A Comprehensive Dictionary of the Original Greek Words with Their Precise Meanings for*

English Readers. McClean: VA: MacDonald Publishing Company, s.d., 676.

2. BLANCHARD, John. *Whatever Happened to Hell?* Wheaton, IL: Crossway Books, 1995, 54.
3. Efésios 2:1.
4. Efésios 4:18.
5. 1 João 5:1.
6. João 1:13, NTLH.

Conclusão

1. Atos 26:20; Romanos 10:9; Atos 2:38.

Este livro foi composto em fonte Bembo 11,5/15 e impresso pela Ediouro Gráfica sobre papel offset 63g para a Thomas Nelson Brasil em novembro de 2009.